“十三五”国家重点出版物出版规划项目

中国中药资源大典

湖北卷

7

黄璐琦 / 总主编
王 平 余 坤 周重建 / 主 编

北京科学技术出版社

图书在版编目（CIP）数据

中国中药资源大典．湖北卷．7 / 王平，余坤，周重建主编．-- 北京：北京科学技术出版社，2024. 6.

ISBN 978-7-5714-4052-7

Ⅰ．R281.4

中国国家版本馆 CIP 数据核字第 2024DL3265 号

责任编辑：吕　慧　孙　硕　吴　丹　李兆弟　侍　伟

责任校对：贾　荣

图文制作：樊润琴

责任印制：李　茗

出 版 人：曾庆宇

出版发行：北京科学技术出版社

社　　址：北京西直门南大街16号

邮政编码：100035

电　　话：0086-10-66135495（总编室）　0086-10-66113227（发行部）

网　　址：www.bkydw.cn

印　　刷：北京博海升彩色印刷有限公司

开　　本：889 mm × 1 194 mm　1/16

字　　数：1 012千字

印　　张：45.75

版　　次：2024年6月第1版

印　　次：2024年6月第1次印刷

审 图 号：GS京（2023）1758号

ISBN 978-7-5714-4052-7

定　　价：490.00元

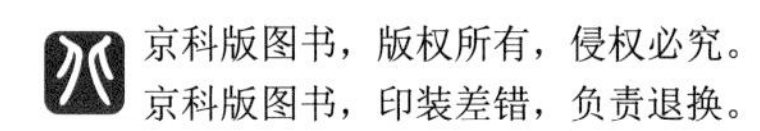

《中国中药资源大典·湖北卷》

编写委员会

指导单位 湖北省卫生健康委员会

湖北省中医药管理局

总 主 编 黄璐琦

主　　编 王　平　吴和珍　刘合刚

副 主 编 陈家春　李晓东　康四和　甘啟良　熊兴军　聂　晶　余　坤

黄　晓　艾中柱　游秋云　周重建　万定荣　汪乐原

编　　委 （按姓氏笔画排序）

力　华　万　智　万定荣　万舜民　马艳丽　马哲学　王　平　王　东

王　伟　王　旭　王　玮　王　诚　王　倩　王　涛　王　涵　王　斌

王　路　王　静　王玉兵　王正军　王臣林　王庆华　王红星　王志平

王迎丽　王建华　王艳丽　王绪新　王智勇　王毅斌　方　丹　方　琛

方　震　方优妮　尹　超　孔庆旭　邓　丰　邓　旻　邓　娟　邓　静

邓中富　邓爱平　甘　泉　甘啟良　艾中柱　艾伦强　石　晗　卢　琼

卢　锋　卢妍瑛　卢晓莉　帅　超　申雪阳　田万安　田守付　田经龙

史峰波　付卫军　包凤君　冯　煜　冯启光　冯建华　冯晓红　兰　洲

成刘志　成润芳　吕　沐　吕　露　朱　明　朱　霞　朱建军　向　栋

向　莉　向子成　向华林　刘　启　刘　迪　刘　晖　刘　敏　刘　渊

刘　博　刘　辉　刘　斌　刘　磊　刘义飞　刘义梅　刘丹萍　刘传福

刘合刚　刘兴艳　刘军昌　刘军锋　刘丽珍　刘国玲　刘建平　刘建涛

刘新平　闫明媚　江玲兴　许明军　许萌晖　阮　伟　阮爱萍　孙　媛

孙云华　孙立敏　孙仲谋　牟红兵　纪少波　严少明　严星宇　严雪梅

严德超　杜鸿志　李　平　李　立　李　芳　李　凯　李　洋　李　莉

李　浩　李　超　李　靖　李小红　李小玲　李丰华　李太彬　李文涛

李方涛　李世洋　李兴伟　李兴娇　李利荣　李宏泰　李建芝　李秋怡
李晓东　李海波　李乾富　李梓豪　李德凤　李德平　杨　建　杨　瑞
杨万宏　杨小宙　杨卫民　杨玉莹　杨光明　杨红兵　杨明荣　杨欣霜
杨学芳　杨振中　杨焰明　肖　光　肖　帆　肖　浪　肖权衡　肖惟丹
吴　丹　吴　迪　吴　勇　吴　涛　吴亚立　吴自勇　吴志德　吴和珍
吴洪来　吴海新　何　博　何文建　何江城　余　坤　余　艳　余亚心
邹远锦　邹志威　汪　婧　汪　静　汪文杰　汪乐原　张　宇　张　红
张　芳　张　明　张　沫　张　星　张　俊　张　格　张　健　张　银
张　翔　张　磊　张才士　张子良　张华良　张旭荣　张志君　张松保
张国利　张明高　张南方　张美娅　张晓勇　张梦林　张景景　张颖柔
陈　乐　陈　泉　陈　俊　陈　峰　陈　途　陈　锐　陈从量　陈秀梅
陈茂华　陈国健　陈泽璇　陈宗政　陈顺俭　陈家春　陈智国　陈霖林
范　钊　范又良　范海洲　林良生　林祖武　明　晶　季光琼　周　艳
周　密　周　晶　周卫忠　周兴明　周丽华　周建国　周重建　周根群
周瑞忠　周新星　周啟兵　庞聪雅　郑宗敬　赵　云　赵　晖　赵　翔
赵　鹏　赵东瑞　赵君宇　赵昌礼　郝欲平　胡　文　胡　红　胡天云
胡文华　胡志刚　胡建华　胡敦全　胡嫦娥　柯　源　柯美仓　柏仲华
柳卫东　柳成盟　钟　艳　郜邦鹏　姜在铎　姜荣才　洪祥云　姚　奇
秦　思　袁　杰　耿维东　聂　晶　夏千明　夏斌斌　晏　哲　钱　特
徐　雷　徐卫权　徐友滨　徐华丽　徐拂然　徐昌恕　徐泽鹤　徐德耀
高志平　郭丹丹　郭文华　唐　鼎　涂育明　谈发明　黄　莉　黄　晓
黄　楚　黄必胜　黄发慧　黄智洪　曹百惠　戚倩倩　龚　玲　龚　颜
龚绪毅　康四和　梁明华　寇章丽　彭　宇　彭义平　彭建波　彭荣越
彭宣文　彭家庆　葛关平　董　喜　董小阳　韩永界　韩劲松　森　林
喻　剑　喻　涛　喻志华　喻雄华　程　志　程月明　程淑琴　答国政
舒　勇　舒佳惠　舒朝辉　童志军　曾凡奇　游秋云　蒯梦婷　雷　普
雷大勇　雷志红　雷梦玉　詹建平　詹爱明　蔡志江　蔡宏涛　蔡洪容
蔡清萍　蔡朝晖　裴光明　廖　敏　谭卫民　谭文勇　谭洪波　熊　睿

熊小燕　熊兴军　熊志恒　熊林波　熊国飞　熊德琴　黎　曙　黎钟强
潘云霞　薛　辉　魏　敏　魏继雄

品种审定委员会　（按姓氏笔画排序）

王志平　刘合刚　杨红兵　吴和珍　汪乐原　黄　晓　森　林　潘宏林

审稿委员　（按姓氏笔画排序）

王　平　艾中柱　刘合刚　李建强　李晓东　肖　凌　吴和珍　余　坤
汪乐原　张　燕　陈林霖　陈科力　陈家春　苟君波　袁德培　聂　晶
徐　雷　黄　晓　黄必胜　康四和　詹亚华　廖朝林

《中国中药资源大典·湖北卷 7》

编写委员会

主　　编　王　平　余　坤　周重建

副 主 编　聂　晶　王志平　雷志红　汪文杰

《中国中药资源大典·湖北卷》

编辑委员会

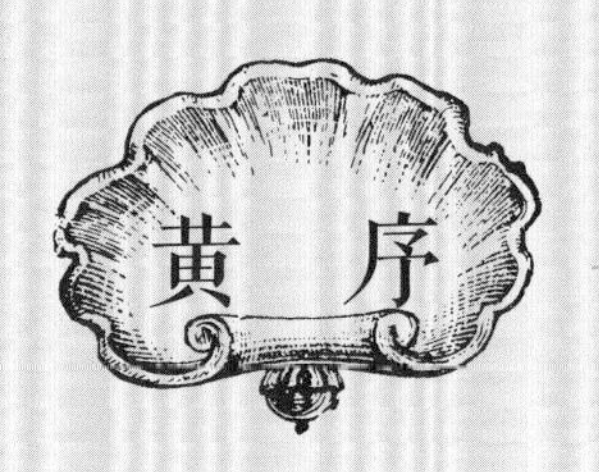

湖北省位于我国中部，地处亚热带季风气候区，位于第二级阶梯向第三级阶梯的过渡地带，温暖湿润的气候和复杂多样的地貌类型孕育了丰富的中药资源。

中药资源是中医药事业和中药产业发展的重要物质基础，是国家重要的战略性资源。湖北省作为第四次全国中药资源普查的试点省区之一，于 2011 年 12 月启动中药资源普查工作，历时 11 年，完成了 103 个县（自治县、市、区、林区）的中药资源普查工作，摸清了湖北省中药资源情况。《中国中药资源大典·湖北卷》由湖北省卫生健康委员会、湖北省中医药管理局组织编写，以普查获取的数据资料为基础，凝聚了全体普查“伙计”的共同心血与智慧，以较全面地展现了湖北省中药资源现状，具有重要的学术价值。

我曾多次与湖北省的“伙计们”一起跋山涉水开展中药资源调查，其间有许多新发现和新认识，如在蕲春县仙人台发现了失传已久的“九牛草”[*Artemisia stolonifera* (Maxim.) Komar.]。“伙计们”的专业精神令人感动，该书付梓之际，欣然为序。

中国工程院院士
中国中医科学院院长
第四次全国中药资源普查技术指导专家组组长

2024 年 3 月

湖北省地处我国中部，属于典型的亚热带季风气候区。全省地势大致为东、西、北三面环山，中间低平，略呈向南敞开的不完整盆地。湖北省西部的武陵山区、秦巴山区为我国第二级阶梯山地地区，海拔落差大，小气候明显；东南部属于我国第三级阶梯，日照充足，降水丰富，环境适宜。多样的地理环境与气候特征孕育了湖北省丰富的中药资源，湖北省历来被称为“华中药库”，为我国中药生产的重要基地。

2011年，在第四次全国中药资源普查试点工作启动之际，湖北省系统梳理本省在中药资源普查队伍、产业规模、政策支持等方面的优势，向全国中药资源普查办公室提交试点申请，获得批准，并于2011年12月18日正式启动普查工作。湖北省历时11年，分6批完成了全省103个县（自治县、市、区、林区）的野外普查工作。为进一步梳理普查成果，促进成果转化应用，湖北省于2019年7月29日启动《中国中药资源大典·湖北卷》的编写工作。

《中国中药资源大典·湖北卷》分为上、中、下三篇，共10册。上篇主要介绍湖北省的地理环境和气候特征、第四次中药资源普查实施情况、中药资源概况、中药资源开发利用情况、中药资源发展规划简介，以及湖北省新种、新记录种。中篇介绍湖北省道地、大宗药材，每种药材包括来源、原植物形态、野生资源、栽培资源、采收加工、药材性状、功能主治、用法用量、附注 9 项内容。下篇主要按照《中国植物志》的分类方法，以科、属为主线，分类介绍湖北省植物类中药资源，以便于读者了解湖北省植物类中药资源的种类、分布及应用现状等。

湖北省第四次中药资源普查共普查到植物类中药资源 4 834 种，其中具有药用历史的植物类中药资源 4 346 种。《中国中药资源大典·湖北卷》共收载植物类中药资源 3 298 种。普查过程中，发现新属 1 个、新种 17 个，重新采集模式标本 4 个，发现新分布记录科 2 个、新分布记录属 6 个。

《中国中药资源大典·湖北卷》目前收载的主要为植物类中药资源，动物类中药资源、矿物类中药资源和部分暂未收载的植物类中药资源将在补编中收载。

《中国中药资源大典·湖北卷》的编写工作由湖北省卫生健康委员会、湖北省中医药管理局组织，湖北省中药资源普查办公室、湖北中医药大学普查工作专班承担。本书是参与湖北省中药资源普查工作的全体同志智慧的结晶，在编写过程中得到了全国中药资源普查办公室和湖北省相关部门的大力支持，全省各普查单位、相关高校及科研院所的无私帮助，有关专家的悉心指导。在此，对所有领导、专家学者、普查队员等的辛勤付出表示诚挚的谢意和崇高的敬意！

本书可能存在不足之处，敬请读者不吝指正，以期后续完善和提高。

编　者

2024 年 2 月

（1）本书共10册，分为上、中、下篇。上篇综述了湖北省的地理环境和气候特征、第四次中药资源普查实施情况、中药资源概况、中药资源开发利用情况、中药资源发展规划及新种、新记录种；中篇论述了121种湖北省道地、大宗药材；下篇共收录植物类中药资源3 298种。

（2）本书下篇主要介绍各中药资源，以中药资源名为条目名，下设药材名、形态特征、生境分布、资源情况、采收加工、功能主治及附注等，其中资源情况、采收加工、附注为非必要项，资料不详者项目从略。各项目编写原则简述如下。

1）条目名。该项记述中药资源物种及其科属的中文名、拉丁学名。其中菌类、苔藓类的名称主要参考《中华本草》，蕨类、裸子植物、被子植物的名称主要参考《中国植物志》。

2）药材名。该项记述中药资源的药材名。凡《中华人民共和国药典》等法定标准收载者，原则上采用法定药材名；法定标准未收载者，主要参考《中华本草》《全国中草药名鉴》《中国中药资源志要》。

3）形态特征。该项简要描述中药资源的形态特征，突出鉴别特征。主要参考《中国植物志》，并结合普查实际所获取的信息进行描述。

4）生境分布。该项记述中药资源在湖北省的生存环境与分布区域。生存环境主要源于普查实际获取的生境信息，并参考相关志书的描述。分布区域主要介绍中药资源的分布情况，源于植物标本采集地。

5）资源情况。该项记述中药资源的蕴藏量情况，用丰富、较丰富、一般、较少、稀少来表示；并用“野生”或“栽培”记述药材的主要来源。

6）采收加工。该项记述药材的采收时间与加工方法。

7）功能主治。该项主要记述药材的功能和主治。

8）附注。该项记载中药资源最新的分类学地位与接受名的变动情况；记载《中华人民共和国药典》与地方标准收载的物种学名；描述物种其他医药相关用途，以及本草、地方志书中的相关记载情况等。

（3）附录。以名录形式收载中篇、下篇没有收载的湖北药用植物资源。

目录

Contents

被子植物

鼠李科 Rhamnaceae 勾儿茶属 *Berchemia*

黄背勾儿茶 *Berchemia flavescens* (Wall.) Brongn.

| 药 材 名 | 黄背勾儿茶。

| 形态特征 | 藤状灌木。高 7 ~ 8 m。全株无毛。腋芽大，卵形，淡黄色或黄褐色，长达 5 mm；小枝圆柱形，平展，黄色或变褐色，有时多少被粉。叶纸质，卵圆形、卵状椭圆形或矩圆形，长 7 ~ 15 cm，宽 3 ~ 7 cm，先端钝或圆形，稀锐尖，具小突尖，基部圆形或近心形，上面绿色，无毛，下面干时常变黄色，侧脉每边 12 ~ 18，在两面凸起；叶柄长 1.3 ~ 2.5 cm，无毛；托叶早落。花芽卵球形，先端钝；花黄绿色，长约 1.5 mm，无毛，通常 1 至数个簇生，在侧枝先端排成窄聚伞圆锥花序，稀聚伞总状花序，花梗长 2 ~ 3 mm；萼片卵状三角形，稍钝；花瓣倒卵形，稍短于萼片；雄蕊与花瓣等长。核果近圆柱形，

长 7 ～ 11 mm，直径 4 ～ 5 mm，先端具小尖头，基部有盘状的宿存花盘，成熟时紫红色或紫黑色，有酸甜味；果柄长 3 ～ 5 mm，无毛。花期 6 ～ 8 月，果期翌年 5 ～ 7 月。

| 生境分布 | 生于海拔 1 200 ～ 3 100 m 的山坡灌丛中或林下。分布于湖北西部等地。

| 功能主治 | 祛风湿，活血通络，止咳化痰，健脾益气。用于风湿关节痛，腰痛，痛经，肺结核，瘰疬，疳积，肝炎，胆道蛔虫症，毒蛇咬伤，跌打损伤。

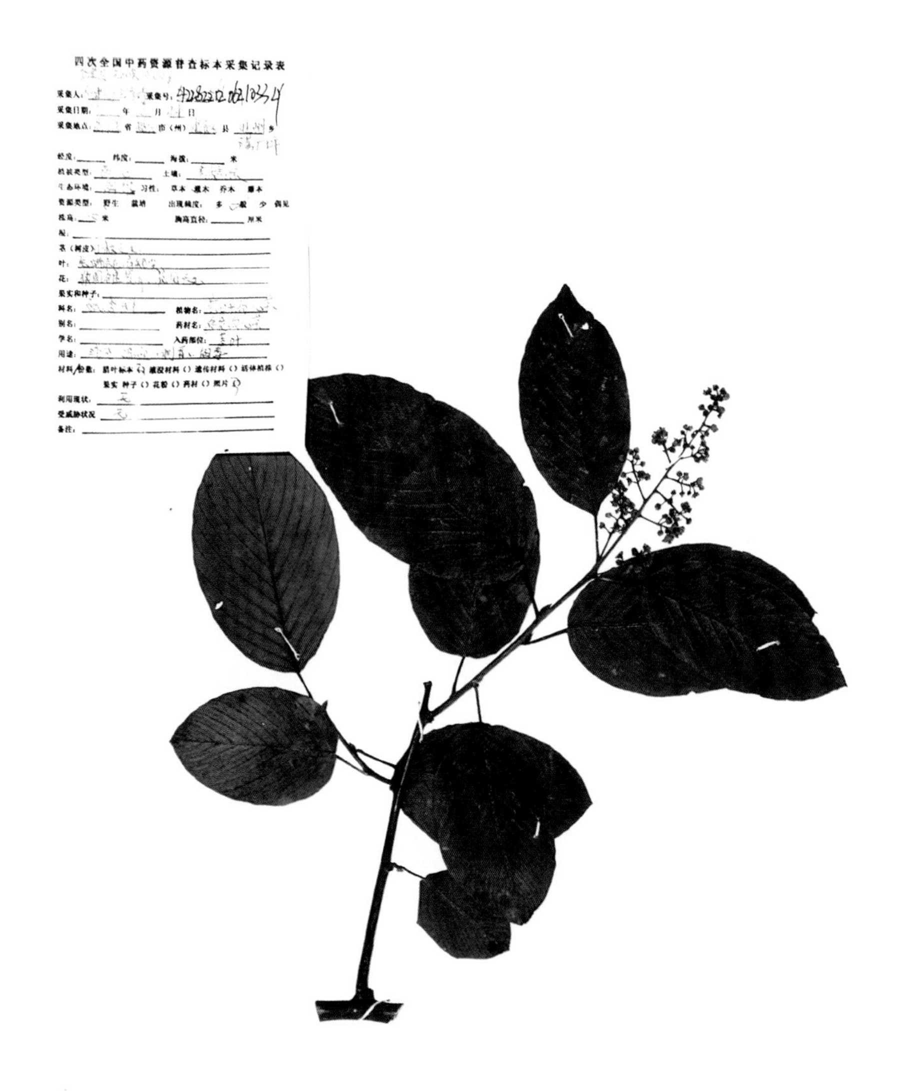

采集号：
学 名：
鉴定人：　　鉴定日期：　年　月　日

鼠李科 Rhamnaceae 勾儿茶属 *Berchemia*

多花勾儿茶 *Berchemia floribunda* (Wall.) Brongn.

| 药 材 名 | 多花勾儿茶。

| 形态特征 | 藤状或直立灌木。幼枝黄绿色，光滑无毛。叶纸质，上部叶较小，卵形或卵状椭圆形至卵状披针形，长 4 ~ 9 cm，宽 2 ~ 5 cm，先端锐尖，下部叶较大，椭圆形至矩圆形，长达 11 cm，宽达 6.5 cm，先端钝或圆，稀短渐尖，基部圆形，稀心形，上面绿色，无毛，下面干时栗色，无毛或沿脉基部被疏短柔毛，侧脉每边 9 ~ 12，在两面稍凸起；叶柄长 1 ~ 2 cm，稀 5.2 cm，无毛；托叶狭披针形，宿存。花多数，通常数花簇生成顶生宽聚伞圆锥花序或下部兼腋生聚伞总状花序，花序长可达 15 cm，侧枝长不及 5 cm，花序轴无毛或被疏微毛；花芽卵球形，先端急狭成锐尖或渐尖；花梗长 1 ~ 2 mm；

萼片三角形，先端尖；花瓣倒卵形；雄蕊与花瓣等长。核果圆柱状椭圆形，长 7 ~ 10 mm，直径 4 ~ 5 mm，有时先端稍宽，基部有盘状的宿存花盘；果柄长 2 ~ 3 mm，无毛。花期 7 ~ 10 月，果期翌年 4 ~ 7 月。

| 生境分布 | 生于海拔 2 600 m 以下的山坡、沟谷、林缘、林下或灌丛中。湖北有分布。

| 功能主治 | 祛风湿，活血通络，止咳化痰，健脾益气。用于风湿关节痛，腰痛，痛经，肺结核，瘰疬，疳积，肝炎，胆道蛔虫病，毒蛇咬伤，跌打损伤。

鼠李科 Rhamnaceae 勾儿茶属 *Berchemia*

大叶勾儿茶 *Berchemia huana* Rehd.

| 药 材 名 | 大叶勾儿茶。

| 形态特征 | 藤状灌木，高达 10 m。小枝光滑无毛，绿褐色。叶纸质或薄纸质，卵形或卵状矩圆形，长 6 ~ 10 cm，宽 3 ~ 6 cm，上部叶渐小，先端圆或稍钝，稀锐尖，基部圆形或近心形，上面绿色，无毛，下面黄绿色，被黄色密短柔毛，干后栗色，侧脉每边 10 ~ 14，叶脉在两面稍凸起；叶柄长 1.4 ~ 2.5 cm，无毛。花黄绿色，无毛，通常在枝端排成宽聚伞圆锥花序，稀排成腋生窄聚伞总状或聚伞圆锥花序，花序轴长可达 20 cm，分枝长可达 8 cm，被短柔毛，花梗短，长 1 ~ 2 mm，无毛；花芽卵球形，先端骤然收缩成短尖。核果圆柱状椭圆形，长 7 ~ 9 mm，直径 4 mm，成熟时紫红色或紫黑色，基

部宿存的花盘盘状；果柄长 2 mm。花期 7 ~ 9 月，果期翌年 5 ~ 6 月。

| 生境分布 | 生于海拔 1 000 m 以下的山坡灌丛或林中。湖北有分布。

| 功能主治 | 祛风湿，活血通络，止咳化痰，健脾益气。用于风湿关节痛，腰痛，痛经，肺结核，瘰疬，疳积，肝炎，胆道蛔虫病，毒蛇咬伤，跌打损伤。

鼠李科 Rhamnaceae 勾儿茶属 *Berchemia*

牯岭勾儿茶 *Berchemia kulingensis* Schneid.

| 药材名 | 牯岭勾儿茶。

| 形态特征 | 藤状或攀缘灌木。高达 3 m。小枝平展，变黄色，无毛，后变淡褐色。叶纸质，卵状椭圆形或卵状矩圆形，长 2 ~ 6.5 cm，宽 1.5 ~ 3.5 cm，先端钝圆或锐尖，具小尖头，基部圆形或近心形，两面无毛，上面绿色，下面干时常灰绿色，侧脉每边 7 ~ 9（~ 10），叶脉在两面稍凸起；叶柄长 6 ~ 10 mm，无毛；托叶披针形，长约 3 mm，基部合生。花绿色，无毛，通常 2 ~ 3 簇生排成近无梗或具短总梗的疏散聚伞总状花序，稀窄聚伞圆锥花序，花序长 3 ~ 5 cm，无毛；粒梗长 2 ~ 3 mm，无毛；花芽圆球形，先端收缩成渐尖；萼片三角形，先端渐尖，边缘被疏缘毛；花瓣倒卵形，稍长。核果长圆柱形，

长 7 ～ 9 mm，直径 3.5 ～ 4 mm，红色，成熟时黑紫色，基部宿存的花盘盘状；果柄长 2 ～ 4 mm，无毛。花期 6 ～ 7 月，果期翌年 4 ～ 6 月。

| 生境分布 | 生于海拔 300 ～ 2 150 m 的山谷灌丛、林缘或林中。湖北有分布。

| 功能主治 | 祛风利湿，活血止痛。用于风湿关节痛，产后腹痛，痛经，疳积，骨髓炎等。

| 附　　注 | 此种与光枝勾儿茶 *Berchemia polyphylla* ex Laws var. *leioclada* Hand.-Mazz. 外形十分近似，而且容易混淆，但后者的叶柄较短，被短柔毛，果实当年成熟。

鼠李科 Rhamnaceae 勾儿茶属 *Berchemia*

峨眉勾儿茶 *Berchemia omeiensis* Fang ex Y. L. Chen

| 药 材 名 |

勾儿茶。

| 形态特征 |

藤状或攀缘灌木。幼枝无毛，小枝黄褐色，平滑。叶革质或近革质，卵状椭圆形或卵状矩圆形，通常 2 ~ 5 叶簇生于缩短的侧枝上，长 6 ~ 12 cm，宽 3 ~ 6 cm，先端短渐尖或锐尖，常具细尖头，基部心形或圆形，稍偏斜，上面深绿色，无毛，下面浅绿色，干后浅灰色或带浅红色，仅脉腋具髯毛，侧脉每边 7 ~ 13，通常 9 ~ 10，叶脉在两面凸起；叶柄长 2 ~ 4 cm；托叶宽卵状披针形，基部合生。花黄色或淡绿色，无毛，通常 2 ~ 6 花簇生成具短总花梗的顶生宽聚伞圆锥花序，花序长达 16 cm，分枝长可达 8 cm，无毛，花梗长 3 mm；花芽卵球形，先端钝，长、宽近相等；萼片三角形；花瓣匙形。核果圆柱状椭圆形，长 1 ~ 1.3 cm，直径约 4 mm，基部有皿状的宿存花盘，成熟时红色，后变紫黑色；果柄长 3 ~ 4 mm。花期 7 ~ 8 月，果期翌年 5 ~ 6 月。

| 生境分布 |

生于海拔 450 ~ 1 700 m 的山地林中。分布

于湖北西部。

| **功能主治** | 祛风湿，活血通络，止咳化痰，健脾益气。用于风湿关节痛，腰痛，痛经，肺结核，瘰疬，疳积，肝炎，胆道蛔虫病，毒蛇咬伤，跌打损伤。

鼠李科 Rhamnaceae 勾儿茶属 *Berchemia*

多叶勾儿茶 *Berchemia polyphylla* Wall. ex Laws.

| 药 材 名 | 多叶勾儿茶。

| 形态特征 | 藤状灌木，高 3 ~ 4 m。小枝黄褐色，被短柔毛。叶纸质，卵状椭圆形、卵状矩圆形或椭圆形，长 1.5 ~ 4.5 cm，宽 0.8 ~ 2 cm，先端圆或钝，稀锐尖，常有小尖头，基部圆形，稀宽楔形，两面无毛，上面深绿色，下面浅绿色，干时常变黄色，侧脉每边 7 ~ 9，叶脉在上面明显凸起，在下面稍凸起；叶柄长 3 ~ 6 mm，被短柔毛；托叶小，披针状钻形，基部合生，宿存。花浅绿色或白色，无毛，通常 2 ~ 10 花簇生排成具短总梗的聚伞总状花序或下部具短分枝的窄聚伞圆锥花序，花序顶生，长达 7 cm，花序轴被疏或密的短柔毛，花梗长 2 ~ 5 mm；花芽锥状，先端锐尖；萼片卵状三角形或三角形，先端尖；花瓣近

圆形。核果圆柱形，长 7 ~ 9 mm，直径 3 ~ 3.5 mm，先端尖，成熟时红色，后变黑色，基部有宿存的花盘和萼筒；果柄长 3 ~ 6 mm。花期 5 ~ 9 月，果期 7 ~ 11 月。

| 生境分布 | 生于海拔 300 ~ 1 900 m 的山地灌丛或林中。湖北有分布。

| 功能主治 | **根或根皮：**用于风湿性关节炎，黄疸性肝炎，胃痛，脾胃虚弱，食欲不振，疳积，痛经。

叶：外用于跌打损伤，急性结膜炎，多发性疖肿。

鼠李科 Rhamnaceae 勾儿茶属 *Berchemia*

光枝勾儿茶变种 *Berchemia polyphylla* Wall. ex Laws. var. *leioclada* Hand.-Mazz.

|药材名|

铁包金。

|形态特征|

小枝及花序轴、果柄均无毛，叶柄仅上面有疏短柔毛。叶较小。夏、秋开花，当年结实。

|生境分布|

常见于海拔 100 ~ 2 100 m 的山坡、沟边灌丛中或林缘。湖北有分布。

|功能主治|

根、叶：调经活血。四川民间常用根及种子煎汤治痨病。

鼠李科 Rhamnaceae 勾儿茶属 *Berchemia*

勾儿茶 *Berchemia sinica* Schneid.

| 药材名 | 勾儿茶。

| 形态特征 | 藤状或攀缘灌木。高达 5 m。幼枝无毛，老枝黄褐色，平滑无毛。叶纸质至厚纸质，互生或在短枝先端簇生，卵状椭圆形或卵状矩圆形，长 3 ～ 6 cm，宽 1.6 ～ 3.5 cm，先端圆形或钝，常有小尖头，基部圆形或近心形，上面绿色，无毛，下面灰白色，仅脉腋被疏微毛，侧脉每边 8 ～ 10；叶柄纤细，长 1.2 ～ 2.6 cm，带红色，无毛。花芽卵球形，先端短锐尖或钝；花黄色或淡绿色，单生或数个簇生，无或有短总花梗，在侧枝先端排成具短分枝的窄聚伞状圆锥花序，花序轴无毛，长达 10 cm，分枝长达 5 cm，有时为腋生的短总状花序；花梗长 2 mm。核果圆柱形，长 5 ～ 9 mm，直径 2.5 ～ 3 mm，基部

稍宽，有皿状的宿存花盘，成熟时紫红色或黑色；果柄长 3 mm。花期 6 ~ 8 月，果期翌年 5 ~ 6 月。

| **生境分布** | 生于海拔 1 000 ~ 2 500 m 的山坡、沟谷灌丛或杂木林中。湖北有分布。

| **功能主治** | 用于风湿关节痛，腰痛，痛经，肺结核，瘰疬，疳积，肝炎，胆道蛔虫症，毒蛇咬伤，跌打损伤。

| **附　　注** | 本种具顶生窄聚伞状圆锥花序，叶先端圆形或钝，叶柄细长，簇生于短枝上，与本属其他的种容易区别。

鼠李科 Rhamnaceae 勾儿茶属 *Berchemia*

云南勾儿茶 *Berchemia yunnanensis* Franch.

| 药 材 名 | 云南勾儿茶。

| 形态特征 | 藤状灌木，高 2.5 ~ 5 m。小枝平展，淡黄绿色，老枝黄褐色，无毛。叶纸质，卵状椭圆形、矩圆状椭圆形或卵形，长 2.5 ~ 6 cm，宽 1.5 ~ 3 cm，先端锐尖，稀钝，具小尖头，基部圆形，稀宽楔形，两面无毛，上面绿色，下面浅绿色，干时常变黄色，侧脉每边 8 ~ 12，在两面凸起；叶柄长 7 ~ 13 mm，无毛；托叶膜质，披针形。花黄色，无毛，通常数花簇生，近无总梗或有短总梗，排成聚伞总状花序或窄聚伞圆锥花序，花序生于具叶的侧枝先端，长 2 ~ 5 cm，花梗长 3 ~ 4 mm，无毛；花芽卵球形，先端钝或锐尖，长、宽相等；萼片三角形，先端锐尖或短渐尖；花瓣倒卵形，先端钝；雄蕊稍短于花瓣。

核果圆柱形，长 6 ~ 9 mm，直径 4 ~ 5 mm，先端钝而无小尖头，成熟时红色，后黑色，有甜味，基部宿存的花盘皿状，果柄长 4 ~ 5 mm。花期 6 ~ 8 月，果期翌年 4 ~ 5 月。

| 生境分布 | 生于海拔 1 500 ~ 3 100 m 的山坡、溪流边灌丛或林中。湖北有分布。

| 功能主治 | 祛风湿，活血通络，止咳化痰，健脾益气。用于风湿关节痛，腰痛，痛经，肺结核，瘰疬，疳积，肝炎，胆道蛔虫病，毒蛇咬伤，跌打损伤。

鼠李科 Rhamnaceae 裸芽鼠李属 *Frangula*

长叶冻绿 *Frangula crenata* (Siebold et Zucc.) Miq.

| 药 材 名 | 长叶冻绿。

| 形态特征 | 灌木，高 1 ~ 3 m；或小乔木，高 4 ~ 5 m。幼枝红褐色，有锈色短柔毛。叶互生，纸质，长椭圆状披针形或椭圆状倒卵形，长 5 ~ 10 cm，宽 2.5 ~ 3.5 cm，先端尾状渐尖或短急尖，基部钝圆或楔形，边有小锯齿，上面无毛，下面沿脉有锈色短毛，侧脉 7 ~ 12 对；叶柄长达 1 cm，有密或稀疏的锈色尘状短柔毛。腋生聚伞花序，总花梗短；花单性，淡黄白色或淡黄绿色；萼片 5；花瓣 5；雄蕊 5。核果近球形，成熟后黑色，有 2 ~ 3 核；种子倒卵形，背面基部有小沟。花期 5 ~ 7 月，果期 7 ~ 10 月。

| 生境分布 | 生于海拔 400 ~ 1 600 m 的山坡沟边、灌丛或林下。分布于湖北来凤、

丹江口、崇阳、阳新、黄梅、罗田、英山，以及武汉、宜昌。

| 功能主治 | 杀虫解毒。外用于疥疮，顽癣，湿疹，脓疱疮，头癣。

鼠李科 Rhamnaceae 枳椇属 *Hovenia*

枳椇 *Hovenia acerba* Lindl.

| 药 材 名 |

枳椇子。

| 形态特征 |

高大落叶乔木，高 10 ~ 25 m。小枝褐色或黑紫色，被棕褐色短柔毛或无毛，有明显的白色皮孔。叶互生，厚纸质至纸质，宽卵形、椭圆状卵形或心形，长 8 ~ 17 cm，宽 6 ~ 12 cm，先端长渐尖或短渐尖，基部截形或心形，稀近圆形或宽楔形，边缘常具整齐、浅而钝的细锯齿，上部或近先端的叶有不明显的齿，稀近全缘，上面无毛，下面沿脉或脉腋常被短柔毛或无毛；叶柄长 2 ~ 5 cm，无毛。二歧式聚伞圆锥花序，顶生和腋生，被棕色短柔毛；花两性，直径 5 ~ 6.5 mm；萼片具网状脉或纵条纹，无毛，长 1.9 ~ 2.2 mm，宽 1.3 ~ 2 mm；花瓣椭圆状匙形，长 2 ~ 2.2 mm，宽 1.6 ~ 2 mm，具短爪；花盘被柔毛；花柱半裂，稀浅裂或深裂，长 1.7 ~ 2.1 mm，无毛。浆果状核果近球形，直径 5 ~ 6.5 mm，无毛，成熟时黄褐色或棕褐色；果序轴明显膨大；种子暗褐色或黑紫色，直径 3.2 ~ 4.5 mm。花期 5 ~ 7 月，果期 8 ~ 10 月。

| **生境分布** | 生于海拔 2 100 m 以下的空旷地、山坡林缘或疏林中。分布于湖北来凤、鹤峰、利川、建始、长阳、秭归、神农架、丹江口、崇阳、罗田、保康，以及武汉等。

| **采收加工** | 10 ~ 11 月果实成熟时连肉质花序轴一并摘下，晒干，取出种子。

| **功能主治** | 解酒毒，止渴除烦，止呕，利二便。用于醉酒，烦渴，呕吐，二便不利等。

| **附　　注** | 民间常用以浸制“拐枣酒”治疗风湿病。

鼠李科 Rhamnaceae 马甲子属 *Paliurus*

铜钱树 *Paliurus hemsleyanus* Rehd.

| 药 材 名 | 金钱木根、金钱木。

| 形态特征 | 乔木，稀灌木。高达 15 m。小枝黑褐色或紫褐色，无毛。叶互生，纸质或厚纸质，宽椭圆形、卵状椭圆形或近圆形，长 4 ～ 12 cm，宽 3 ～ 9 cm，先端长渐尖或渐尖，基部偏斜，宽楔形或近圆形，边缘具圆锯齿或钝细锯齿，两面无毛，基生三出脉；叶柄长 0.6 ～ 2 cm，近无毛或仅上面被疏短柔毛；无托叶刺，但幼树叶柄基部有 2 斜向直立的针刺。聚伞花序或聚伞圆锥花序，顶生或兼有腋生，无毛；花小，黄绿色；萼片 5，三角形或宽卵形，长 2 mm，宽 1.8 mm；花瓣 5，匙形，长 1.8 mm，宽 1.2 mm；雄蕊长于花瓣；花盘五边形，5 浅裂；子房 3 室，每室具 1 胚珠，花柱 3 深裂。核果草帽状，

周围具革质宽翅，近圆形，直径 2.5 cm 或更大，红褐色或紫红色，无毛，直径 2 ~ 3.8 cm；果柄长 1.2 ~ 1.5 cm。花期 4 ~ 6 月，果期 7 ~ 10 月。

| **生境分布** | 生于海拔 1 600 m 以下的山地林中，庭园中常有栽培。分布于湖北西部等地。

| **功能主治** | **根：**祛风湿，消炎，止痹痛，解毒。用于风湿关节痛，手足麻木，劳伤乏力，跌打损伤，痢疾，先天不足，病后失调，久病失治，肌体失养，眩晕失眠。

全株：调血补气，自汗心悸。用于痢疾，风湿痹痛；外用于跌打损伤。

鼠李科 Rhamnaceae 马甲子属 *Paliurus*

马甲子 *Paliurus ramosissimus* (Lour.) Poir.

|药材名|

马子甲根。

|形态特征|

灌木。高达 6 m。小枝褐色或深褐色，被短柔毛，稀近无毛。叶互生，纸质，宽卵形、卵状椭圆形或近圆形，长 3 ~ 5.5（~ 7）cm，宽 2.2 ~ 5 cm，先端钝或圆形，基部宽楔形、楔形或近圆形，稍偏斜，边缘具钝细锯齿或细锯齿，稀上部近全缘，上面沿脉被棕褐色短柔毛，幼叶下面密生棕褐色细柔毛，后细柔毛渐脱落，仅沿脉被短柔毛或无毛，基生三出脉；叶柄长 5 ~ 9 mm，被毛，基部有 2 紫红色斜向直立的针刺，长 0.4 ~ 1.7 cm。腋生聚伞花序，被黄色绒毛；萼片宽卵形，长 2 mm，宽 1.6 ~ 1.8 mm；花瓣匙形，短于萼片，长 1.5 ~ 1.6 mm，宽 1 mm；雄蕊与花瓣等长或略长于花瓣；花盘圆形，边缘 5 或 10 齿裂；子房 3 室，每室具 1 胚珠，花柱 3 深裂。核果杯状或盘状，被黄褐色或棕褐色绒毛，周围具木栓质 3 浅裂的窄翅，直径 1 ~ 1.7 cm，长 7 ~ 8 mm；果柄被棕褐色绒毛；种子紫红色或红褐色，扁圆形。花期 5 ~ 8 月，果期 9 ~ 10 月。

| 生境分布 | 生于海拔 2 000 m 以下的山地和平原。湖北有分布。

| 功能主治 | **根：** 祛风湿，散瘀血，解毒。用于喉痛，肠风下血，风湿痛，跌打损伤。

全国中药资源普查标本采集记录表

采集号:	420111200808048LY	采集人:	谢维
采集日期:	2020年08月08日	海拔(m):	55.8
采集地点:	武汉九峰山		
经　度:	114°28′56.03″	纬　度:	30°30′33.95″
植被类型:	阔叶林	生活型:	灌木
水分生态类型:	中生植物	光生态类型:	阳性植物
土壤生态类型:	酸性土植物	温度生态类型:	中温植物
资源类型:	野生植物	出现多度:	一般
株高(cm):	70	直径(cm):	0.5
根:		茎（树皮):	
叶:		芽:	
花:		果实和种子:	
植物名:	马甲子	科　名:	鼠李科
学　名:	Paliurus ramosissimus (Lour.) Poir		
药材名:	马甲子	药材别名:	笏子
药用部位:	根及根茎类	标本类型:	腊叶标本
用　途:	解毒消肿、止痛活血。		
备　注:			

420111LY0021

鼠李科 Rhamnaceae 猫乳属 *Rhamnella*

猫乳 *Rhamnella franguloides* (Maxim.) Weberb.

| 药 材 名 | 猫乳。

| 形态特征 | 落叶灌木或小乔木。高 2 ~ 9 m。幼枝绿色，被短柔毛或密柔毛。叶倒卵状矩圆形、倒卵状椭圆形、矩圆形、长椭圆形，稀倒卵形，长 4 ~ 12 cm，宽 2 ~ 5 cm，先端尾状渐尖、渐尖或骤然收缩成短渐尖，基部圆形，稀楔形，稍偏斜，边缘具细锯齿，上面绿色，无毛，下面黄绿色，被柔毛或仅沿脉被柔毛，侧脉每边 7 ~ 10 对；叶柄长 2 ~ 6 mm，被密柔毛；托叶披针形，长 3 ~ 4 mm，基部与茎离生，宿存。花黄绿色，两性，6 ~ 18 排成腋生聚伞花序；总花梗长 1 ~ 4 mm，被疏柔毛或无毛；萼片 5，三角状卵形，边缘被疏短毛；花瓣 5，宽倒卵形，先端微凹；雄蕊 5；花梗长 1.5 ~ 4 mm，被疏毛

或无毛。核果圆柱形，长 7 ~ 9 mm，直径 3 ~ 4.5 mm，成熟时红色或橘红色，干后变黑色或紫黑色；果柄长 3 ~ 5 mm，被疏柔毛或无毛。花期 5 ~ 7 月，果期 7 ~ 10 月。

| 生境分布 | 生于海拔 1 240 m 以下的山坡、路旁或林中。分布于湖北中西部地区。

| 功能主治 | **根**：用于疥疮。

鼠李科 Rhamnaceae 猫乳属 *Rhamnella*

多脉猫乳 *Rhamnella martini* (H. Lév.) Schneid.

|药材名|

多脉猫乳。

|形态特征|

灌木或小乔木，高可达 8 m。幼枝纤细，黄绿色，无毛，老枝黑褐色，具多数黄色皮孔。叶互生，纸质，长椭圆形、披针状椭圆形或矩圆状椭圆形，长 4 ~ 11 cm，宽 1.5 ~ 4.2 cm，先端锐尖或渐尖，基部圆形或近圆形，稍偏斜，边缘具细锯齿，两面无毛，稀下面沿脉被疏柔毛，侧脉每边 6 ~ 8 对；叶柄长 2 ~ 4 mm，无毛或被疏柔毛；托叶钻形，基部宿存。花小，黄绿色，单生于叶腋或 2 ~ 5 花排成稀疏聚伞花序，无毛，总花梗极短或长不超过 2 mm；花萼 5 裂，仅中部有喙状突起，宿存；萼片卵状三角形，先端锐尖，花瓣倒卵形，先端微凹；花梗长 2 ~ 3 mm。核果近圆柱形，长 8 mm，直径 3 ~ 3.5 mm，成熟时或干后变黑紫色；果柄长 3 ~ 4 mm。花期 4 ~ 6 月，果期 7 ~ 9 月。

| 生境分布 | 生于海拔 800 ~ 2 800 m 的山地灌丛或杂木林中。分布于湖北西部。

| 功能主治 | **根、茎皮、叶：**用于劳伤。

鼠李科 Rhamnaceae 鼠李属 *Rhamnus*

卵叶鼠李 *Rhamnus bungeana* J. Vass.

| 药 材 名 | 卵叶鼠李。

| 形态特征 | 小灌木。高达 2 m。小枝对生或近对生，稀兼互生，灰褐色，无光泽，被微柔毛，枝端具紫红色针刺；顶芽未见，腋芽极小。叶对生或近对生，稀兼互生，或在短枝上簇生，纸质，卵形、卵状披针形或卵状椭圆形，长 1 ~ 4 cm，宽 0.5 ~ 2 cm，先端钝或短尖，基部圆形或楔形，边缘具细圆齿，上面绿色，无毛，下面干时常变黄色，沿脉或脉腋被白色短柔毛，侧脉每边 2 ~ 3，有不明显的网脉，两面凸起，叶柄长 5 ~ 12 mm，具微柔毛，托叶钻形，短，宿存。花小，黄绿色，单性，雌雄异株，通常 2 ~ 3 簇生于短枝上或单生于叶腋，4 基数；萼片宽三角形，先端尖，外面有短微毛，花瓣小；花

梗长 2 ～ 3 mm，有微柔毛；雌花有退化的雄蕊，子房球形，2 室，每室有 1 胚珠，花柱 2 浅裂或半裂。核果倒卵状球形或圆球形，直径 5 ～ 6 mm，具 2 分核，基部有宿存的萼筒，成熟时紫色或黑紫色；果柄长 2 ～ 4 mm，有微毛；种子卵圆形，长约 5 mm，无光泽，背面有长为种子 4/5 的纵沟。花期 4 ～ 5 月，果期 6 ～ 9 月。

| 生境分布 | 常生于海拔 1 800 m 以下的山坡阳处或灌丛中。分布于湖北西部。

| 功能主治 | 清热泻下，消肿散结。用于便秘，腹胀，瘰疬。

鼠李科 Rhamnaceae 鼠李属 *Rhamnus*

鼠李 *Rhamnus davurica* Pall.

| 药 材 名 | 鼠李。

| 形态特征 | 灌木或小乔木。高达 10 m。幼枝无毛，小枝对生或近对生，褐色或红褐色，稍平滑，枝先端常有大的芽而不形成刺，或有时仅分叉处具短针刺；顶芽及腋芽较大，卵圆形，长 5 ~ 8 mm，鳞片淡褐色，有明显的白色缘毛。叶纸质，对生、近对生或在短枝上簇生，宽椭圆形或卵圆形，稀倒披针状椭圆形，长 4 ~ 13 cm，宽 2 ~ 6 cm，先端突尖或短渐尖至渐尖，稀钝或圆形，基部楔形或近圆形，有时稀偏斜，边缘具圆齿状细锯齿，齿端常有红色腺体，上面无毛或沿脉有疏柔毛，下面沿脉被白色疏柔毛，侧脉每边 4 ~ 5（~ 6），两面凸起，网脉明显；叶柄长 1.5 ~ 4 cm，无毛或上面有疏柔毛。花

单性，雌雄异株，4 基数，有花瓣，雌花 1 ~ 3 生于叶腋或数至 20 余簇生于短枝端，有退化雄蕊，花柱 2 ~ 3 浅裂或半裂；花梗长 7 ~ 8 mm。核果球形，黑色，直径 5 ~ 6 mm，具 2 分核，基部有宿存的萼筒；果柄长 1 ~ 1.2 cm；种子卵圆形，黄褐色，背侧有与种子等长的狭纵沟。花期 5 ~ 6 月，果期 7 ~ 10 月。本种枝端常具较大的顶芽，鳞片具明显的缘毛，叶宽椭圆形。

| 生境分布 | 生于海拔 1 800 m 以下的山坡林下、灌丛或林缘和沟边阴湿处。湖北有分布。

| 功能主治 | **树皮：**清热，通便。用于大便秘结。

果实：止咳，祛痰。用于支气管炎，肺气肿，龋齿痛，痈疖。

鼠李科 Rhamnaceae 鼠李属 *Rhamnus*

湖北鼠李 *Rhamnus hupehensis* Schneid.

| 药 材 名 | 湖北鼠李。

| 形态特征 | 灌木。高 1.5 ~ 2 m。刺未见。小枝互生，黄绿色，无毛，干时具纵条纹，多少有皮孔，老枝灰褐色，皮开裂；顶芽较大，卵圆形，长 3 ~ 6 mm，鳞片少数，先端尖，淡黄色，基部黑褐色，被缘毛。叶纸质或薄纸质，互生，脱落，椭圆形或矩圆状卵形，稀披针状椭圆形，长 5 ~ 11 cm，宽 2.5 ~ 5 cm，先端短渐尖或渐尖，基部楔形，边缘有钩状内弯的锯齿，上面深绿色，下面浅绿色，两面无毛，侧脉每边 5 ~ 7（~ 8），弧状内弯，上面下陷，下面凸起；叶柄长 1 ~ 1.5 cm，上面有沟，无毛；托叶早落。花未见。核果通常 1 ~ 2 生于短枝上部叶腋，倒卵状球形，直径 5 ~ 7 mm，成熟时黑色，具 2 ~ 3 分核，基部有宿

存的萼筒；果柄长 7 ～ 8 mm，无毛；种子矩圆状倒卵圆形，长 5 ～ 7 mm，紫黑色，有光泽，背面有长为种子 5/7 的纵沟。果期 6 ～ 10 月。

| **生境分布** | 生于海拔 1 700 ～ 2 300 m 的山坡灌丛或林下。分布于湖北房县、神农架等。

| **功能主治** | **果实：**利水，消食。

鼠李科 Rhamnaceae 鼠李属 *Rhamnus*

钩齿鼠李 *Rhamnus lamprophylla* Schneid.

| 药 材 名 | 钩齿鼠李。

| 形态特征 | 灌木或小乔木。高达 6 m。全株无毛。小枝互生，稀近对生，灰褐色或黄褐色，无光泽；枝端刺状；芽小，具数个鳞片，无毛。叶纸质或薄纸质，互生或在短枝上簇生，长椭圆形或椭圆形，稀披针状或倒披针状椭圆形，长 5 ~ 12 cm，宽 2 ~ 5.5 cm，先端尾状渐尖或渐尖，稀锐尖，基部楔形，边缘有钩状内弯的圆锯齿，两面无毛，侧脉每边 4 ~ 6，两面凸起，具不明显的网脉；叶柄长 5 ~ 10 mm；托叶早落。花单性，雌雄异株，4 基数，黄绿色，花梗长 5 ~ 9 mm；雄花 2 至数朵腋生或在短枝端和当年生枝下部簇生，有花瓣；雌花数至 10 余簇生，花柱 2 ~ 3 浅裂或近半裂。核果倒卵状球形，长

6 ～ 7 mm，直径约 5 mm，成熟时黑色，有 2 ～ 3 分核，基部有宿存的萼筒；果柄长 6 ～ 10 mm；种子矩圆状倒卵圆形，暗褐色，背面仅下部 1/4 具短沟，上部有沟缝。花期 4 ～ 5 月，果期 6 ～ 9 月。

| 生境分布 | 生于海拔 400 ～ 1 600 m 的山地灌丛、林中或阴处。分布于湖北利川、巴东、建始、宣恩、咸丰，以及宜昌等地。

| 功能主治 | **叶**：用于外伤出血。

鼠李科 Rhamnaceae 鼠李属 *Rhamnus*

薄叶鼠李 *Rhamnus leptophylla* Schneid.

|药材名|

绛梨木子。

|形态特征|

灌木或稀小乔木。高达 5 m。小枝对生或近对生，褐色或黄褐色，稀紫红色，平滑无毛，有光泽，芽小，鳞片数个，无毛。叶纸质，对生或近对生，或在短枝上簇生，倒卵形至倒卵状椭圆形，稀椭圆形或矩圆形，长 3 ~ 8 cm，宽 2 ~ 5 cm，先端短突尖或锐尖，稀近圆形，基部楔形，边缘具圆齿或钝锯齿，上面深绿色，无毛或沿中脉被疏毛，下面浅绿色，仅脉腋有簇毛，侧脉每边 3 ~ 5 条，具不明显的网脉，中脉在叶面上面下陷，下面凸起；叶柄长 0.8 ~ 2 cm，上面有小沟，无毛或被疏短毛；托叶线形，早落。花单性，绿色，成聚伞花序或束生于短枝上，雌雄异株，4 基数，有花瓣，花梗长 4 ~ 5 mm，无毛；雄花 10 ~ 20 个簇生于短枝端；雌花数个至10余个簇生于短枝端或长枝下部叶腋，退化雄蕊极小，花柱 2 半裂。核果球形，直径 7 ~ 9 mm，长 5 ~ 6 mm，基部有宿存的萼筒，有 2 ~ 3 个分核，成熟时黑色；果柄长 6 ~ 7 mm；种子宽倒卵圆形，背面具长为种子 2/3 ~ 3/4 的纵沟。花期 5 月，果期

8 ~ 9 月。

| **生境分布** | 生于海拔 1 700 ~ 2 600 m 的山坡、山谷、路旁灌丛中或林缘。分布于湖北来凤、咸丰、宣恩、鹤峰、恩施、建始、巴东、五峰等。

| **功能主治** | **根、果实、叶：**消食顺气，行水，活血祛瘀。用于食积饱胀，食欲不振，胃痛，嗳气，便秘，克山病，水肿，闭经。

| **附　　注** | 此种外形与圆叶鼠李 *Rhamnus globosa* Bunge 相似，但后者幼枝、叶两面、花及花梗被短柔毛，而前者幼枝无毛，叶仅下面脉腋有簇毛，容易区分。二者的种子背面的沟也不同。

鼠李科 Rhamnaceae 鼠李属 *Rhamnus*

小冻绿树 *Rhamnus rosthornii* E. Pritz. ex Diels

|药材名|

小冻绿树。

|形态特征|

灌木或小乔木，高达 3 m。小枝互生和近对生，不呈帚状，先端具钝刺；幼枝绿色，被短柔毛；老枝灰褐色或黑褐色，无毛，树皮粗糙，有纵裂纹。叶革质或薄革质，互生或在短枝上簇生，匙形、菱状椭圆形或倒卵状椭圆形，稀倒卵圆形，长 1 ~ 3.5 cm，宽 0.7 ~ 1.2 cm，先端截形或圆形，稀锐尖，基部楔形，稀近圆形，边缘具圆齿或钝锯齿，干时常背卷，上面暗绿色，无毛或沿中脉被短柔毛，下面淡绿色，仅脉腋有簇状毛，稀沿脉被疏柔毛，侧脉每边 2 ~ 4，在上面不明显，在下面凸起；叶柄长 2 ~ 4 mm，被短柔毛；托叶线状披针形，有微毛，约与叶柄等长或稍长于叶柄，宿存。花单性，雌雄异株，4 基数，有花瓣；雌花数个簇生于短枝先端或当年生枝下部的叶腋，退化的雄蕊极小，花柱 2 浅裂或半裂；花梗长 2 ~ 3 mm。核果球形，直径 3 ~ 4 mm，长 4 ~ 5 mm，成熟时黑色，具 2 分核，基部有宿存的萼筒；果柄长 2 ~ 4 mm；种子倒卵圆形，红褐色，有光泽，背面有纵沟，纵沟长为种子的 4/5

或与种子近等长，下部宽，中部狭。花期 4 ~ 5 月，果期 6 ~ 9 月。

| 生境分布 | 生于海拔 600 ~ 2 600 m 的山坡向阳处、灌丛或沟边林中。分布于湖北巴东、建始、郧西、神农架。

| 功能主治 | 解热，止泻。

鼠李科 Rhamnaceae 鼠李属 *Rhamnus*

皱叶鼠李 *Rhamnus rugulosa* Hemsl.

| 药 材 名 | 皱叶鼠李。

| 形态特征 | 乔木或灌木。高达 3 m。一年生的小枝灰棕色，被柔毛，二年生枝呈紫褐色，几近无毛，先端有针刺。叶互生或束生于短枝先端，纸质，卵形、倒卵形、椭圆形或长倒卵形，长 3.5 ~ 10 cm，宽 2.5 ~ 5 cm，先端钝圆或急尖，基部圆形或宽楔形，边缘有小圆齿，上面幼时有毛，后变无毛，下面密生白色柔毛，侧脉 5 ~ 6 对，老叶上面有皱纹；叶柄长 5 ~ 10 mm，密生白色短柔毛。花单性，单生于叶腋或 2 ~ 3 排成聚伞花序；萼片 4，花瓣 4，雄蕊 4。果核球形，成熟后黑色，直径约 8 mm，有 2 核；种子倒卵形，背有纵沟。花期 5 月，果期 6 ~ 9 月。

| 生境分布 | 生于海拔200 ~ 1 000 m的山坡沟边、灌丛中、山谷林中或路旁。分布于湖北兴山、神农架、房县、崇阳、阳新、罗田、黄陂，以及宜昌、咸宁。

| 功能主治 | 清热解毒。用于肿毒，疮疡。

鼠李科 Rhamnaceae 鼠李属 *Rhamnus*

冻绿 *Rhamnus utilis* Decne.

| 药 材 名 | 冻绿。

| 形态特征 | 灌木，高 1.5 ~ 5 m，或乔木，高 2.5 m。小枝干后呈淡黄绿色，互生，先端针刺状。叶互生或束生于短枝先端，椭圆形或长椭圆形，少有倒披针状长椭圆形或倒披针形，长 2 ~ 12 cm，宽 1.5 ~ 3.5 cm，先端短渐尖或急尖，基部楔形，边缘有细锯齿，侧脉 5 ~ 8 对，中脉在叶上面下陷，幼叶下面沿下面叶脉和脉腋有黄色短柔毛；叶柄长 5 ~ 10 cm，有疏短柔毛或无毛。聚伞花序着生于枝端和叶腋；花单生，黄绿色，4 基数。核果近球形，黑色，有 2 核；种子背面有纵沟。花期 5 ~ 6 月，果期 8 ~ 9 月。

| 生境分布 | 生于海拔 140 ~ 1 500 m 的山坡灌丛、林下或竹林下。分布于湖北

来凤、丹江口、崇阳、罗田，以及咸宁、武汉。

| 功能主治 | **干燥果实：**清热利湿，消积通便。用于水肿腹胀，疝瘕，瘰疬，疮疡，便秘。

鼠李科 Rhamnaceae 雀梅藤属 *Sageretia*

梗花雀梅藤 *Sageretia henryi* Drumm. et Sprague

| 药 材 名 | 酸梅簕。

| 形态特征 | 攀缘灌木，高达 2.5 m，无刺或具刺。小枝红褐色，无毛，老枝灰黑色。叶互生或近对生，纸质，有光泽，矩圆形、长椭圆形或卵状椭圆形，长 5 ~ 15 cm，宽 2.5 ~ 5 cm，先端尾状渐尖，稀锐尖或钝圆，基部圆形或宽楔形，边缘具细锯齿，两面无毛，上面干时栗色，稍下陷，下面凸起，侧脉每边 5 ~ 6；叶柄长 5 ~ 13 mm，无毛或被微柔毛；托叶钻形，长 1 ~ 1.5 mm。花具长 1 ~ 3 mm 的梗，白色或黄白色，无毛，单生或数花簇生排成疏散的总状或圆锥花序，腋生或顶生；花序轴无毛，长 3 ~ 17 cm；萼片卵状三角形，先端尖；花瓣白色，匙形，先端微凹，稍短于雄蕊；子房 3 室，每室具 1 胚珠。

核果椭圆形或倒卵状球形，长 5 ~ 6 mm，直径 4 ~ 5 mm，成熟时紫红色，具不分裂的 2 ~ 3 分核；果柄长 1 ~ 4 mm；种子 2，扁平，两端凹入。花期 7 ~ 11 月，果期翌年 3 ~ 6 月。

| **生境分布** | 生于海拔 400 ~ 2 500 m 的山地灌丛或密林中。湖北有分布。

| **功能主治** | 清热，降火。用于胃热口苦，牙龈肿痛，口舌生疮。

| **附　　注** | 本种与本属其他种的明显区别是本种具明显的花梗（长 1 ~ 3 mm），花排成总状花序或圆锥花序。

鼠李科 Rhamnaceae 雀梅藤属 *Sageretia*

少脉雀梅藤 *Sageretia paucicostata* Maxim.

| 药 材 名 | 少脉雀梅藤。

| 形态特征 | 直立灌木，稀小乔木，高可达 6 m。幼枝被黄色茸毛，后毛脱落，小枝刺状，对生或近对生。叶纸质，互生或近对生，椭圆形或倒卵状椭圆形，稀近圆形或卵状椭圆形，长 2.5 ~ 4.5 cm，宽 1.4 ~ 2.5 cm，先端钝或圆，稀锐尖或微凹，基部楔形或近圆形，边缘具钩状细锯齿，上面无光泽，深绿色，下面黄绿色，无毛，侧脉每边 2 ~ 3，稀 4，弧状上升，中脉在上面下陷，侧脉在上面稍凸起，中脉和侧脉在下面凸起，网脉多少明显；叶柄长 4 ~ 6 mm，稀较长，被短细柔毛。花无梗或近无梗，黄绿色，无毛，单生或 2 ~ 3 簇生，排成疏散穗状或穗状圆锥花序，生于侧枝先端或小枝上部叶腋，花序轴无毛；

萼片稍厚，三角形，先端尖；花瓣匙形，短于萼片，先端微凹；雄蕊稍长于花瓣；花药圆形，子房扁球形，藏于花盘内，3 室，每室具 1 胚珠，花柱粗短，柱头头状，3 浅裂。核果倒卵状球形或圆球形，长 5 ~ 8 mm，直径 4 ~ 6 mm，成熟时黑色或黑紫色，具 3 分核；种子扁平，两端微凹。花期 5 ~ 9 月，果期 7 ~ 10 月。

| **生境分布** | 生于山坡、山谷灌丛或疏林中。湖北有分布。

| **功能主治** | 降气，化痰，祛风利湿。用于咳嗽，哮喘，胃痛，水肿等。

鼠李科 Rhamnaceae 雀梅藤属 *Sagaretia*

皱叶雀梅藤 *Sageretia rugosa* Hance

| 药 材 名 | 皱叶雀梅藤。

| 形态特征 | 藤状或直立灌木，高达 4 m。幼枝和小枝被锈色绒毛或密短柔毛，侧枝有时缩短成钩状。叶纸质或厚纸质，互生或近对生，卵状矩圆形或卵形，稀倒卵状矩圆形，长 3 ~ 8 cm，宽 2 ~ 5 cm，先端锐尖或短渐尖，稀圆形，基部近圆形，稀近心形，边缘具细锯齿，幼叶上面常被白色绒毛，后毛渐脱落，下面被锈色或灰白色不脱落的绒毛，稀毛渐脱落，侧脉每边 5 ~ 8 对，有明显的网脉，侧脉和网脉在上面明显下陷，干时常折皱，在下面凸起；叶柄长 3 ~ 8 mm，上面具沟，被密短柔毛。花无梗，芳香，具 2 披针形小苞片，通常排成顶生或腋生、穗状或穗状圆锥花序；花序轴被密短柔毛或绒毛；花萼外面被柔毛，

萼片三角形，先端尖，内面中肋先端具小喙；花瓣匙形，先端 2 浅裂，内卷，短于萼片；雄蕊与花瓣等长或较之稍长；子房藏于花盘内，2 室，每室有 1 胚珠，花柱短，柱头头状，不分裂。核果圆球形，成熟时红色或紫红色，具 2 分核；种子 2，扁平，两端凹入，稍不对称。花期 7 ~ 12 月，果期翌年 3 ~ 4 月。

| **生境分布** | 生于海拔 1 600 m 以下的山地灌丛或林中，或在山坡、平地散生。湖北有分布。

| **采收加工** | 夏、秋季采收，洗净，鲜用或晒干。

| **功能主治** | 降气，化痰，祛风利湿。用于哮喘，胃痛，鹤膝风，水肿。

鼠李科 Rhamnaceae 雀梅藤属 *Sageretia*

尾叶雀梅藤 *Sageretia subcaudata* C. K. Schneid.

| 药 材 名 | 尾叶雀梅藤。

| 形态特征 | 藤状或直立灌木。高达 1.5 m。小枝黑褐色，无毛或被疏短柔毛。叶纸质或薄革质，近对生或互生，卵形、卵状椭圆形或矩圆形，长 4 ~ 10（~ 13）cm，宽 2 ~ 4.5 cm，先端尾状渐尖或长渐尖，稀锐尖，基部心形或近圆形，边缘具浅锯齿，上面绿色，无毛，下面初时被柔毛，后柔毛渐脱落，或仅沿脉被疏柔毛，侧脉每边（6 ~ ）7 ~ 10，在上面明显下陷，在下面凸起，具明显的网脉；叶柄长 5 ~ 11 mm，上面具沟，被密或疏柔毛；托叶丝状，长达 6 mm。花无梗，黄白色或白色；通常单生或 2 ~ 3 簇生排成顶生或腋生疏散穗状或穗状圆锥花序；花序轴长 3 ~ 6 cm，被黄色绒毛；苞片三角状钻形，长约

1 mm，无毛；花萼外面被疏短柔毛，萼片三角形，先端尖；花瓣倒卵形，短于萼片，先端微凹；雄蕊约与花瓣等长。核果球形，具 2 分核，成熟时黑色；种子宽倒卵形，黄色，扁平。花期 7 ~ 11 月，果期翌年 4 ~ 5 月。

| 生境分布 | 生于海拔 200 ~ 2 000 m 的山谷、山地林中或灌丛。分布于湖北恩施、巴东、长阳、兴山、神农架等。

| 功能主治 | 降气化痰，祛风利湿，清热解毒。用于缓解因痰阻气道引起的各种症状，以及风湿痹痛，水肿，疥疮等。

鼠李科 Rhamnaceae 雀梅藤属 *Sagereta*

雀梅藤 *Sageretia thea* (Osbeck) Johnst.

| 药材名 | 雀梅藤。

| 形态特征 | 藤状或直立灌木。小枝具刺，互生或近对生，褐色，被短柔毛。叶纸质，近对生或互生，通常椭圆形、矩圆形或卵状椭圆形，稀卵形或近圆形，长 1 ~ 4.5 cm，宽 0.7 ~ 2.5 cm，先端锐尖、钝或圆，基部圆形或近心形，边缘具细锯齿，上面绿色，无毛，下面浅绿色，无毛或沿脉被柔毛，侧脉每边 3 ~ 4（~ 5），在上面不明显，在下面明显凸起；叶柄长 2 ~ 7 mm，被短柔毛。花无梗，黄色，有芳香，通常 2 至数花簇生排成顶生或腋生、疏散穗状或圆锥状穗状花序；花序轴长 2 ~ 5 cm，被绒毛或密短柔毛；花萼外面被疏柔毛，萼片三角形或三角状卵形，长约 1 mm；花瓣匙形，先端 2 浅裂，常内卷，

短于萼片；花柱极短，柱头 3 浅裂，子房 3 室，每室具 1 胚珠。核果近圆球形，直径约 5 mm，成熟时黑色或紫黑色，具 1 ~ 3 分核，味酸；种子扁平，两端微凹。花期 7 ~ 11 月，果期翌年 3 ~ 5 月。

| 生境分布 | 生于海拔 2 100 m 以下的丘陵、山地林下或灌丛中。湖北有分布。

| 功能主治 | **叶：**用于疮疡肿毒。

根：降气化痰。用于咳嗽。

鼠李科 Rhamnaceae 枣属 *Ziziphus*

枣 *Ziziphus jujuba* Mill.

| 药 材 名 | 枣。

| 形态特征 | 落叶小乔木，稀灌木。高 10 余米。树皮褐色或灰褐色；有长枝，短枝和无芽小枝（即新枝）比长枝光滑，紫红色或灰褐色，呈“之”字形曲折，具 2 托叶刺，长刺可达 3 cm，粗直，短刺下弯，长 4 ~ 6 mm；短枝短粗，矩状，自老枝生出；当年生小枝绿色，下垂，单生或 2 ~ 7 簇生于短枝上。叶纸质，卵形、卵状椭圆形或卵状矩圆形，长 3 ~ 7 cm，宽 1.5 ~ 4 cm，先端钝或圆形，稀锐尖，具小尖头，基部稍不对称，近圆形，边缘具圆齿状锯齿，上面深绿色，无毛，下面浅绿色，无毛或仅沿脉多少被疏微毛，基生三出脉；叶柄长 1 ~ 6 mm，或在长枝上的可达 1 cm，无毛或有疏微毛；托叶刺纤细，后期常脱落。花黄绿色，两性，5 基数，无毛，具短总花梗，

单生或2 ~ 8密集成腋生聚伞花序；花梗长2 ~ 3 mm；萼片卵状三角形；花瓣倒卵圆形，基部有爪，与雄蕊等长；花盘厚，肉质，圆形，5裂；子房下部藏于花盘内，与花盘合生，2室，每室有1胚珠，花柱2半裂。核果矩圆形或长卵圆形，长2 ~ 3.5 cm，直径1.5 ~ 2 cm，成熟时红色，后变红紫色，中果皮肉质，厚，味甜，核先端锐尖，基部锐尖或钝，2室，具1或2种子，果柄长2 ~ 5 mm；种子扁椭圆形，长约1 cm，宽8 mm。花期5 ~ 7月，果期8 ~ 9月。

| 生境分布 | 生于海拔1 700 m以下的山区、丘陵或平原。分布于湖北随州及枣阳等。湖北随州及枣阳等有栽培。

| 采收加工 | **果实：**秋季果实成熟时采收，一般随采随晒。选干燥的地块搭架铺上席箔，将枣分级后分别摊在席箔上晾晒，当枣的含水量下降到15%以下时可并箔，然后每隔几日揭开通风，当枣的含水量下降到10%时，即可贮藏。大枣果皮薄，含水分多，采用阴干的方法制干。亦可选适宜品种，加工成黑枣。

| 功能主治 | 补中益气，养血安神。用于脾虚食少，乏力便溏，妇人脏躁。

鼠李科 Rhamnaceae 枣属 *Ziziphus*

无刺枣 *Ziziphus jujuba* Mill. var. *inermis* (Bunge) Rehd.

| 药 材 名 | 大枣。

| 形态特征 | 与枣的主要区别是：长枝无皮刺，幼枝无托叶刺；花期 5 ~ 7 月，果期 8 ~ 10 月。

| 生境分布 | 在海拔 1 600 m 以下地区广泛地栽培。产地与枣 *Ziziphus jujuba* Mill. 略同。

| 功能主治 | 补脾和胃，益气生津。用于脾虚食少，气血津液不足等。

全国中药资源普查标本采集记录表

采 集 号:	341621190722441LY	采 集 人:	程翔
采集日期:	2019年07月22日	海 拔(m):	30.0
采集地点:	涡阳县小吴家		
经 度:	116°10′56.13″	纬 度:	33°32′08.21″
植被类型:		生 活 型:	乔木
水分生态类型:	中生植物	光生态类型:	阳性植物
土壤生态类型:		温度生态类型:	中温植物
资源类型:	野生植物	出现多度:	
株高(cm):		直径(cm):	
根:		茎 (树皮):	有长枝，短枝和无芽小枝。
叶:	叶长椭圆形状卵形，先端微尖或钝，基部歪斜。	芽:	
花:	花小，黄绿色，成聚伞花序。	果实和种子:	核果长椭圆形，暗红色。
植物名:	无刺枣	科 名:	鼠李科
学 名:	Ziziphus jujuba Mill. var. inermis (Bunge) Rehder		
药 材 名:		药材别名:	
药用部位:		标本类型:	腊叶标本
用 途:			
备 注:			

341621LY0441

标本鉴定签

采集号:	341621190722441LY	科名:	鼠李科
学 名:	Ziziphus jujuba Mill. var. inermis (Bunge) Rehder		
种中文名:	无刺枣		
鉴定人:	程翔	鉴定时间:	2021年06月27日

第四次全国中药资源普查

鼠李科 Rhamnaceae 枣属 *Ziziphus*

酸枣 *Ziziphus jujuba* Mill. var. *spinosa* (Bunge) Hu ex H. F. Chow

| 药材名 | 酸枣仁。

| 形态特征 | 落叶灌木或小乔木。高 1 ~ 3 m。老枝褐色，幼枝绿色；枝上有两种刺，一为针形刺，长约 2 cm，一为反曲刺，长约 5 mm。叶较小，互生；叶柄极短；托叶细长，针状；叶片椭圆形至卵状披针形，长 2.5 ~ 5 cm，宽 1.2 ~ 3 cm，先端短尖而钝，基部偏斜，边缘有细锯齿，主脉 3。花 2 ~ 3 簇生叶腋，小形，黄绿色；花梗 1，极短，萼片 5，卵状三角形；花瓣小，5 片，与萼互生；雄蕊 5，与花瓣对生，比花瓣稍长；花盘 10 浅裂；子房椭圆形，2 室，埋于花盘中，花柱短，柱头 2 裂。核果小，近球形或短矩圆形，直径 0.7 ~ 1.2 cm，核两端钝，具薄的中果皮，熟时暗红色，有酸味。花期 6 ~ 7 月，果期 8 ~ 9 月。

| **生境分布** | 常生于向阳、干燥的山坡、丘陵、岗地或平原。湖北有分布。

| **功能主治** | 养肝，宁心安神，敛汗，生津。

葡萄科 Vitaceae 蛇葡萄属 *Ampelopsis*

乌头叶蛇葡萄 *Ampelopsis aconitifolia* Bunge

| 药材名 | 过山龙。

| 形态特征 | 木质藤本。小枝圆柱形，有纵棱纹，被疏柔毛。卷须 2 ~ 3 叉分枝，相隔 2 节间断与叶对生。叶为掌状 5 小叶，小叶 3 ~ 5 羽裂，披针形或菱状披针形，长 4 ~ 9 cm，宽 1.5 ~ 6 cm，先端渐尖，基部楔形，中央小叶深裂，或有时外侧小叶浅裂或不裂，上面绿色无毛或疏生短柔毛，下面浅绿色，无毛或脉上被疏柔毛；小叶有侧脉 3 ~ 6 对，网脉不明显；叶柄长 1.5 ~ 2.5 cm，无毛或被疏柔毛，小叶几无柄；托叶膜质，褐色，卵披针形，长约 2.3 mm，宽 1 ~ 2 mm，先端钝，无毛或被疏柔毛。花序为疏散的伞房状复二歧聚伞花序，通常与叶对生或假顶生；花序梗长 1.5 ~ 4 cm，无毛或被疏柔毛，花梗

长 1.5 ~ 2.5 mm，几无毛；花蕾卵圆形，高 2 ~ 3 mm，先端圆形；萼碟形，波状浅裂或几全缘，无毛；花瓣 5，卵圆形，高 1.7 ~ 2.7 mm，无毛；雄蕊 5，花药卵圆形，长与宽近相等；花盘发达，边缘呈波状；子房下部与花盘合生，花柱钻形，柱头扩大不明显。果实近球形，直径 0.6 ~ 0.8 cm，有种子 2 ~ 3；种子倒卵圆形，先端圆形，基部有短喙，种脐在种子背面中部近圆形，种脊向上渐狭呈带状，腹部中棱脊微凸出，两侧洼穴呈沟状，从基部向上斜展达种子上部的 1/3。花期 5 ~ 6 月，果期 8 ~ 9 月。

| 生境分布 | 生于海拔 600 ~ 1 800 m 的沟边、山坡灌丛中、草地、石头或树干上。分布于湖北竹溪、竹山、房县、神农架、枣阳。

| 采收加工 | **根皮：**7 ~ 9 月采收，挖出根部，除去泥土及细根，刮去表皮及栓皮，剥取皮部，鲜用或晒干。

| 功能主治 | 活血散瘀，祛风除湿，祛腐生肌。用于风寒湿痹，跌打瘀肿，痈疽肿痛。

葡萄科 Vitaceae 蛇葡萄属 *Ampelopsis*

蓝果蛇葡萄 *Ampelopsis bodinieri* (H. Lév. et Vant.) Rehd.

| 药 材 名 | 上山龙。

| 形态特征 | 木质藤本。小枝圆柱形，有纵棱纹，无毛。卷须 2 叉分枝，相隔 2 节间断与叶对生。叶片卵圆形或卵椭圆形，不分裂或上部微 3 浅裂，长 7 ~ 12.5 cm，宽 5 ~ 12 cm，先端急尖或渐尖，基部心形或微心形，边缘每侧有 9 ~ 19 急尖锯齿，上面绿色，下面浅绿色，两面均无毛；基出脉 5，中脉有侧脉 4 ~ 6 对，网脉两面均不明显突出；叶柄长 2 ~ 6 cm，无毛。花序为复二歧聚伞花序，疏散，花序梗长 2.5 ~ 6 cm，无毛；花梗长 2.5 ~ 3 mm；无毛；花蕾椭圆形，高 2.5 ~ 3 mm；萼浅碟形，萼齿不明显，边缘呈波状，外面无毛；花瓣 5，长椭圆形，高 2 ~ 2.5 mm；雄蕊 5，花丝丝状，花药黄色，椭圆形；花盘明显，

5 浅裂；子房圆锥形，花柱明显，基部略粗，柱头不明显扩大。果实近球圆形，直径 0.6 ~ 0.8 cm，有种子 3 ~ 4；种子倒卵椭圆形，先端圆钝，基部有短喙，急尖，表面光滑，背腹微侧扁，种脐在种子背面下部向上呈带状渐狭，腹部中棱脊凸出，两侧洼穴呈沟状，上部略宽，向上达种子中部以上。花期 4 ~ 6 月，果期 7 ~ 8 月。

| 生境分布 | 多生于海拔 300 ~ 1 500 m 的林中、山坡灌丛荫处或沟边。分布于湖北各县市，西部较多。

| 采收加工 | **根皮：**全年均可采，挖出根部，除净泥土，刮去粗皮，剥取皮部，鲜用或阴干。

| 功能主治 | 祛风除湿，散瘀止血。用于风湿痹痛，血瘀崩漏，跌打损伤。

| 附　　注 | 《中国植物志》将蛇葡萄 *Ampelopsis glandulosa* (Wallich) Momiyama 正名为蓝果蛇葡萄 *Ampelopsis bodinieri* (H. Lév. et Vant.) Rehd.，现将蛇葡萄与蓝果蛇葡萄合并编写。

葡萄科 Vitaceae 蛇葡萄属 *Ampelopsis*

广东蛇葡萄 *Ampelopsis cantoniensis* (Hook. et Arn.) Planch.

| 药 材 名 | 无莿根。

| 形态特征 | 木质藤本。小枝圆柱形，有纵棱纹，嫩枝或多或少被短柔毛。卷须2叉分枝，相隔2节间断与叶对生。叶为二回羽状复叶或小枝上部着生有一回羽状复叶，二回羽状复叶者基部一对小叶常为3小叶，侧生小叶和顶生小叶大多形状各异，侧生小叶大小和叶形变化较大，通常卵形、卵椭圆形或长椭圆形，长3～11 cm，宽1.5～6 cm，先端急尖、渐尖或骤尾尖，基部多为阔楔形，上面深绿色，在扩大镜下常可见浅色小圆点，下面浅黄褐绿色，常在脉基部疏生短柔毛，以后毛脱落几无毛；侧脉4～7对，下面最后一级网脉显著但不突出；叶柄长2～8 cm，顶生小叶柄长1～3 cm，侧生小叶柄长0～2.5 cm，

嫩时被稀疏短柔毛，以后毛脱落几无毛。花序为伞房状多歧聚伞花序，顶生或与叶对生；花序梗长 2 ～ 4 cm，嫩时或多或少被稀疏短柔毛，花轴被短柔毛；花梗长 1 ～ 3 mm，几无毛；花蕾卵圆形，高 2 ～ 3 mm，先端圆形；萼碟形，边缘呈波状，无毛；花瓣 5，卵椭圆形，高 1.7 ～ 2.7 mm，无毛；雄蕊 5，花药卵椭圆形，长略甚于宽；花盘发达，边缘浅裂；子房下部与花盘合生，花柱明显，柱头扩大不明显。果实近球形，直径 0.6 ～ 0.8 cm，有种子 2 ～ 4；种子倒卵圆形，先端圆形，基部喙尖锐，种脐在种子背面中部呈椭圆形，背部中棱脊凸出，表面有肋纹凸起，腹部中棱脊凸出，两侧洼穴外观不明显，微下凹，周围有肋纹突出。花期 4 ～ 7 月，果期 8 ～ 11 月。

| 生境分布 | 生于海拔 100 ~ 850 m 的山谷林中或山坡灌丛中。分布于湖北神农架、利川、保康。

| 采收加工 | **全草：**夏、秋季采收，洗净，除去杂质，切碎，晒干。

| 功能主治 | 祛风化湿，清热解毒。用于夏季感冒，风湿痹痛，痈疽肿痛，湿疮湿疹。

葡萄科 Vitaceae 蛇葡萄属 *Ampelopsis*

三裂蛇葡萄 *Ampelopsis delavayana* Planch.

| 药 材 名 |

金刚散。

| 形态特征 |

木质藤本。小枝圆柱形，有纵棱纹，疏生短柔毛，以后毛脱落。卷须 2 ~ 3 叉分枝，相隔 2 节间断与叶对生。叶为 3 小叶，中央小叶披针形或椭圆披针形，长 5 ~ 13 cm，宽 2 ~ 4 cm，先端渐尖，基部近圆形，侧生小叶卵状椭圆形或卵状披针形，长 4.5 ~ 11.5 cm，宽 2 ~ 4 cm，基部不对称，近截形，边缘有粗锯齿，齿端通常尖细，上面绿色，嫩时被稀疏柔毛，以后柔毛脱落几无毛，下面浅绿色，侧脉 5 ~ 7 对，网脉两面均不明显；叶柄长 3 ~ 10 cm，中央小叶有柄或无柄，侧生小叶无柄，被稀疏柔毛。多歧聚伞花序与叶对生，花序梗长 2 ~ 4 cm，被短柔毛；花梗长 1 ~ 2.5 mm，伏生短柔毛；花蕾卵形，高 1.5 ~ 2.5 mm，先端圆形；萼碟形，边缘呈波状浅裂，无毛；花瓣 5，卵状椭圆形，高 1.3 ~ 2.3 mm，外面无毛；雄蕊 5，花药卵圆形，长与宽近相等；花盘明显，5 浅裂；子房下部与花盘合生，花柱明显，柱头不明显扩大。果实近球形，直径 0.8 cm，有种子 2 ~ 3；种子倒卵状圆形，先端近圆

形，基部有短喙，种脐在种子背面中部向上渐狭呈卵状椭圆形，先端种脊凸出，腹部中棱脊凸出，两侧洼穴呈沟状楔形，上部宽，斜向上展达种子中部以上。花期 6 ~ 8 月，果期 9 ~ 11 月。

| 生境分布 | 生于海拔 300 ~ 1 500 m 的山坡地边或林中。分布于湖北十堰、襄阳等。

| 采收加工 | **根：**秋季采挖，洗净，分别切片，晒干或烘干。

| 功能主治 | 清热利湿，活血通络，止血生肌，解毒消肿。用于淋证，白浊，疝气，偏坠，风湿痹痛，跌打瘀肿，创伤出血，烫伤，疮痈。

葡萄科 Vitaceae 蛇葡萄属 *Ampelopsis*

掌裂蛇葡萄 *Ampelopsis delavayana* Planch. var. *glabra* (Diels & Gilg) C. L. Li

| 药 材 名 | 独角蟾蜍。

| 形态特征 | 木质藤本。小枝圆柱形，有纵棱纹。植株光滑无毛。卷须 2 ~ 3 叉分枝，相隔 2 节间断与叶对生。3 ~ 5 小叶，中央小叶披针形或椭圆披针形，长 5 ~ 13 cm，宽 2 ~ 4 cm，先端渐尖，基部近圆形，侧生小叶卵状椭圆形或卵状披针形，长 4.5 ~ 11.5 cm，宽 2 ~ 4 cm，基部不对称，近截形，边缘有粗锯齿，齿端通常尖细，上面绿色，嫩时被稀疏柔毛，以后柔毛脱落几无毛，下面浅绿色，侧脉 5 ~ 7 对，网脉两面均不明显；叶柄长 3 ~ 10 cm，中央小叶有柄或无柄，侧生小叶无柄，被稀疏柔毛。多歧聚伞花序与叶对生，花序梗长 2 ~ 4 cm，被短柔毛；花梗长 1 ~ 2.5 mm，伏生短柔毛；花蕾卵形，

高 1.5 ～ 2.5 mm，先端圆形；萼碟形，边缘呈波状浅裂，无毛；花瓣 5，卵状椭圆形，高 1.3 ～ 2.3 mm，外面无毛；雄蕊 5，花药卵圆形，长与宽近相等；花盘明显，5 浅裂；子房下部与花盘合生，花柱明显，柱头不明显扩大。果实近球形，直径 0.8 cm，有种子 2 ～ 3；种子倒卵状圆形，先端近圆形，基部有短喙，种脐在种子背面中部向上渐狭呈卵状椭圆形，先端种脊凸出，腹部中棱脊凸出，两侧洼穴呈沟状楔形，上部宽，斜向上展达种子中部以上。花期 5 ～ 6 月，果期 7 ～ 9 月。

| 生境分布 | 生于海拔 300 ～ 800 m 的山坡、沟边和荒地。分布于湖北长阳、房县、英山。

| 采收加工 | **块根**：秋、冬季采挖，洗净，切片，鲜用或晒干。

| 功能主治 | 清热化痰，解毒散结。用于热病头痛，胃痛，痢疾，痈肿，痰核。

葡萄科 Vitaceae 蛇葡萄属 *Ampelopsis*

蛇葡萄 *Ampelopsis glandulosa* (Wallich) Momiyama

| 药 材 名 | 蛇葡萄。

| 形态特征 | 本种与异叶蛇葡萄的区别在于本种小枝、叶柄、叶下面和花轴被锈色长柔毛，花梗、花萼和花瓣被锈色短柔毛。花期 6 ~ 8 月，果期 9 月至翌年 1 月。

| 生境分布 | 生于岗地、低山、中山。湖北有分布。

| 采收加工 | **茎叶：**夏、秋季采收，洗净，鲜用或晒干。

| 功能主治 | 清热利湿，散瘀止血，解毒。用于小便不利，风湿痹痛，跌打瘀肿，内伤出血，疮毒。

鄂

蛇葡萄

葡萄科 Vitaceae 蛇葡萄属 *Ampelopsis*

显齿蛇葡萄 *Ampelopsis grossedentata* (Hand.-Mazz.) W. T. Wang

| 药 材 名 | 甜茶藤。

| 形态特征 | 木质藤本。小枝圆柱形，有显著纵棱纹，无毛。卷须二叉分枝，相隔 2 节间断与叶对生。叶为一至二回羽状复叶，二回羽状复叶者基部 1 对为 3 小叶，小叶卵圆形、卵状椭圆形或长椭圆形，长 2 ~ 5 cm，宽 1 ~ 2.5 cm，先端急尖或渐尖，基部阔楔形或近圆形，边缘每侧有 2 ~ 5 锯齿，上面绿色，下面浅绿色，两面均无毛；侧脉 3 ~ 5 对，网脉微凸出，最后 1 级网脉不明显；叶柄长 1 ~ 2 cm，无毛；托叶早落。花序为伞房状多歧聚伞花序，与叶对生；花序梗长 1.5 ~ 3.5 cm，无毛；花梗长 1.5 ~ 2 mm，无毛；花蕾卵圆形，高 1.5 ~ 2 mm，先端圆形，无毛；花萼碟形，边缘波状浅裂，无毛；花

瓣 5，卵状椭圆形，高 1.2 ~ 1.7 mm，无毛，雄蕊 5，花药卵圆形，长略甚于宽，花盘发达，波状浅裂；子房下部与花盘合生，花柱钻形，柱头不明显扩大。果实近球形，直径 0.6 ~ 1 cm，有 2 ~ 4 种子；种子倒卵圆形，先端圆形，基部有短喙，种脐在种子背面中部呈椭圆形，上部棱脊凸出，表面有钝肋纹凸起，腹部中棱脊凸出，两侧洼穴呈倒卵形，从基部向上达种子近中部。花期 5 ~ 8 月，果期 8 ~ 12 月。

| **生境分布** | 生于海拔 200 ~ 1 500 m 的沟谷林中或山坡灌丛。分布于湖北来凤。

| **采收加工** | 夏、秋季采收，洗净，切片，鲜用或晒干。

| **功能主治** | 清热解毒，利湿消肿。用于感冒发热，咽喉肿痛，黄疸性肝炎，目赤肿痛，痈肿疮疖。

葡萄科 Vitaceae 蛇葡萄属 *Ampelopsis*

异叶蛇葡萄 *Ampelopsis heterophylla* (Thunb.) Sieb. et Zucc.

| 药 材 名 | 紫葛。

| 形态特征 | 木质藤本。小枝圆柱形，有纵棱纹，被疏柔毛。卷须 2 ~ 3 叉分枝，相隔 2 节间断与叶对生。叶为单叶，心形或卵形，3 ~ 5 中裂，常混生有不分裂者，长 3.5 ~ 14 cm，宽 3 ~ 11 cm，先端急尖，基部心形，基缺近呈钝角，稀圆形，边缘有急尖锯齿，上面绿色，无毛，下面浅绿色，脉上有疏柔毛，基出脉 5，中央脉有侧脉 4 ~ 5 对，网脉不明显凸出；叶柄长 1 ~ 7 cm，被疏柔毛；花序梗长 1 ~ 2.5 cm，被疏柔毛；花梗长 1 ~ 3 mm，疏生短柔毛；花蕾卵圆形，高 1 ~ 2 mm，先端圆形；萼碟形，边缘具波状浅齿，外面疏生短柔毛；花瓣 5，卵状椭圆形，高 0.8 ~ 1.8 mm，外面几无毛；雄蕊 5，花药长椭圆形，长甚于宽；花盘明显，边缘浅裂；子房下部与花盘合生，

花柱明显，基部略粗，柱头不扩大。果实近球形，直径 0.5 ~ 0.8 cm，有种子 2 ~ 4；种子长椭圆形，先端近圆形，基部有短喙，种脐在种子背面下部向上渐狭成卵状椭圆形，上部背面种脊凸出，腹部中棱脊凸出，两侧洼穴呈狭椭圆形，从基部向上斜展达种子先端。花期 4 ~ 6 月，果期 7 ~ 10 月。

| 生境分布 | 生于海拔 200 ~ 1 800 m 的山野坡地、沟谷灌丛。分布于湖北郧阳、兴山。

| 采收加工 | **根皮：**秋季挖取根部，洗净泥土，剥取根皮，晒干。

| 功能主治 | 清热补虚，散瘀通络，解毒。用于产后心烦口渴，中风半身不遂，跌打损伤，痈肿恶疮。

葡萄科 Vitaceae 蛇葡萄属 *Ampelopsis*

东北蛇葡萄

Ampelopsis heterophylla (Thunb.) Sieb. et Zucc. var. *brevipedunculata* (Regel) C. L. Li

| 药 材 名 | 蛇白蔹。

| 形态特征 | 落叶木质藤本。根粗长，外皮黄白色，枝条粗壮，具皮孔；幼枝有毛；卷须分叉。单叶互生；叶柄长 3 ~ 7 cm，有毛或无毛；叶片纸质，宽卵形，长、宽均为 6 ~ 12 cm，先端渐尖，常 3 浅裂，稀不裂，基部心形，边缘有较粗大的圆钝锯齿，上面深绿色，无毛或有细毛，下面淡绿色，疏生短柔毛或渐无毛。花两性，聚伞花序与叶对生或顶生，花序梗长 2 ~ 3.5 cm；花黄绿色；萼片 5，稍裂开；花瓣 5，镊合状排列，卵状三角形，长约 2.5 mm；雄蕊 5；花盘杯状；子房上位，2 室，花柱短细，圆柱状。浆果近圆球形，直径 6 ~ 8 mm，成熟时鲜蓝色。花期 4 ~ 8 月，果期 7 ~ 11 月。

| **生境分布** | 生于山坡、路旁、沟边灌丛中。湖北有分布。

| **采收加工** | 秋季采挖根部，除去地上部分及泥土，剥去根皮，晒干，或趁鲜切片，晒干。

| **功能主治** | 祛风除湿，解毒，敛疮。用于风湿性关节炎，胃溃疡，跌打损伤，烫伤，疮疡，丹毒。

葡萄科 Vitaceae 蛇葡萄属 *Ampelopsis*

光叶蛇葡萄 *Ampelopsis heterophylla* (Thunb.) Sieb. et Zucc. var. *hancei* Planch.

| 药 材 名 | 山葡萄。

| 形态特征 | 木质藤本。小枝圆柱形，有纵棱纹，无毛或被极稀疏短柔毛。卷须2 ~ 3叉分枝，相隔2节间断与叶对生。叶为单叶，心形或卵形，3 ~ 5中裂，常混生有不分裂者，长3.5 ~ 14 cm，宽3 ~ 11 cm，先端急尖，基部心形，基缺近呈钝角，稀圆形，边缘有急尖锯齿，上面绿色，下面浅绿色，无毛或被极稀疏短柔毛，基出脉5，中央脉有侧脉4 ~ 5对，网脉不明显凸出；叶柄长1 ~ 7 cm，无毛或被极稀疏短柔毛；花序梗长1 ~ 2.5 cm，被疏柔毛；花梗长1 ~ 3 mm，疏生短柔毛；花蕾卵圆形，高1 ~ 2 mm，先端圆形；萼碟形，边缘具波状浅齿，外面疏生短柔毛；花瓣5，卵状椭圆形，高0.8 ~ 1.8 mm，外面几无毛；雄蕊5，花药长椭圆形，长甚于宽；花盘明显，

边缘浅裂；子房下部与花盘合生，花柱明显，基部略粗，柱头不扩大。果实近球形，直径 0.5 ~ 0.8 cm，有种子 2 ~ 4；种子长椭圆形，先端近圆形，基部有短喙，种脐在种子背面下部向上渐狭成卵状椭圆形，上部背面种脊凸出，腹部中棱脊凸出，两侧洼穴呈狭椭圆形，从基部向上斜展达种子先端。花期 4 ~ 6 月，果期 7 ~ 10 月。

| 生境分布 | 生于海拔 200 ~ 1 000 m 的路边、沟边、河边岩坡上。分布于湖北丹江口。

| 采收加工 | **根或根皮：**秋季采挖，洗净泥土，切片，或剥取根皮，切片，晒干。鲜用随时可采。

| 功能主治 | 清热利湿，解毒消肿。用于湿热黄疸，肠炎，痢疾，无名肿毒，跌打损伤。

葡萄科 Vitaceae 蛇葡萄属 *Ampelopsis*

牯岭蛇葡萄 *Ampelopsis heterophylla* (Thunb.) Sieb. et Zucc. var. *kulingensis* (Rehd.) C. L. Li

| 药 材 名 | 牯岭蛇葡萄。

| 形态特征 | 木质藤本。小枝圆柱形，有纵棱纹，被短柔毛或几无毛。卷须 2 ~ 3 叉分枝，相隔 2 节间断与叶对生。叶片显著呈五角形，上部侧角明显外倾，长 3.5 ~ 14 cm，宽 3 ~ 11 cm，先端急尖，基部心形，基缺近呈钝角，稀圆形，边缘有急尖锯齿，上面绿色，无毛，下面浅绿色，脉上有疏柔毛，基出脉 5，中央脉有侧脉 4 ~ 5 对，网脉不明显突出；叶柄长 1 ~ 7 cm，被疏柔毛；花序梗长 1 ~ 2.5 cm，被疏柔毛；花梗长 1 ~ 3 mm，疏生短柔毛；花蕾卵圆形，高 1 ~ 2 mm，先端圆形；萼碟形，边缘波状浅齿，外面疏生短柔毛；花瓣 5，卵椭圆形，高 0.8 ~ 1.8 mm，外面几无毛；雄蕊 5，花药长椭圆形，

长甚于宽；花盘明显，边缘浅裂；子房下部与花盘合生，花柱明显，基部略粗，柱头不扩大。果实近球形，直径 0.5 ~ 0.8 cm，有种子 2 ~ 4；种子长椭圆形，先端近圆形，基部有短喙，种脐在种子背面下部向上渐狭呈卵状椭圆形，上部背面种脊凸出，腹部中棱脊凸出，两侧洼穴呈狭椭圆形，从基部向上斜展达种子先端。花期 5 ~ 7 月，果期 8 ~ 9 月。

| 生境分布 | 生于海拔 300 ~ 1 600 m 的沟谷林下或山坡灌丛中。分布于湖北谷城、保康、神农架、竹溪。

| 功能主治 | 清热散瘀，解毒生肌。用于产后心烦口渴，中风半身不遂，跌打损伤，痈肿恶疮。

葡萄科 Vitaceae 蛇葡萄属 *Ampelopsis*

葎叶蛇葡萄 *Ampelopsis humulifolia* Bge.

|药材名|

七角白蔹。

|形态特征|

木质藤本。小枝圆柱形，有纵棱纹，无毛。卷须二叉分枝，相隔2节间断与叶对生。叶为单叶，3 ~ 5浅裂或中裂，稀混生不裂者，长6 ~ 12 cm，宽5 ~ 10 cm，心状五角形或肾状五角形，先端渐尖，基部心形，基缺先端凹成圆形，边缘有粗锯齿，通常齿尖，上面绿色，无毛，下面粉绿色，无毛或沿脉被疏柔毛；叶柄长3 ~ 5 cm，无毛或被疏柔毛；托叶早落。多歧聚伞花序与叶对生；花序梗长3 ~ 6 cm，无毛或被稀疏柔毛；花梗长2 ~ 3 mm，伏生短柔毛；花蕾卵圆形，高1.5 ~ 2 mm，先端圆形；花萼碟形，边缘呈波状，外面无毛；花瓣5，卵状椭圆形，高1.3 ~ 1.8 mm，外面无毛；雄蕊5，花药卵圆形，长宽近相等，花盘明显，波状浅裂；子房下部与花盘合生，花柱明显，柱头不扩大。果实近球形，长0.6 ~ 10 cm，有2 ~ 4种子；种子倒卵圆形，先端近圆形，基部有短喙，种脐在种子背面中部向上渐狭，呈带状长卵形，顶部种脊凸出，腹部中棱脊凸出，两侧洼穴呈椭圆形，从下部向上斜展达种子上部 1/3 处。花期 5 ~ 7 月，果期 5 ~ 9 月。

| **生境分布** | 生于海拔 400 ~ 1 100 m 的山沟地边、灌丛林缘或林中。分布于湖北竹溪、郧西。

| **采收加工** | 秋季挖取根部，洗净泥土，剥取根皮，鲜用或晒干。

| **功能主治** | 活血散瘀，消炎解毒，生肌长骨，祛风除湿。用于跌打损伤，骨折，疮疖肿痛，风湿性关节炎。

葡萄科 Vitaceae 蛇葡萄属 *Ampelopsis*

白蔹 *Ampelopsis japonica* (Thunb.) Makino

| 药 材 名 | 白蔹。

| 形态特征 | 木质藤本。小枝圆柱形，有纵棱纹，无毛。卷须不分枝或卷须先端有短的分叉，相隔 3 节以上间断与叶对生。叶为掌状 3 ~ 5 小叶，小叶片羽状深裂或小叶边缘有深锯齿而不分裂，羽状分裂者裂片宽 0.5 ~ 3.5 cm，先端渐尖或急尖，掌状 5 小叶者中央小叶深裂至基部并有 1 ~ 3 关节，关节间有翅，翅宽 2 ~ 6 mm，侧小叶无关节或有 1 关节，3 小叶者中央小叶有 1 关节或无关节，基部狭窄呈翅状，翅宽 2 ~ 3 mm，上面绿色，无毛，下面浅绿色，无毛或有时在脉上被稀疏短柔毛；叶柄长 1 ~ 4 cm，无毛；托叶早落。聚伞花序通常集生于花序梗先端，直径 1 ~ 2 cm，通常与叶对生；花序梗长

1.5 ~ 5 cm，常呈卷须状卷曲，无毛；花梗极短或几无梗，无毛；花蕾卵球形，高 1.5 ~ 2 mm，先端圆形；萼碟形，边缘呈波状浅裂，无毛；花瓣 5，卵圆形，高 1.2 ~ 2.2 mm，无毛；雄蕊 5，花药卵圆形，长与宽近相等；花盘发达，边缘波状浅裂；子房下部与花盘合生，花柱短棒状，柱头不明显扩大。果实球形，直径 0.8 ~ 1 cm，成熟后带白色，有种子 1 ~ 3；种子倒卵形，先端圆形，基部喙短钝，种脐在种子背面中部呈带状椭圆形，向上渐狭，表面无肋纹，背部种脊突出，腹部中棱脊突出，两侧洼穴呈沟状，从基部向上达种子上部 1/3 处。花期 5 ~ 6 月，果期 7 ~ 9 月。

| 生境分布 | 生于海拔 100 ~ 900 m 的山坡地边、灌丛或草地。分布于湖北十堰、襄阳、宜昌、随州、黄冈。

| 功能主治 | 清热解毒，散结止痛，生肌敛疮。用于疮疡肿毒，瘰疬，烫伤，湿疮，温疟，惊痫，血痢，肠风，痔漏，带下，跌打损伤，外伤出血。

| 附　　注 | 商品白蔹有异物同名品存在。河南南阳地区以掌裂草葡萄 *Ampelopsis aconitifolia* Bunge var. *palmiloba* (Carr.) Rehd 的根为白蔹。云南大理和剑川以葡萄科崖爬藤属叉须崖爬藤 *Tetrastigma hypoglaucum* Planch. ex Franch. 的根为白蔹。四川以萝藦科鹅绒藤属牛皮消 *Cynanchum auriculatum* Royle ex Wight 的根充白蔹根。湖北恩施地区以隔山消 *Cynanchum wilfordii* (Maxim.) Hemsl. 的根充当白蔹根。云南昆明以青羊参 *Cynanchum otophyllum* Schneid. 的根冒充白蔹根。福建地区以葫芦科茅瓜 *Solena amplexicaulis* (Lam.) Gandhi 的块根充当白蔹根。以上均应注意鉴别。

葡萄科 Vitaceae 蛇葡萄属 *Ampelopsis*

大叶蛇葡萄 *Ampelopsis megalophylla* Diels et Gilg

| 药 材 名 | 藤茶。

| 形态特征 | 木质藤本。小枝圆柱形，无毛。卷须 3 分枝，相隔 2 节间断与叶对生。叶为二回羽状复叶，基部 1 对小叶常为 3 小叶，稀为羽状复叶，小叶长椭圆形或卵状椭圆形，长 4 ~ 12 cm，宽 2 ~ 6 cm，先端渐尖，基部微心形、圆形或近截形，边缘每侧有 3 ~ 15 粗锯齿，上面绿色，下面粉绿色，两面均无毛；侧脉 4 ~ 7 对，网脉微凸出；叶柄长 3 ~ 8 cm，无毛，顶生小叶柄长 1 ~ 3 cm，侧生小叶柄长 0 ~ 1 cm，无毛。花序为伞房状多歧聚伞花序或复二歧聚伞花序，顶生或与叶对生；花序梗长 3.5 ~ 6 cm，无毛；花梗长 2 ~ 3 mm，先端较粗，无毛；花蕾近球形，高 1 ~ 1.5 mm，先端圆形；花萼碟形，边缘呈

波状浅裂或裂片呈三角形，无毛；花瓣 5，椭圆形，高 0.7 ~ 1.2 mm，无毛；雄蕊 5，花药椭圆形，长略甚于宽；花盘发达，波状浅裂；子房下部与花盘合生，花柱钻形，柱头不明显扩大。果实微呈倒卵圆形，直径 0.6 ~ 1 cm，有 1 ~ 4 种子；种子倒卵形，先端圆形，基部喙尖锐，种脐在种子背面中部呈椭圆形，上部种脊凸出，腹部中棱脊凸出，两侧洼穴呈沟状，从种子基部向上达种子上部 1/3 处。花期 6 ~ 8 月，果期 7 ~ 10 月。

| 生境分布 | 生于海拔 1 000 ~ 2 000 m 的山谷或山坡林中。分布于湖北神农架、罗田、建始、竹溪、长阳。

| 功能主治 | 清热利湿，活血通络，降血压。用于痢疾，泄泻，小便淋痛，高血压，头昏目胀，跌打损伤。

葡萄科 Vitaceae 大麻藤属 *Cayratia*

白毛乌蔹莓 *Cayratia albifolia* C. L. Li

| 药 材 名 | 白毛乌蔹莓。

| 形态特征 | 半木质或草质藤本。小枝圆柱形，有纵棱纹，被灰色柔毛。卷须 3 分枝，相隔 2 节间断与叶对生。叶为鸟足状 5 小叶，小叶长椭圆形或卵状椭圆形，长 5 ~ 17 cm，宽 2 ~ 9 cm，先端急尖或渐尖，基部楔形或侧生小叶基部近圆形，边缘每侧有 20 ~ 28 锯齿，齿钝或急尖，上面绿色，无毛或中脉上被稀短柔毛，下面灰白色，密被灰色短柔毛，脉上毛较密而平展；侧脉 6 ~ 10 对，网脉两面不明显；叶柄长 5 ~ 12 cm，中央小叶柄长 3 ~ 5 cm，侧小叶无柄或有短柄，侧生小叶总柄长 0.8 ~ 1.5 cm，被灰色疏柔毛；托叶膜质，褐色，披针形或卵状披针形，长 3 ~ 4.5 mm，宽 1 ~ 2 mm，先端渐尖，被

稀疏短柔毛。花序腋生，伞房状多歧聚伞花序；花序梗长 2.5 ~ 5 cm，被灰色疏柔毛；花梗长 2 ~ 3 mm，被短柔毛；花蕾卵圆形，高 1.5 ~ 2 mm，先端圆钝；萼浅碟形，萼齿不明显，外面被乳突状柔毛；花瓣 4，卵圆形或卵状椭圆形，高 1 ~ 1.5 mm，外面被乳突状毛；雄蕊 4，花药卵圆形，长与宽近相等；花盘明显，4 浅裂；子房下部与花盘合生，花柱短，柱头微扩大。果实球形，直径 1 ~ 1.2 cm，有种子 2 ~ 4；种子倒卵椭圆形，先端圆形或微凹，基部有短喙，种脐在种子背面下部与种脊无异，种脊凸出呈窄带形，表面有锐肋纹突出，腹部中棱脊突出，两侧洼穴宽阔，倒卵状长椭圆形，边缘窄，有突出肋纹。花期 5 ~ 6 月，果期 7 ~ 8 月。

| **生境分布** | 生于海拔 300 ~ 2 000 m 的山谷林中或山坡岩石上。分布于湖北神农架、通城、利川。

| **功能主治** | 清热解毒，活血散瘀，利尿。用于咽喉肿痛，疖肿，痈疽，疔疮，痢疾，尿血，白浊，跌打损伤，毒蛇咬伤。

葡萄科 Vitaceae 大麻藤属 *Cayratia*

乌蔹莓 *Cayratia japonica* (Thunb.) Gagnep.

| 药材名 | 乌蔹莓。

| 形态特征 | 草质藤本。小枝圆柱形，有纵棱纹，无毛或微被疏柔毛。卷须 2 ~ 3 叉分枝，相隔 2 节间断与叶对生。叶为鸟足状 5 小叶，中央小叶长椭圆形或椭圆状披针形，长 2.5 ~ 4.5 cm，宽 1.5 ~ 4.5 cm，先端急尖或渐尖，基部楔形，侧生小叶椭圆形或长椭圆形，长 1 ~ 7 cm，宽 0.5 ~ 3.5 cm，先端急尖或圆形，基部楔形或近圆形，边缘每侧有 6 ~ 15 锯齿，上面绿色，无毛，下面浅绿色，无毛或微被毛；侧脉 5 ~ 9 对，网脉不明显；叶柄长 1.5 ~ 10 cm，中央小叶柄长 0.5 ~ 2.5 cm，侧生小叶无柄或有短柄，侧生小叶总柄长 0.5 ~ 1.5 cm，无毛或微被毛；托叶早落。花序腋生，复二歧聚伞花

序；花序梗长 1 ～ 13 cm，无毛或微被毛；花梗长 1 ～ 2 mm，几无毛；花蕾卵圆形，高 1 ～ 2 mm，先端圆形；萼碟形，全缘或波状浅裂，外面被乳突状毛或几无毛；花瓣 4，三角状卵圆形，高 1 ～ 1.5 mm，外面被乳突状毛；雄蕊 4，花药卵圆形，长与宽近相等；花盘发达，4 浅裂；子房下部与花盘合生，花柱短，柱头微扩大。果实近球形，直径约 1 cm，有种子 2 ～ 4；种子三角状倒卵形，先端微凹，基部有短喙，种脐在种子背面近中部呈带状椭圆形，上部种脊凸出，表面有凸出肋纹，腹部中棱脊凸出，两侧洼穴呈半月形，从近基部向上达种子近先端。花期 3 ～ 8 月，果期 8 ～ 11 月。

| 生境分布 | 生于海拔 200 ～ 2 500 m 的山坡、路旁灌丛中或疏林中，常攀附于他物上。湖北有分布。

| 采收加工 | **根**：夏、秋季采挖，洗净泥土，切片，晒干。

| 功能主治 | 解毒消肿，活血散瘀，利尿，止血。用于咽喉肿痛，目翳，咯血，尿血，痢疾；外用于腮腺炎，痈肿，丹毒，跌打损伤，毒蛇咬伤。

葡萄科 Vitaceae 大麻藤属 *Cayratia*

尖叶乌蔹莓 *Cayratia japonica* (Thunb.) Gagnep. var. *pseudotrifolia* (W. T. Wang) C. L. Li

| 药 材 名 | 母猪藤根。

| 形态特征 | 草质藤本。小枝圆柱形，有纵棱纹，无毛或微被疏柔毛。卷须 2 ~ 3 叉分枝，相隔 2 节间断与叶对生。叶为鸟足状 5 小叶，中央小叶长椭圆形或椭圆状披针形，长 2.5 ~ 4.5 cm，宽 1.5 ~ 4.5 cm，先端急尖或渐尖，基部楔形，侧生小叶椭圆形或长椭圆形，长 1 ~ 7 cm，宽 0.5 ~ 3.5 cm，先端急尖或圆形，基部楔形或近圆形，边缘每侧有 6 ~ 15 锯齿，上面绿色，无毛，下面浅绿色，无毛或微被毛；侧脉 5 ~ 9 对，网脉不明显；叶柄长 1.5 ~ 10 cm，中央小叶柄长 0.5 ~ 2.5 cm，侧生小叶无柄或有短柄，侧生小叶总柄长 0.5 ~ 1.5 cm，无毛或微被毛；托叶早落。花序腋生，复二歧聚伞花

序；花序梗长 1 ～ 13 cm，无毛或微被毛；花梗长 1 ～ 2 mm，几无毛；花蕾卵圆形，高 1 ～ 2 mm，先端圆形；萼碟形，全缘或波状浅裂，外面被乳突状毛或几无毛；花瓣 4，三角状卵圆形，高 1 ～ 1.5 mm，外面被乳突状毛；雄蕊 4，花药卵圆形，长与宽近相等；花盘发达，4 浅裂；子房下部与花盘合生，花柱短，柱头微扩大。果实近球形，直径约 1 cm，有种子 2 ～ 4；种子三角状倒卵形，先端微凹，基部有短喙，种脐在种子背面近中部呈带状椭圆形，上部种脊凸出，表面有凸出肋纹，腹部中棱脊凸出，两侧洼穴呈半月形，从近基部向上达种子近先端。花期 3 ～ 8 月，果期 8 ～ 11 月。

| 生境分布 | 生于海拔 300 ～ 1 500 m 的山地、沟谷林下。分布于湖北远安、利川、宣恩、竹溪、丹江口、秭归、兴山。

| 采收加工 | **根：**夏、秋季采挖，洗净，切片，鲜用或晒干。

| 功能主治 | 清热解毒。用于肺痈，疮疖。

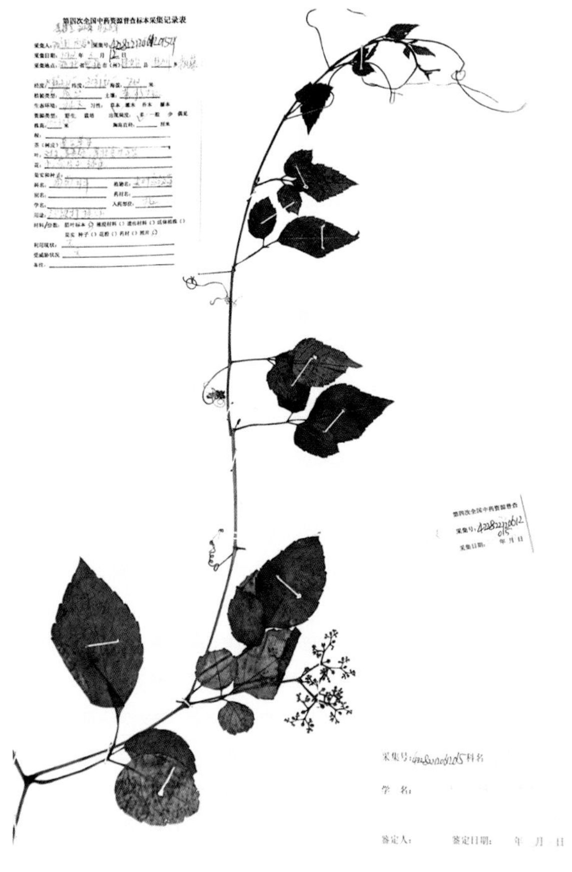

葡萄科 Vitaceae 大麻藤属 *Cayratia*

华中乌蔹莓 *Cayratia oligocarpa* (H. Lév. & Vant.) Gagnep.

| 药 材 名 | 大母猪藤。

| 形态特征 | 草质藤本。小枝圆柱形，有纵棱纹，被褐色节状长柔毛，毛长 1 ~ 1.5 mm。卷须 2 叉分枝，相隔 2 节间断与叶对生。叶为鸟足状 5 小叶，中央小叶长椭圆状披针形或长椭圆形，长 4.5 ~ 10 cm，宽 2.5 ~ 5 cm，先端尾状渐尖，基部楔形，边缘有（5 ~）7 ~ 14（~ 17）锯齿，侧生小叶卵状椭圆形或卵圆形，长 3.5 ~ 7 cm，宽 1.3 ~ 3.5 cm，先端急尖或渐尖，基部楔形或近圆形，边缘每侧有 5 ~ 10 锯齿，上面绿色，伏生疏柔毛或近无毛，下面浅绿褐色，密被节状毛，在中脉上毛平展；侧脉 4 ~ 9 对，网脉不明显；叶柄长 2.5 ~ 7 cm，中央小叶柄长 1.5 ~ 3 cm，侧生小叶有短柄，侧生小叶总柄长

0.5 ~ 1.5 cm，密被褐色节状长柔毛；托叶膜质，褐色，狭披针形，长 3 ~ 3.5 mm，宽约 1 mm，几无毛。花序腋生，复二歧聚伞花序；花序梗长 1 ~ 4.5 cm，密被褐色节状长柔毛；花梗长 1.5 ~ 2 mm，密被褐色节状长柔毛；花蕾卵圆形，高 1.5 ~ 2 mm，先端截圆形；萼浅碟形，萼齿不明显，外面被褐色节状毛；花瓣 4，卵圆形，高 1 ~ 1.5 mm，外面被节状毛；雄蕊 4，花药卵圆形，长与宽近相等；花盘发达，4 浅裂，子房下部与花盘合生，花柱细小，柱头略为扩大。果实近球形，直径 0.8 ~ 1 cm，有种子 2 ~ 4；种子倒卵状长椭圆形，先端圆形或微凹，基部有短喙，种脐在种子背面下部与种脊无异，种脊呈带形，凸出，表面横肋微凸出，腹部中棱脊凸出，两侧洼穴宽阔，呈倒卵状长椭圆形，从下部达种子近先端。花期 5 ~ 7 月，果期 8 ~ 9 月。

| 生境分布 | 生于海拔 400 ~ 2 000 m 的山谷或山坡林中。分布于湖北远安、利川、来凤、咸丰、五峰、竹溪。

| 采收加工 | **根**：秋季采挖，洗净，切片。

| 功能主治 | 祛风除湿，通络止痛。用于风湿痹痛，牙痛，无名肿毒。

葡萄科 Vitaceae 大麻藤属 *Cayratia*

三叶乌蔹莓 *Cayratia trifolia* (L.) Domin

|药材名|

三爪龙。

|形态特征|

木质藤本。小枝圆柱形，有纵棱纹，疏生短柔毛。卷须 3 ~ 5 分枝，相隔 2 节间断与叶对生。叶为 3 小叶，小叶卵圆形，长 3 ~ 6 cm，宽 1.5 ~ 4 cm，先端急尖或钝，基部圆形，侧生小叶基部不对称，近圆形，边缘每侧有 8 ~ 11 圆钝锯齿，上面绿色，伏生短柔毛，下面浅绿色，被疏柔毛；侧脉 7 ~ 8 对，网脉在上面不明显凸出；叶柄长 2.5 ~ 6 cm，中央小叶柄长 0.5 ~ 2.5 cm，侧生小叶柄长 0.4 ~ 0.8 cm，被疏柔毛。花序腋生，复二歧聚伞花序；花序梗长 2 ~ 7.5 cm，被疏柔毛；花梗长 1 ~ 3 mm，被短柔毛；花蕾卵圆形，高 1.3 ~ 1.8 mm，先端圆形；萼浅碟形，边缘呈波状或全缘，外面疏生短柔毛；花瓣 4，椭圆形，高 1.3 ~ 1.8 mm，外面被灰色乳突状毛；雄蕊 4，花药卵圆形，长略甚于宽；花盘发达，4 浅裂；子房下部与花盘合生，花柱细，柱头微扩大。果实近球形，直径 0.7 ~ 0.8 cm，有 2 ~ 3 种子；种子倒三角状，先端圆形，种脐在种子背面近中部呈带形，上部种脊凸出，表面肋纹钝，腹部中棱脊凸出，两侧洼穴倒卵状椭圆形，从种子基部向上达上部 1/3 处，周围有钝肋纹凸起。花果期 6 ~ 12 月。

| **生境分布** | 生于海拔 500 ~ 1 000 m 的山坡、溪边林缘或林中。分布于湖北巴东。

| **采收加工** | 全年均可挖取根部，洗净，切片，鲜用或晒干。

| **功能主治** | 祛风除湿，散瘀止痛。用于风湿痹痛，跌打损伤，湿疹，白秃疮。

葡萄科 Vitaceae 地锦属 *Parthenocissus*

异叶地锦 *Parthenocissus dalzielii* Gagnep.

药材名

吊岩风。

形态特征

木质藤本。小枝圆柱形，无毛。卷须总状5～8分枝，相隔2节间断与叶对生，卷须先端嫩时膨大成圆珠形，后遇附着物扩大成吸盘状。二型叶，着生在短枝上常为3小叶，较小的单叶常着生在长枝上，叶为单叶者叶片卵圆形，长3～7 cm，宽2～5 cm，先端急尖或渐尖，基部心形或微心形，边缘有4～5细牙齿，叶为3小叶者，中央小叶长椭圆形，长6～21 cm，宽3～8 cm，最宽处在近中部，先端渐尖，基部楔形，边缘在中部以上有3～8细牙齿，侧生小叶卵状椭圆形，长5.5～19 cm，宽3～7. 5 cm，最宽处在下部，先端渐尖，基部极不对称，近圆形，外侧边缘有5～8细牙齿，内侧边缘锯齿状；单叶有基出脉3～5，中央脉有侧脉2～3对，3小叶者小叶有侧脉5～6对，网脉在两面微凸出，无毛；叶柄长5～20 cm，中央小叶有短柄，长0.3～1 cm，侧生小叶无柄，完全无毛。花序假顶生于短枝先端，基部有分枝，主轴不明显，形成多歧聚伞花序，长3～12 cm；花序梗长0～3 cm，无毛；小

苞片卵形，长 1.5 ～ 2 mm，宽 1 ～ 2 mm，先端急尖，无毛；花梗长 1 ～ 2 mm，无毛；花蕾高 2 ～ 3 mm，先端圆形；花萼碟形，边缘呈波状或近全缘，外面无毛；花瓣 4，倒卵状椭圆形，高 1.5 ～ 2.7 mm，无毛；雄蕊 5，花丝长 0.4 ～ 0.9 mm，下部略宽，花药黄色，椭圆形或卵状椭圆形，长 0.7 ～ 1.5 mm；花盘不明显；子房近球形，花柱短，柱头不明显扩大。果实近球形，直径 0.8 ～ 1 cm，成熟时紫黑色，有 1 ～ 4 种子；种子倒卵形，先端近圆形，基部急尖，种脐在背面近中部呈圆形，腹部中棱脊突出，两侧洼穴呈沟状，从种子基部向上斜展达种子先端。花期 5 ～ 7 月，果期 7 ～ 11 月。

| 生境分布 | 生于海拔 200 ～ 3 100 m 的山崖陡壁、山坡、山谷林中或灌丛岩石缝中。分布于湖北神农架、巴东、丹江口、利川。

| 采收加工 | 秋、冬季挖取根部，洗净，切片，鲜用或晒干。

| 功能主治 | 祛风除湿活络，活血散瘀止痛，解毒消肿。用于风湿痹痛，胃痛，偏头痛，赤白带下，产后瘀滞腹痛；外用于骨折，跌打损伤，痈疮肿毒。

| 附　　注 | 《中国植物志》将异叶爬山虎 *Parthenocissus heterophylla* (Bl.) Merr. 正名为异叶地锦 *Parthenocissus dalzielii* Gagnep.。现将异叶爬山虎和异叶地锦合并编写。

葡萄科 Vitaceae 地锦属 *Parthenocissus*

花叶地锦 *Parthenocissus henryana* (Hemsl.) Diels & Gilg

| 药 材 名 | 顺地红。

| 形态特征 | 木质藤本。小枝显著四棱形，无毛。卷须总状 4 ~ 7 分枝，相隔 2 节间断与叶对生，卷须先端嫩时膨大呈块状，后遇附着物扩大成吸盘状。叶为掌状 5 小叶，小叶倒卵形、倒卵长圆形或宽倒卵状披针形，长 3 ~ 10 cm，宽 1.5 ~ 5 cm，最宽处在上部，先端急尖、渐尖或圆钝，基部楔形，边缘上半部有 2 ~ 5（~ 6）锯齿，上面绿色，下面浅绿色，两面均无毛或嫩时微被稀疏短柔毛，侧脉 3 ~ 6（~ 7）对，网脉上面不明显，下面微突出；叶柄长 2.5 ~ 8 cm，小叶柄长 0.3 ~ 1.5 cm，无毛。圆锥状多歧聚伞花序主轴明显，假顶生，花序内常有退化较小的单叶；花序梗长 1.5 ~ 9 cm，无毛；花梗长 0.5 ~ 1.5 mm，无毛；

花蕾椭圆形或近球形，高 1 ~ 2.2 mm，先端圆形；萼碟形，全缘，无毛；花瓣 5，长椭圆形，高 0.8 ~ 2 mm，无毛；雄蕊 5，花丝长 0.7 ~ 0.9 mm，花药长椭圆形，长 0.9 ~ 1.1 mm；花盘不明显；子房卵状椭圆形，花柱基部略比子房先端小或界限极不明显，柱头不显著或微扩大。果实近球形，直径 0.8 ~ 1 cm，有种子 1 ~ 3；种子倒卵形，先端圆形，基部有短喙，种脐在种子背面中部呈椭圆形，腹部中棱脊凸出，两侧洼穴呈沟状，从种子基部向上达种子先端。花期 5 ~ 7 月，果期 8 ~ 10 月。

| **生境分布** | 生于海拔 160 ~ 1 500 m 的沟谷岩石上或山坡林中。分布于湖北远安、利川、长阳、房县、丹江口。

| **采收加工** | **根**：秋、冬季采挖，洗净，切片，鲜用或晒干。

| **功能主治** | 破血散瘀，消肿解毒。用于通经，闭经，跌打损伤，风湿骨痛，疮毒。

葡萄科 Vitaceae 地锦属 *Parthenocissus*

绿叶地锦 *Parthenocissus laetevirens* Rehd.

| 药 材 名 | 五叶壁藤。

| 形态特征 | 木质藤本。小枝圆柱形或有显著纵棱，嫩时被短柔毛，以后短柔毛脱落无毛。卷须总状 5 ~ 10 分枝，相隔 2 节间断与叶对生，卷须先端嫩时膨大呈块状，后遇附着物扩大成吸盘。叶为掌状 5 小叶，小叶倒卵状长椭圆形或倒卵状披针形，长 2 ~ 12 cm，宽 1 ~ 5 cm，最宽处在近中部或中部以上，先端急尖或渐尖，基部楔形，边缘上半部有 5 ~ 12 锯齿，上面深绿色，无毛，显著呈泡状隆起，下面浅绿色，在脉上被短柔毛；侧脉 4 ~ 9 对，网脉上面不明显，下面微凸起；叶柄长 2 ~ 6 cm，被短柔毛，小叶有短柄或无。多歧聚伞

花序圆锥状，长 6 ～ 15 cm，中轴明显，假顶生，花序中常有退化小叶；花序梗长 0.5 ～ 4 cm，被短柔毛；花梗长 2 ～ 3 mm，无毛；花蕾椭圆形或微呈倒卵状椭圆形，高 2 ～ 3 mm，先端圆形；萼碟形，全缘，无毛；花瓣 5，椭圆形，高 1.6 ～ 2.6 mm，无毛；雄蕊 5，花丝长 1.4 ～ 2.4 mm，无毛；雄蕊 5，花丝长 1.4 ～ 2.4 mm，下部略宽，花药长椭圆形，长 1.6 ～ 2.6 mm；花盘不明显；子房近球形，花柱明显，基部略粗，柱头不明显扩大。果实球形，直径 0.6 ～ 0.8 cm，有种子 1 ～ 4；种子倒卵形，先端圆形，基部急尖成短喙，种脐在背面不明显，种脊呈沟状从近中部达种子上部 1/3 处，腹部中棱脊凸出，两侧洼穴呈沟状，向上斜展达种子先端。花期 7 ～ 8 月，果期 9 ～ 11 月。

| 生境分布 | 生于海拔 140 ～ 1 100 m 的山谷林中、山坡灌丛中或攀缘于树上、崖石壁上。分布于湖北蕲春、秭归。

| 采收加工 | 茎：秋、冬季采收，洗净，切段，鲜用或晒干。

| 功能主治 | 祛风除湿，散瘀通络，解毒消肿。用于风湿痹痛，腰肌劳损，四肢麻木，跌打瘀肿，骨折，痈肿，毒蛇咬伤。

葡萄科 Vitaceae 地锦属 *Parthenocissus*

五叶地锦 *Parthenocissus quinquefolia* (L.) Planch.

| 药 材 名 | 五叶地锦。

| 形态特征 | 木质藤本。小枝圆柱形，无毛。卷须总状 5 ~ 9 分枝，相隔 2 节间断与叶对生，卷须先端嫩时尖细卷曲，后遇附着物扩大成吸盘。叶为掌状 5 小叶，小叶倒卵状圆形、倒卵状椭圆形或外侧小叶椭圆形，长 5.5 ~ 15 cm，宽 3 ~ 9 cm，最宽处在上部或外侧小叶最宽处在近中部，先端短尾尖，基部楔形或阔楔形，边缘有粗锯齿，上面绿色，下面浅绿色，两面均无毛或下面脉上微被疏柔毛；侧脉 5 ~ 7 对，网脉两面均不明显突出；叶柄长 5 ~ 14.5 cm，无毛，小叶有短柄或无。花序假顶生形成主轴明显的圆锥状多歧聚伞花序，长 8 ~ 20 cm；花序梗长 3 ~ 5 cm，无毛；花梗长 1.5 ~ 2.5 mm，无毛；花蕾椭圆形，

高 2 ~ 3 mm，先端圆形；萼碟形，全缘，无毛；花瓣 5，长椭圆形，高 1.7 ~ 2.7 mm，无毛；雄蕊 5，花丝长 0.6 ~ 0.8 mm，花药长椭圆形，长 1.2 ~ 1.8 mm；花盘不明显；子房卵锥形，渐狭至花柱，或后期花柱基部略微缩小，柱头不扩大。果实球形，直径 1 ~ 1.2 cm，有种子 1 ~ 4；种子倒卵形，先端圆形，基部急尖成短喙，种脐在种子背面中部呈近圆形，腹部中棱脊凸出，两侧洼穴呈沟状，从种子基部斜向上达种子先端。花期 6 ~ 7 月，果期 8 ~ 10 月。

| **生境分布** | 分布于湖北宜都、枣阳、郧西、兴山、南漳、利川、长阳、红安。

| **功能主治** | 活血通络，祛风解毒。用于风湿关节痛，跌打损伤，痈疖肿毒。

葡萄科 Vitaceae 地锦属 *Parthenocissus*

三叶地锦 *Parthenocissus semicordata* (Wall. ex Roxb.) Planch.

|药材名|

三爪金龙。

|形态特征|

木质藤本。小枝圆柱形，嫩时被疏柔毛，以后脱落几无毛。卷须总状 4 ~ 6 分枝，相隔 2 节间断与叶对生，先端嫩时尖细卷曲，后遇附着物扩大成吸盘。叶为 3 小叶，着生在短枝上，中央小叶倒卵状椭圆形或倒卵状圆形，长 6 ~ 13 cm，宽 3 ~ 6.5 cm，先端骤尾尖，基部楔形，最宽处在上部，边缘中部以上每侧有 6 ~ 11 锯齿，侧生小叶卵状椭圆形或长椭圆形，长 5 ~ 10 cm，宽（2 ~ ）3 ~ 5 cm，先端短尾尖，基部不对称，近圆形，外侧边缘有 7 ~ 15 锯齿，内侧边缘上半部有 4 ~ 6 锯齿，上面绿色，下面浅绿色，下面中脉和侧脉上被短柔毛；侧脉 4 ~ 7 对，网脉在两面不明显或微凸出；叶柄长 3.5 ~ 15 cm，疏生短柔毛，小叶几无柄。多歧聚伞花序着生在短枝上，花序基部分枝，主轴不明显；花序梗长 1.5 ~ 3.5 cm，无毛或被疏柔毛；花梗长 2 ~ 3 mm，无毛；花蕾椭圆形，高 2 ~ 3 mm，先端圆形；花萼碟形，全缘，无毛；花瓣 5，卵状椭圆形，高 1.8 ~ 2.8 mm，无毛；雄蕊 5，花丝长

0.6 ~ 0.9 mm，花药卵状椭圆形，长 0.4 ~ 0.6 mm；花盘不明显；子房扁球形，花柱短，柱头不扩大。果实近球形，直径 0.6 ~ 0.8 cm，有种子 1 ~ 2；种子倒卵形，先端圆形，基部急尖成短喙，种脐在背面中部呈圆形，腹部中棱脊突出，两侧洼穴呈沟状，从基部向上斜展达种子先端。花期 5 ~ 7 月，果期 9 ~ 10 月。

| 生境分布 | 生于海拔 500 ~ 3 100 m 的山坡林中或灌丛。分布于湖北宜都、英山、来凤、巴东、丹江口。

| 采收加工 | 秋季采集，晒干或鲜用。

| 功能主治 | 祛风除湿，化瘀通络。用于风湿痹痛，跌打损伤，骨折。

葡萄科 Vitaceae 崖爬藤属 *Tetrastigma*

三叶崖爬藤 *Tetrastigma hemsleyanum* Diels et Gilg

| 药 材 名 | 蛇附子。

| 形态特征 | 草质藤本。小枝纤细，有纵棱纹，无毛或被疏柔毛。卷须不分枝，相隔 2 节间断与叶对生。叶为 3 小叶，小叶披针形、长椭圆状披针形或卵状披针形，长 3 ～ 10 cm，宽 1.5 ～ 3 cm，先端渐尖，稀急尖，基部楔形或圆形，侧生小叶基部不对称，近圆形，边缘每侧有 4 ～ 6 锯齿，锯齿细或有时较粗，上面绿色，下面浅绿色，两面均无毛；侧脉 5 ～ 6 对，网脉两面不明显，无毛；叶柄长 2 ～ 7.5 cm，中央小叶柄长 0.5 ～ 1.8 cm，侧生小叶柄较短，长 0.3 ～ 0.5 cm，无毛或被疏柔毛。花序腋生，长 1 ～ 5 cm，比叶柄短、近等长或较叶柄长，下部有节，节上有苞片，或假顶生而基部无节和苞片，二级分枝通

常 4，集生成伞形，花二歧状着生在分枝末端；花序梗长 1.2 ~ 2.5 cm，被短柔毛；花梗长 1 ~ 2.5 mm，通常被灰色短柔毛；花蕾卵圆形，高 1.5 ~ 2 mm，先端圆形；萼碟形，萼齿细小，卵状三角形；花瓣 4，卵圆形，高 1.3 ~ 1.8 mm，先端有小角，外展，无毛；雄蕊 4，花药黄色；花盘明显，4 浅裂；子房陷在花盘中呈短圆锥状，花柱短，柱头 4 裂。果实近球形或倒卵状球形，直径约 0.6 cm，有种子 1；种子倒卵状椭圆形，先端微凹，基部圆钝，表面光滑，种脐在种子背面中部向上呈椭圆形，腹面两侧洼穴呈沟状，从下部近 1/4 处向上斜展直达种子先端。花期 4 ~ 6 月，果期 8 ~ 11 月。

| 生境分布 | 生于海拔 300 ~ 1 300 m 的山坡灌丛、山谷、溪边林下岩石缝中。分布于湖北恩施、咸丰、竹溪、秭归、兴山、神农架、利川。

| 采收加工 | **块根：**冬季采挖，除去泥土，洗净，切片，鲜用或晒干。

| 功能主治 | 清热解毒，祛风活血。用于高热惊厥，肺炎，咳喘，肝炎，肾炎，风湿痹痛，跌打损伤，痈疔疮疖，湿疹，蛇咬伤。

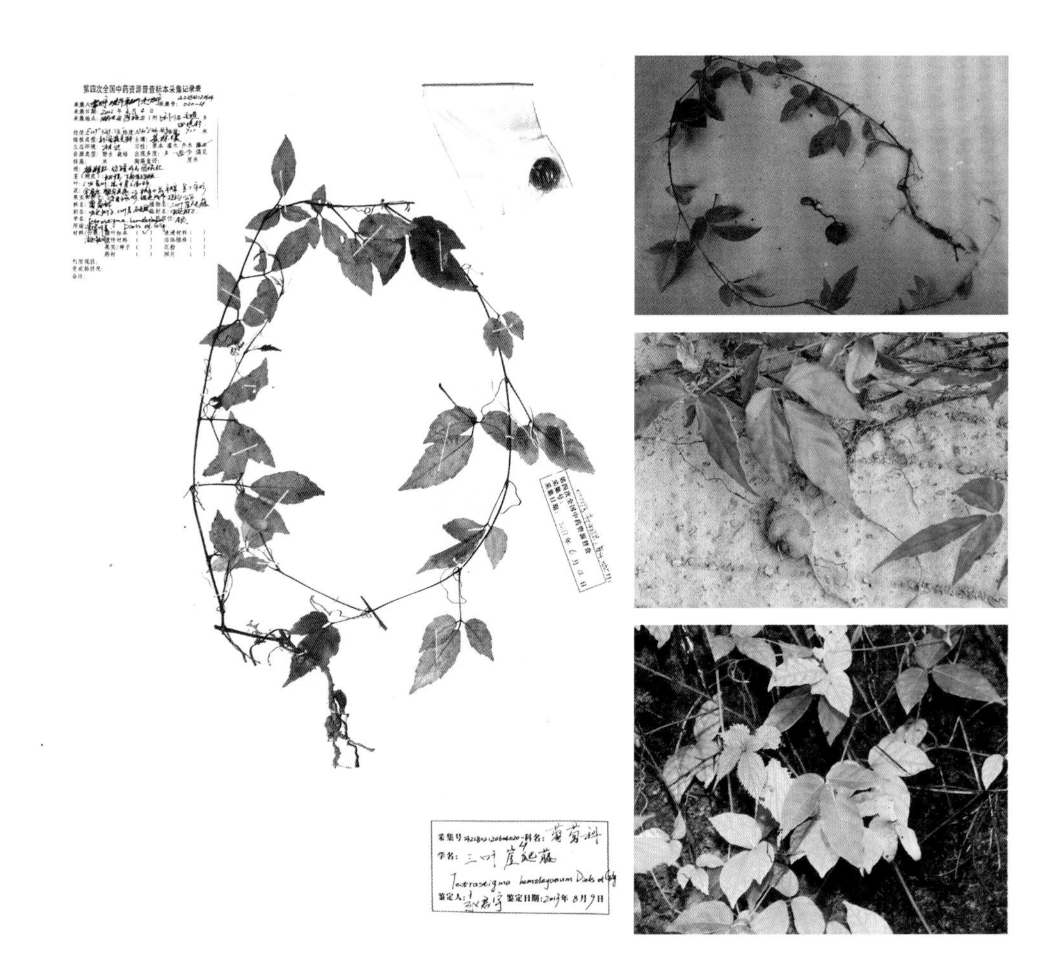

葡萄科 Vitaceae 崖爬藤属 *Tetrastigma*

崖爬藤 *Tetrastigma obtectum* (Wall.) Planch.

| 药材名 |

走游草。

| 形态特征 |

草质藤本。小枝圆柱形，无毛或被疏柔毛。卷须4～7呈伞状集生，相隔2节间断与叶对生。叶为掌状5小叶，小叶菱状椭圆形或椭圆状披针形，长1～4 cm，宽0.5～2 cm，先端渐尖、急尖或钝，基部楔形，外侧小叶基部不对称，边缘每侧有3～8锯齿或细牙齿，上面绿色，下面浅绿色，两面均无毛；侧脉4～5对，网脉不明显；叶柄长1～4 cm，小叶柄极短或无，无毛或被疏柔毛；托叶褐色，膜质，卵圆形，常宿存。花序长1.5～4 cm，比叶柄短、近等长或较叶柄长，顶生或假顶生于具有1～2叶的短枝上，多数花集生成单伞形；花序梗长1～4 cm，无毛或被稀疏柔毛；花蕾椭圆形或卵状椭圆形，高1.5～3 mm，先端近截形或近圆形；萼浅碟形，边缘呈波状浅裂，外面无毛或稀疏柔毛；花瓣4，长椭圆形，高1.3～2.7 mm，先端有短角，外面无毛；雄蕊4，花丝丝状，花药黄色，卵圆形，长与宽近相等，在雌花内雄蕊显著短而败育；花盘明显，4浅裂，在雌花中不发达；子房

锥形，花柱短，柱头扩大呈碟形，边缘不规则分裂。果实球形，直径 0.5 ~ 1 cm，有种子 1；种子椭圆形，先端圆形，基部有短喙，种脐在种子背面下部 1/3 处呈长卵形，两侧有棱纹和凹陷，腹部中棱脊突出，两侧洼穴呈沟状向上斜展达种子先端 1/4 处。花期 4 ~ 6 月，果期 8 ~ 11 月。

| 生境分布 | 生于海拔 250 ~ 2 400 m 的山坡岩石或林下石壁上。分布于湖北来凤、竹溪、巴东、保康、郧西、神农架、恩施、利川。

| 采收加工 | **全草**：9 ~ 11 月采挖，切碎，晒干；11 ~ 12 月采挖，切片，晒干。

| 功能主治 | 祛风通络，活血止痛。用于跌打损伤，风湿麻木，关节筋骨疼痛。

| 附　　注 | 本种植物的另一变种无毛崖爬藤 *Tetrastigma obtectum* (Wall.) Planch. var. *glabrum* (H. Lév. & Vant.) Gagnep. 与本种的区别为枝叶光滑无毛，小叶片椭圆形或椭圆状披针形。

葡萄科 Vitaceae 崖爬藤属 *Tetrastigma*

菱叶崖爬藤 *Tetrastigma triphyllum* (Gagnep.) W. T. Wang

| 药 材 名 | 爬树龙。

| 形态特征 | 草质或半木质藤本。小枝圆柱形，有纵棱纹，无毛。卷须 4 ~ 7 掌状分枝，与叶对生。叶有 3 小叶，小叶菱状卵圆形或椭圆形，长 3 ~ 11 cm，宽 1.5 ~ 7 cm，先端渐尖或急尖，中央小叶基部楔形，外侧小叶基部不对称，近圆形，边缘每侧有 6 ~ 7 牙齿，齿尖细，上面绿色，下面浅绿色，两面无毛；侧脉 6 ~ 7 对，网脉不明显；叶柄长 1.5 ~ 9.5 cm，中央小叶柄长 0.5 ~ 0.6 cm，侧生小叶柄长 0.3 ~ 0.4 cm，无毛。复伞形花序长 2.5 ~ 5.5 cm，比叶柄长或与叶柄近等长，在侧枝上假顶生，下部有 1 ~ 2 叶；花序梗长 1 ~ 3 cm，无毛；花梗长 2 ~ 3 mm，无毛；花蕾卵圆形，长 1.5 ~ 2.5 mm，

先端圆形；花萼浅碟形，边缘有 4 小齿，外面无毛；花瓣 4，椭圆形，长 1.5 ~ 2.3 mm，先端呈风帽状，外面无毛；雄蕊 4，花丝丝状，花药黄色，长椭圆形，长比宽大 2 倍，在雌花内雄蕊显著短而败育；花盘明显，4 浅裂，在雌花内中部较薄，呈环状；子房锥形，下部与花盘合生，花柱不明显，柱头扩大，4 裂。果实球形，直径 0.7 ~ 1 cm，有 1 ~ 2 种子；种子椭圆形，先端圆形，基部有短喙，种脐在种子背面中部呈狭椭圆形，中棱脊突出，两侧横肋凸起，腹部中棱脊呈线状突出，两侧洼穴呈沟状，从种子基部斜向上达种子先端。花期 2 ~ 4 月，果期 6 ~ 11 月。

| **生境分布** | 生于海拔 700 ~ 2 000 m 的山坡或山谷林中。分布于湖北英山。

| **采收加工** | 秋、冬季采收根或藤茎，洗净，切片，鲜用或晒干。

| **功能主治** | 祛风湿，散瘀肿，续筋骨。用于风湿性关节炎，跌打肿痛，骨折，烧伤，痈疮红肿。

葡萄科 Vitaceae 葡萄属 *Vitis*

山葡萄 *Vitis amurensis* Rupr.

|药 材 名|

山藤藤秧。

|形态特征|

木质藤本。小枝圆柱形，无毛，嫩枝疏被蛛丝状绒毛。卷须 2 ~ 3 分枝，每隔 2 节间断与叶对生。叶阔卵状圆形，长 6 ~ 24 cm，宽 5 ~ 21 cm，3（稀 5）浅裂、中裂或不分裂，叶片或中裂片先端急尖或渐尖，裂片基部常缢缩或间有宽阔，裂缺凹成圆形，稀呈锐角或钝角，叶基部心形，基缺凹成圆形或钝角，边缘每侧有 28 ~ 36 粗锯齿，齿端急尖，微不整齐，上面绿色，初时疏被蛛丝状绒毛，以后绒毛脱落；基生脉 5 出，中脉有侧脉 5 ~ 6 对，上面明显或微下陷，下面凸出，网脉在下面明显，除最后一级小脉外，或多或少凸出，常被短柔毛或几无毛；叶柄长 4 ~ 14 cm，初时被蛛丝状绒毛，以后绒毛脱落无毛；托叶膜质，褐色，长 4 ~ 8 mm，宽 3 ~ 5 mm，先端钝，全缘。圆锥花序疏散，与叶对生，基部分枝发达，长 5 ~ 13 cm，初时常被蛛丝状绒毛，以后脱落几无毛；花梗长 2 ~ 6 mm，无毛；花蕾倒卵状圆形，高 1.5 ~ 30 mm，先端圆形；萼碟形，高 0.2 ~ 0.3 mm，几全缘，无毛；花瓣 5，呈

帽状粘合脱落；雄蕊 5，花丝丝状，长 0.9 ~ 2 mm，花药黄色，卵状椭圆形，长 0.4 ~ 0.6 mm，在雌花内雄蕊显著短而败育；花盘发达，5 裂，高 0.3 ~ 0.5 mm；雌蕊 1，子房锥形，花柱明显，基部略粗，柱头微扩大。果实直径 1 ~ 1.5 cm；种子倒卵状圆形，先端微凹，基部有短喙，种脐在种子背面中部呈椭圆形，腹面中棱脊微凸起，两侧洼穴狭窄呈条形，向上达种子中部或近先端。花期 5 ~ 6 月，果期 7 ~ 9 月。

| 生境分布 | 生于海拔 200 ~ 2 100 m 的山坡、沟谷林中或灌丛。分布于湖北利川、谷城。

| 采收加工 | **山藤藤秧：**秋季采根，夏季采藤，洗净，切片或切段，晒干。

果实：秋季采收，鲜用或晒干。

| 功能主治 | **山藤藤秧：**祛风止痛。用于外伤痛，风湿骨痛，胃痛，腹痛，神经性头痛，术后疼痛。

果实：清热利尿。用于烦热口渴，尿路感染，小便不利。

葡萄科 Vitaceae 葡萄属 *Vitis*

桦叶葡萄 *Vitis betulifolia* Diels et Gilg

| 药 材 名 | 桦叶葡萄根皮。

| 形态特征 | 木质藤本。小枝圆柱形，有显著纵棱纹，嫩时小枝疏被蛛丝状绒毛，以后脱落无毛。卷须二叉分枝，每隔 2 节间断与叶对生。叶卵圆形或卵状椭圆形，长 4 ~ 12 cm，宽 3.5 ~ 9 cm，不分裂或 3 浅裂，先端急尖或渐尖，基部心形或近截形，稀上部叶基部近圆形，每侧边缘有锯齿 15 ~ 25，齿急尖，上面绿色，初时疏被蛛丝状绒毛和被短柔毛，以后脱落无毛，下面灰绿色或绿色，初时密被绒毛，以后毛脱落，仅脉上被短柔毛或几无毛；基出脉 5，中脉有侧脉 4 ~ 6 对，网脉下面微凸出；叶柄长 2 ~ 6.5 cm，嫩时被蛛丝状绒毛，以后脱落无毛；托叶膜质，褐色，条状披针形，长 2.5 ~ 6 mm，

宽 1.5 ～ 3 mm，先端急尖或钝，全缘，无毛。圆锥花序疏散，与叶对生，下部分枝发达，长 4 ～ 15 cm，初时被蛛丝状绒毛，以后脱落几无毛；花梗长 1.5 ～ 3 mm，无毛；花蕾倒卵圆形，高 1.5 ～ 2 mm，先端圆形；花萼碟形，边缘膜质，全缘，高约 0.2 mm；花瓣 5，呈帽状黏合脱落；雄蕊 5，花丝丝状，长 1 ～ 1.5 mm，花药黄色，椭圆形，长约 4 mm，在雌花内雄蕊明显较短，败育；花盘发达，5 裂；子房在雌花中卵圆形，花柱短，柱头微扩大。果实圆球形，成熟时紫黑色，直径 0.8 ～ 1 cm；种子倒卵形，先端圆形，基部有短喙，种脐在种子背面中部呈圆形或椭圆形，腹面中棱脊凸起，两侧洼穴狭窄呈条形，向上达种子 2/3 ～ 3/4 处。花期 3 ～ 6 月，果期 6 ～ 11 月。

| 生境分布 | 生于海拔 650 ～ 3 100 m 的山坡、沟谷灌丛或林中。分布于神农架、麻城以及恩施。

| 采收加工 | 冬季挖取根部，洗净，剥取根皮，切片，鲜用或晒干。

| 功能主治 | 舒筋活血，利湿解毒。用于瘫痪，跌打损伤，骨折，痢疾，无名肿毒。

葡萄科 Vitaceae 葡萄属 *Vitis*

蘡薁 *Vitis bryoniifolia* Bunge

| 药 材 名 | 蘡薁、蘡薁根、蘡薁藤。

| 形态特征 | 木质藤本。小枝圆柱形，有棱纹，嫩枝密被蛛丝状绒毛或柔毛，以后毛脱落变稀疏。卷须 2 叉分枝，每隔 2 节间断与叶对生。叶长圆状卵形，长 2.5 ~ 8 cm，宽 2 ~ 5 cm，叶片 3 ~ 5（~ 7）深裂或浅裂，稀混生有不裂叶者，中裂片先端急尖至渐尖，基部常缢缩凹成圆形，边缘每侧有 9 ~ 16 缺刻粗齿或成羽状分裂，基部心形或深心形，基缺凹成圆形，下面密被蛛丝状绒毛和柔毛，以后毛脱落变稀疏；基生脉 5 出，中脉有侧脉 4 ~ 6 对，上面网脉不明显或微凸出，下面有时绒毛脱落后柔毛明显可见；叶柄长 0.5 ~ 4.5 cm，初时密被蛛丝状绒毛或绒毛和柔毛，以后毛脱落变稀疏；托叶卵状

长圆形或长圆状披针形，膜质，褐色，长 3.5 ~ 8 mm，宽 2.5 ~ 4 mm，先端钝，全缘，无毛或近无毛。花杂性异株，圆锥花序与叶对生，基部分枝发达或有时退化成一卷须，稀狭窄而基部分枝不发达；花序梗长 0.5 ~ 2.5 cm，初时被蛛状丝绒毛，以后变稀疏；花梗长 1.5 ~ 3 mm，无毛；花蕾倒卵状椭圆形或近球形，高 1.5 ~ 2.2 mm，先端圆形；萼碟形，高约 0.2 mm，近全缘，无毛；花瓣 5，呈帽状粘合脱落；雄蕊 5，花丝丝状，长 1.5 ~ 1.8 mm，花药黄色，椭圆形，长 0.4 ~ 0.5 mm，在雌花内雄蕊短而不发达，败育；花盘发达，5 裂；雌蕊 1，子房椭圆状卵形，花柱细短，柱头扩大。果实球形，成熟时紫红色，直径 0.5 ~ 0.8 cm；种子倒卵形，先端微凹，基部有短喙，种脐在种子背面中部呈圆形或椭圆形，腹面中棱脊突出，两侧洼穴狭窄，向上达种子 3/4 处。花期 4 ~ 8 月，果期 6 ~ 10 月。

| 生境分布 | 生于海拔 150 ~ 2 500 m 的山谷林中、灌丛、沟边或田埂。分布于湖北公安。

| 采收加工 | **果实：**夏、秋季果实成熟时采收，鲜用或晒干。

根：秋、冬季采挖，洗净，切片或段，鲜用或晒干。

藤：夏、秋季采收，洗净，切片或段，鲜用或晒干。

| 功能主治 | **果实：**生津止渴。用于暑月伤津口干。

根：清热利湿，解毒消肿。用于湿疹，黄疸，热淋，痢疾，跌打损伤，瘰疬，疮痈肿毒。

藤：清热，利湿，止血，解毒消肿。用于淋病，痢疾，崩漏，哕逆，风湿痹痛，跌打损伤，瘰疬，湿疹，疮痈肿毒。

葡萄科 Vitaceae 葡萄属 *Vitis*

东南葡萄 *Vitis chunganensis* Hu

| 药 材 名 | 东南葡萄。

| 形态特征 | 木质藤本。小枝圆柱形，幼嫩时棱纹不明显，老后有显著纵棱纹，无毛。卷须二叉分枝，每隔 2 节间断与叶对生。叶卵形或卵状长椭圆形，长 6.5 ~ 22.5 cm，宽 4.5 ~ 13.5 cm，先端急尖、渐尖或尾状渐尖，基部心形，基缺两侧近乎靠近或靠叠，边缘有 12 ~ 22 细牙齿，上面绿色，无毛，下面被白色粉霜，稀粉霜不明显而呈绿色，无毛；基生脉 5 ~ 7 出，中脉有侧脉 5 ~ 7 对，网脉不明显；叶柄长 2 ~ 6.5 cm，无毛；托叶卵状长椭圆形或披针形，长 1.5 ~ 3 mm，宽 1 ~ 1.5 mm，先端钝，无毛，早落。花杂性异株；圆锥花序疏散，长 5 ~ 9 cm，与叶对生，下部分枝发达，基部分枝偶退化成卷须，

花序梗长 1 ~ 2 cm，被短柔毛或脱落几无毛；花梗长 1.2 ~ 2 mm，无毛；花蕾近球形或椭圆形，高 1 ~ 1.5 mm，无毛；花萼碟形，无毛，高约 0.2 mm；花瓣 5，呈帽状黏合脱落；雄蕊 5，花丝丝状，长 0.5 ~ 0.7 mm，花药黄色，椭圆形，长约 0.4 mm，在雌花内雄蕊短，败育；花盘发达，5 裂；雌蕊 1，子房卵圆形，花柱细短，柱头扩大。果实球形，成熟时紫黑色，直径 0.8 ~ 1.2 cm；种子倒卵形，先端微凹，基部有短喙，种脐在种子背面中部呈椭圆形，腹面中棱脊凸起，两侧洼穴狭窄呈条形，向上达种子 1/3 处。花期 4 ~ 6 月，果期 6 ~ 8 月。

| 生境分布 | 生于海拔 500 ~ 1 400 m 的山坡灌丛、沟谷林中。分布于湖北巴东。

| 功能主治 | 补气血，益肝肾，生津液，强筋骨，止咳除烦，通利小便。

葡萄科 Vitaceae 葡萄属 *Vitis*

刺葡萄 *Vitis davidii* (Roman. du Caill.) Foex

| 药 材 名 | 刺葡萄根。

| 形态特征 | 木质藤本。小枝圆柱形，纵棱纹幼时不明显，被皮刺，无毛。卷须 2 叉分枝，每隔 2 节间断与叶对生。叶卵圆形或卵状椭圆形，长 5 ~ 12 cm，宽 4 ~ 16 cm，先端急尖或短尾尖，基部心形，基缺凹成钝角，边缘每侧有锯齿 12 ~ 33，齿端尖锐，不分裂或微 3 浅裂，上面绿色，无毛，下面浅绿色，无毛，基生脉 5 出，中脉有侧脉 4 ~ 5 对，网脉明显，下面比上面突出，无毛常疏生小皮刺；托叶近草质，绿褐色，卵状披针形，长 2 ~ 3 mm，宽 1 ~ 2 mm，无毛，早落。花杂性异株；圆锥花序基部分枝发达，长 7 ~ 24 cm，与叶对生，花序梗长 1 ~ 2.5 cm，无毛；花梗长 1 ~ 2 mm，无毛；花蕾倒卵状圆形，

高 1.2 ~ 1.5 mm，先端圆形；萼碟形，边缘萼片不明显；花瓣 5，呈帽状粘合脱落；雄蕊 5，花丝丝状，长 1 ~ 1.4 mm，花药黄色，椭圆形，长 0.6 ~ 0.7 mm，在雌花内雄蕊短，败育；花盘发达，5 裂；雌蕊 1，子房圆锥形，花柱短，柱头扩大。果实球形，成熟时紫红色，直径 1.2 ~ 2.5 cm；种子倒卵状椭圆形，先端圆钝，基部有短喙，种脐在种子背面中部呈圆形，腹面中棱脊凸起，两侧洼穴狭窄，向上达种子 3/4 处。花期 4 ~ 6 月，果期 7 ~ 10 月。

| 生境分布 | 生于海拔 600 ~ 1 800 m 的山坡、沟谷林中或灌丛。分布于湖北兴山、神农架、通山、恩施、利川、宣恩、建始。

| 采收加工 | **根**：秋、冬季采挖，洗净，切片，鲜用或晒干。

| 功能主治 | 散瘀消积，舒筋止痛。用于血瘀，腹胀癥积，关节肿痛，筋骨伤痛。

葡萄科 Vitaceae 葡萄属 *Vitis*

葛藟葡萄 *Vitis flexuosa* Thunb.

| 药 材 名 | 葛藟根、葛藟果实、葛藟汁。

| 形态特征 | 木质藤本。小枝圆柱形，有纵棱纹，嫩枝疏被蛛丝状绒毛，以后脱落无毛。卷须 2 叉分枝，每隔 2 节间断与叶对生。叶卵形、三角状卵形、卵圆形或卵状椭圆形，长 2.5 ~ 12 cm，宽 2.3 ~ 10 cm，先端急尖或渐尖，基部浅心形或近截形，心形者基缺先端凹成钝角，边缘每侧有微不整齐 5 ~ 12 锯齿，上面绿色，无毛，下面初时疏被蛛丝状绒毛，以后脱落；基生脉 5 出，中脉有侧脉 4 ~ 5 对，网脉不明显；叶柄长 1.5 ~ 7 cm，被稀疏蛛丝状绒毛或几无毛；托叶早落。圆锥花序疏散，与叶对生，基部分枝发达或细长而短，长 4 ~ 12 cm，花序梗长 2 ~ 5 cm，被蛛丝状绒毛或几无毛；花梗长 1.1 ~ 2.5 mm，

无毛；花蕾倒卵状圆形，高 2 ~ 3 mm，先端圆形或近截形；萼浅碟形，边缘呈波状浅裂，无毛；花瓣 5，呈帽状粘合脱落；雄蕊 5，花丝丝状，长 0.7 ~ 1.3 mm，花药黄色，卵圆形，长 0.4 ~ 0.6 mm，在雌花内短小，败育；花盘发达，5 裂；雌蕊 1，在雄花中退化，子房卵圆形，花柱短，柱头微扩大。果实球形，直径 0.8 ~ 1 cm；种子倒卵状椭圆形，先端近圆形，基部有短喙，种脐在种子背面中部呈狭长圆形，种脊微凸出，表面光滑，腹面中棱脊微凸起，两侧洼穴宽沟状，向上达种子 1/4 处。花期 3 ~ 5 月，果期 7 ~ 11 月。

| 生境分布 | 生于海拔 100 ~ 2 300 m 的山坡、沟谷田边、草地、灌丛中或林中。分布于湖北咸丰、宣恩、长阳、神农架、通城、团风。

| 采收加工 | **根：**秋、冬季采挖，洗净，切片，或剥取根皮，切片，鲜用或晒干。

果实：夏、秋季果实成熟时采收，鲜用或晒干。

汁：夏、秋季砍断茎藤，取汁，鲜用。

| 功能主治 | **根：**利湿退黄，活血通络，解毒消肿。用于黄疸性肝炎，风湿痹痛，跌打损伤，痈肿。

果实：润肺止咳，凉血止血，消食。用于肺燥咳嗽，吐血，食积，泻痢。

汁：益气生津，活血舒筋。用于乏力，口渴，哕逆，跌打损伤。

葡萄科 Vitaceae 葡萄属 *Vitis*

毛葡萄 *Vitis heyneana* Roem. et Schult.

| 药 材 名 | 毛葡萄根皮、毛葡萄叶。

| 形态特征 | 木质藤本。小枝圆柱形，有纵棱纹，被灰色或褐色蛛丝状绒毛。卷须2叉分枝，密被绒毛，每隔2节间断与叶对生。叶卵圆形、长卵状椭圆形或卵状五角形，长4～12 cm，宽3～8 cm，先端急尖或渐尖，基部心形或微心形，基缺先端凹成钝角，稀成锐角，边缘每侧有9～19尖锐锯齿，上面绿色，初时疏被蛛丝状绒毛，以后毛脱落，下面密被灰色或褐色绒毛，稀毛脱落变稀疏，基生脉3～5出，中脉有侧脉4～6对，上面脉上无毛或有时疏被短柔毛，下面脉上密被绒毛、短柔毛或疏被绒毛状柔毛；叶柄长2.5～6 cm，密被蛛丝状绒毛；托叶膜质，褐色，卵状披针形，长3～5 mm，宽2～3 mm，先端

渐尖，稀钝，全缘，无毛。花杂性异株；圆锥花序疏散，与叶对生，分枝发达，长 4 ~ 14 cm；花序梗长 1 ~ 2 cm，被灰色或褐色蛛丝状绒毛；花梗长 1 ~ 3 mm，无毛；花蕾倒卵状圆形或椭圆形，高 1.5 ~ 2 mm，先端圆形；萼碟形，近全缘，高约 1 mm；花瓣 5，呈帽状粘合脱落；雄蕊 5，花丝丝状，长 1 ~ 1.2 mm，花药黄色，椭圆形或阔椭圆形，长约 0.5 mm，在雌花内雄蕊显著短，败育；花盘发达，5 裂；雌蕊 1，子房卵圆形，花柱短，柱头微扩大。果实圆球形，成熟时紫黑色，直径 1 ~ 1.3 cm；种子倒卵形，先端圆形，基部有短喙，种脐在背面中部呈圆形，腹面中棱脊凸起，两侧洼穴狭窄呈条形，向上达种子 1/4 处。花期 4 ~ 6 月，果期 6 ~ 10 月。

| **生境分布** | 生于海拔 100 ~ 3 100 m 的山坡、沟谷灌丛、林缘或林中。分布于湖北神农架、利川、建始、长阳、竹溪、房县、巴东、丹江口、保康、黄梅、枣阳、南漳。

| **采收加工** | **根皮**：全年均可采，洗净，晒干。

叶：夏、秋季采，晒干，搓为绒絮。

| **功能主治** | **根皮**：活血调经，舒筋活络。用于月经不调，带下，跌打损伤，筋骨疼痛。

叶：止血。用于外伤出血。

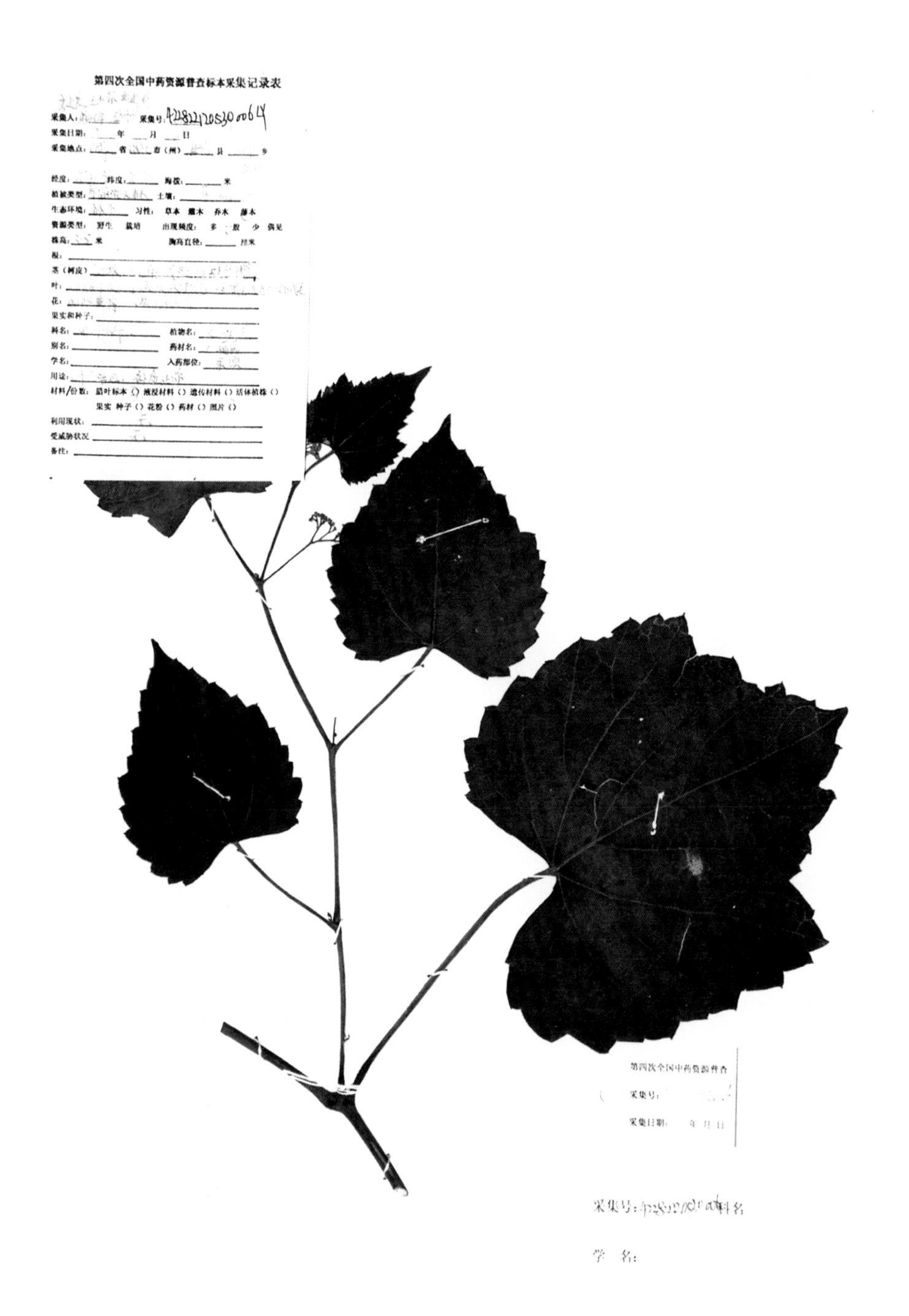

葡萄科 Vitaceae 葡萄属 *Vitis*

桑叶葡萄 *Vitis heyneana* Roem. et Schult. subsp. *ficifolia* (Bge.) C. L. Li

| 药 材 名 |

桑叶葡萄。

| 形态特征 |

木质藤本。小枝圆柱形，有纵棱纹，被灰色或褐色蛛丝状绒毛。卷须 2 叉分枝，密被绒毛，每隔 2 节间断与叶对生。叶卵圆形、长卵状椭圆形或卵状五角形，叶片常有 3 浅裂至中裂并混生有不分裂者，长 4 ~ 12 cm，宽 3 ~ 8 cm，先端急尖或渐尖，基部心形或微心形，基缺先端凹成钝角，稀成锐角，边缘每侧有 9 ~ 19 尖锐锯齿，上面绿色，初时疏被蛛丝状绒毛，以后绒毛脱落，下面密被灰色或褐色绒毛，稀绒毛脱落变稀疏，基生脉 3 ~ 5 出，中脉有侧脉 4 ~ 6 对，上面脉上无毛或有时疏被短柔毛，下面脉上密被绒毛、短柔毛或疏被绒毛状柔毛；叶柄长 2.5 ~ 6 cm，密被蛛丝状绒毛；托叶膜质，褐色，卵状披针形，长 3 ~ 5 mm，宽 2 ~ 3 mm，先端渐尖，稀钝，全缘，无毛。花杂性异株；圆锥花序疏散，与叶对生，分枝发达，长 4 ~ 14 cm；花序梗长 1 ~ 2 cm，被灰色或褐色蛛丝状绒毛；花梗长 1 ~ 3 mm，无毛；花蕾倒卵状圆形或椭圆形，高 1.5 ~ 2 mm，先端圆形；萼碟形，近全缘，

高约 1 mm；花瓣 5，呈帽状粘合脱落；雄蕊 5，花丝丝状，长 1 ～ 1.2 mm，花药黄色，椭圆形或阔椭圆形，长约 0.5 mm，在雌花内雄蕊显著短，败育；花盘发达，5 裂；雌蕊 1，子房卵圆形，花柱短，柱头微扩大。果实圆球形，成熟时紫黑色，直径 1 ～ 1.3 cm；种子倒卵形，先端圆形，基部有短喙，种脐在背面中部呈圆形，腹面中棱脊凸起，两侧洼穴狭窄呈条形，向上达种子 1/4 处。花期 5 ～ 7 月，果期 7 ～ 9 月。

| 生境分布 | 生于海拔 100 ～ 1 300 m 的山坡、沟谷灌丛中或疏林中。分布于湖北竹溪、郧西。

| 功能主治 | 燥湿止痒。用于阴囊湿疹瘙痒。

葡萄科 Vitaceae 葡萄属 *Vitis*

变叶葡萄 *Vitis piasezkii* Maxim.

| 药 材 名 | 黑葡萄汁液。

| 形态特征 | 木质藤本。小枝圆柱形，有纵棱纹，嫩枝被褐色柔毛。卷须 2 叉分枝，每隔 2 节间断与叶对生。叶 3 ~ 5 小叶或混生有单叶；复叶者中央小叶菱状椭圆形或披针形，长 5 ~ 12 cm，宽 2.5 ~ 5 cm，先端急尖或渐尖，基部楔形，外侧小叶卵状椭圆形或卵状披针形，长 3.5 ~ 9 cm，宽 3 ~ 5 cm，先端急尖或渐尖，基部不对称，近圆形或阔楔形，每侧边缘有 5 ~ 20 尖锯齿；单叶者叶片卵圆形或卵状椭圆形，长 5 ~ 12 cm，宽 4 ~ 8 cm，先端急尖，基部心形，基缺张开成钝角，每侧边缘有 21 ~ 31 微不整齐锯齿，上面绿色，几无毛，下面被疏柔毛和蛛丝状绒毛，网脉上面不明显，下面微凸出；基出

脉 5，中脉有侧脉 4 ～ 6 对；叶柄长 2.5 ～ 6 cm，被褐色短柔毛；托叶早落。圆锥花序疏散，与叶对生，基部分枝发达，长 5 ～ 12 cm，花序梗长 1 ～ 2.5 cm，被稀疏柔毛；花梗长 1.5 ～ 2.5 mm，无毛；花蕾倒卵状椭圆形，高 1 ～ 2.5 mm，先端圆形；萼浅碟形，边缘呈波状，外面无毛；花瓣 5，呈帽状粘合脱落；雄蕊 5，花丝丝状，长 0.7 ～ 1 mm，在雌花内完全退化；花盘发达，5 裂；雌蕊 1，在雄花中完全退化，子房卵圆形，花柱短，柱头扩大。果实球形，直径 0.8 ～ 1.3 cm；种子倒卵状圆形，先端微凹，基部有短喙，种脐在种子背面中部呈卵圆形，种脊微凸出，表面光滑，腹面中棱脊突起，两侧洼穴呈宽沟形，向上达种子上部 1/4 处。花期 6 月，果期 7 ～ 9 月。

| 生境分布 | 生于海拔 1 000 ～ 2 000 m 的山坡、河边灌丛中或林中。分布于湖北通城、神农架。

| 采收加工 | **汁液：**夏、秋季植株生长旺盛时，砍断茎藤，收集汁液，鲜用。

| 功能主治 | 消食，清热，凉血。用于胃肠实热，头痛发热，骨蒸痨热，目赤肿痛，鼻衄。

葡萄科 Vitaceae 葡萄属 *Vitis*

华东葡萄 *Vitis pseudoreticulata* W. T. Wang

| 药 材 名 | 华东葡萄。

| 形态特征 | 木质藤本。小枝圆柱形，有显著纵棱纹，嫩枝疏被蛛丝状绒毛，以后绒毛脱落近无毛。卷须 2 叉分枝，每隔 2 节间断与叶对生。叶卵圆形或肾状卵圆形，长 6 ~ 13 cm，宽 5 ~ 11 cm，先端急尖或短渐尖，稀圆形，基部心形，基缺凹成圆形或钝角，每侧边缘 16 ~ 25 锯齿，齿端尖锐，微不整齐，上面绿色，初时疏被蛛丝状绒毛，以后绒毛脱落无毛，下面初时疏被蛛丝状绒毛，以后绒毛脱落；基生脉 5 出，中脉有侧脉 3 ~ 5 对，下面沿侧脉被白色短柔毛，网脉在下面明显；叶柄长 3 ~ 6 cm，初时被蛛状丝绒毛，以后绒毛脱落，并有短柔毛；托叶早落。圆锥花序疏散，与叶对生，基部分枝发达，杂性异株，

长 5 ～ 11 cm，疏被蛛丝状绒毛，以后绒毛脱落；花梗长 1 ～ 1.5 mm，无毛；花蕾倒卵状圆形，高 2 ～ 2.5 mm，先端圆形；萼碟形，萼齿不明显，无毛；花瓣 5，呈帽状粘合脱落；雄蕊 5，花丝丝状，长约 1 mm，花药黄色，椭圆形，长约 0.2 mm，宽约 0.1 mm，在雌花内雄蕊显著短而败育；花盘发达；雌蕊 1，子房锥形，花柱不明显扩大。果实成熟时紫黑色，直径 0.8 ～ 1 cm；种子倒卵状圆形，先端微凹，基部有短喙，种脐在种子背面中部呈椭圆形，腹面中棱脊微凸起，两侧洼穴狭窄呈条形，向上达种子上部 1/3 处。花期 4 ～ 6 月，果期 6 ～ 10 月。

| 生境分布 | 生于海拔 100 ～ 300 m 的河边、山坡荒地、草丛、灌丛或林中。分布于湖北神农架、利川。

| 功能主治 | 祛风利湿，解毒消肿。用于风湿痹痛，跌打损伤，水肿，小便不利，痈肿疔疮。

葡萄科 Vitaceae 葡萄属 *Vitis*

秋葡萄 *Vitis romanetii* Roman. du Caill. ex Planch.

| 药材名 |

秋葡萄茎。

| 形态特征 |

木质藤本。小枝圆柱形，有显著粗棱纹，密被短柔毛和有柄腺毛，腺毛长 1 ~ 1.5 mm；卷须常 2 或 3 分枝，每隔 2 节间断与叶对生。叶卵圆形或阔卵圆形，长 5.5 ~ 16 cm，宽 5 ~ 13.5 cm，微 5 裂或不分裂，基部深心形，基缺凹成锐角，稀钝角，有时两侧靠近，边缘有粗锯齿，齿端尖锐，上面绿色，初时疏被蛛丝状绒毛，以后脱落近无毛，下面淡绿色，初时被柔毛和蛛丝状绒毛，以后脱落变稀疏；基生脉 5 出，脉基部常疏生有柄腺体，中脉有侧脉 4 ~ 5 对，网脉在上面微凸出，在下面凸出，被短柔毛；叶柄长 2 ~ 6.5 mm，被短柔毛和有柄腺毛；托叶膜质褐色，卵状披针形，长 7 ~ 14 mm，宽 3 ~ 5 mm，先端渐尖，全缘，无毛。花杂性异株，圆锥花序疏散，长 5 ~ 13 cm，与叶对生，基部分枝发达，花序梗长 1.5 ~ 3.5 cm，密被短柔毛和有柄腺毛；花梗长 1.6 ~ 2 mm，无毛；花蕾倒卵状椭圆形，高 1.5 ~ 2 mm，先端圆形；花萼碟形，高约 2 mm，几全缘，无毛；花瓣 5，呈帽状黏合脱落；雄蕊 5，花丝丝状，

长 1.4 ~ 1.8 mm，花药黄色，椭圆状卵形，长约 0.5 mm，在雌花内雄蕊短而败育；花盘发达，5 裂；雌蕊 1，子房圆锥形，花柱短，柱头扩大。果实球形，直径 0.7 ~ 0.8 cm，种子倒卵形，先端圆形，微凹，基部有短喙，种脐在种子背面中部呈卵状椭圆形，腹面中棱脊凸起，两侧洼穴倒卵状长圆形，向上达种子 1/3 处。花期 4 ~ 6 月，果期 7 ~ 9 月。

| 生境分布 | 生于海拔 150 ~ 1 500 m 的山坡林中或灌丛。分布于湖北宣恩、竹溪、郧西、远安、郧阳、蕲春。

| 采收加工 | 秋、冬季割取茎藤，洗净，切片，晒干；或在夏、秋季植物生长旺盛时砍断茎藤，取汁液，鲜用。

| 功能主治 | 去翳止血，生肌。用于吐血，眼翳，跌打损伤。

葡萄科 Vitaceae 葡萄属 *Vitis*

湖北葡萄 *Vitis silvestrii* Pamp.

| 药 材 名 | 湖北葡萄。

| 形态特征 | 木质藤本。小枝细瘦，圆柱形，有纵棱纹，密被短柔毛或以后脱落无毛。卷须二叉分枝，每隔 2 节间断与叶对生。叶卵圆形，长 3 ~ 5 cm，宽 2 ~ 3 cm，规则或不规则 3 ~ 5 浅裂或深裂，裂缺凹成钝角，稀锐角或凹成圆形，先端急尖或渐尖，基部浅心形或近截形，每侧边缘有 5 ~ 9 粗锯齿，上面绿色，初时疏被短柔毛，以后脱落，下面浅绿色，被短柔毛，基生脉 5 出，中脉有侧脉 3 ~ 4 对；叶柄长 1 ~ 3 cm，被短柔毛；托叶膜质，褐色，披针形，长 1.5 ~ 2 mm，宽 0.5 ~ 1 mm，被疏柔毛或脱落无毛。花杂性异株；圆锥花序狭窄，长 2 ~ 4.5 cm，与叶对生，下部分枝不发达，花序

梗长 1 ～ 1.5 cm，被短柔毛或近无毛；花梗长 2 ～ 3 mm，无毛；花蕾卵状椭圆形，高 1.5 ～ 2 mm，先端圆形；花萼碟形，几全缘；花瓣 5，呈帽状黏合脱落；雄蕊 5，花丝丝状，长 1.3 ～ 1.5 mm，花药黄色，椭圆形，长约 4 mm；花盘发达，5 裂；雌蕊在雄花中退化。花期 5 月。

| **生境分布** | 生于海拔 300 ～ 1 200 m 的山坡林中或林缘。分布于湖北郧西。

| **功能主治** | 补气血，益肝肾，生津液，强筋骨，止咳除烦，通利小便。

葡萄科 Vitaceae 葡萄属 *Vitis*

小叶葡萄 *Vitis sinocinerea* W. T. Wang

| 药 材 名 | 小叶葡萄。

| 形态特征 | 木质藤本。小枝圆柱形，有纵棱纹，疏被短柔毛和稀疏蛛丝状绒毛。卷须不分枝或二叉分枝每隔 2 节间断与叶对生。叶卵圆形，长 3 ~ 8 cm，宽 3 ~ 6 cm，3 浅裂或不明显分裂，先端急尖，基部浅心形或近截形，边缘每侧有 5 ~ 9 锯齿，上面绿色，密被短柔毛或脱落几无毛，下面密被淡褐色蛛丝状绒毛；基生脉 5 出，中脉有侧脉 3 ~ 4 对，脉上密被短柔毛和疏生蛛丝状的绒毛；叶柄长 1 ~ 3 cm，密被短柔毛；托叶膜质，褐色，卵状披针形，长约 2 mm，宽约 1 mm，先端钝或渐尖，几无毛。圆锥花序小，狭窄，长 3 ~ 6 cm，与叶对生，基部分枝不发达，花序梗长 1.5 ~ 2 cm，被短柔毛；花

梗长 1.5 ～ 2 mm，几无毛；花蕾倒卵状椭圆形，高 1.5 ～ 2 mm，先端圆形；花萼碟形，边缘几全缘，无毛；花瓣 5，呈帽状黏合脱落；雄蕊 5，花丝丝状，长约 1 mm，花药黄色，椭圆形，长约 0.5 mm；花盘发达，5 裂。雌蕊在雄花内退化。果实成熟时紫褐色，直径 0.6 ～ 1 cm；种子倒卵状圆形，先端微凹，基部有短喙，种脐在种子背面中部呈椭圆形，腹面中棱脊凸起，两侧洼穴呈沟状，向上达先端的 1/4 ～ 1/3 处。花期 4 ～ 6 月，果期 7 ～ 10 月。

| **生境分布** | 生于海拔 220 ～ 2 800 m 的山坡林中或灌丛。分布于湖北枣阳。

| **功能主治** | 补气血，益肝肾，生津液，强筋骨，止咳除烦，通利小便。

葡萄科 Vitaceae 葡萄属 *Vitis*

葡萄 *Vitis vinifera* L.

|药材名| 葡萄、葡萄根、葡萄藤叶。

|形态特征| 木质藤本。小枝圆柱形，有纵棱纹，无毛或被稀疏柔毛。卷须2叉分枝，每隔2节间断与叶对生。叶卵圆形，显著3～5浅裂或中裂，长7～18 cm，宽6～16 cm，中裂片先端急尖，裂片常靠合，基部常缢缩，裂缺狭窄，间或宽阔，基部深心形，基缺凹成圆形，两侧常靠合，边缘有22～27锯齿，齿深而粗大，不整齐，齿端急尖，上面绿色，下面浅绿色，无毛或被疏柔毛；基生脉5出，中脉有侧脉4～5对，网脉不明显突出；叶柄长4～9 cm，几无毛；托叶早落。圆锥花序密集或疏散，多花，与叶对生，基部分枝发达，长10～20 cm，花序梗长2～4 cm，几无毛或疏生蛛丝状绒毛；花梗

长 1.5 ~ 2.5 mm，无毛；花蕾倒卵状圆形，高 2 ~ 3 mm，先端近圆形；萼浅碟形，边缘呈波状，外面无毛；花瓣 5，呈帽状粘合脱落；雄蕊 5，花丝丝状，长 0.6 ~ 1 mm，花药黄色，卵圆形，长 0.4 ~ 0.8 mm，在雌花内显著短而败育或完全退化；花盘发达，5 浅裂；雌蕊 1，在雄花中完全退化，子房卵圆形，花柱短，柱头扩大。果实球形或椭圆形，直径 1.5 ~ 2 cm；种子倒卵状椭圆形，先端近圆形，基部有短喙，种脐在种子背面中部呈椭圆形，种脊微凸出，腹面中棱脊凸起，两侧洼穴宽沟状，向上达种子 1/4 处。花期 4 ~ 5 月，果期 8 ~ 9 月。

| 生境分布 | 栽培品。分布于湖北南漳、恩施、五峰、房县、谷城、秭归、郧西。

| 采收加工 | **果实：**秋季采收，晒干或鲜用。

根：9 ~ 11 月采挖，切片，鲜用或晒干。

藤叶：9 ~ 11 月采收茎藤，切片，鲜用或晒干。

| 功能主治 | **果实：**补气血，强筋骨，解表透疹，利尿，安胎。用于气血虚弱，肺虚咳嗽，心悸盗汗，烦渴，麻疹不透，小便不利，胎动不安。

根：祛风湿，利尿，消肿解毒。用于风湿骨痛，淋病，水肿；外用于骨折，痈肿疔疮。

藤叶：祛风除湿，解毒消肿。用于风湿痹痛，水肿，腹泻，风热目赤，痈肿疔疮。

葡萄科 Vitaceae 葡萄属 *Vitis*

网脉葡萄 *Vitis wilsonae* Veitch

| 药 材 名 | 野葡萄根。

| 形态特征 | 木质藤本。小枝圆柱形，有纵棱纹，被稀疏褐色蛛丝状绒毛。卷须二叉分枝，每隔 2 节间断与叶对生。叶心形或卵状椭圆形，长 7 ~ 16 cm，宽 5 ~ 12 cm，先端急尖或渐尖，基部心形，基缺先端凹成钝角，每侧边缘有 16 ~ 20 牙齿或基部呈锯齿状，上面绿色，无毛或近无毛，下面沿脉被褐色蛛丝状绒毛；基生脉 5 出，中脉有侧脉 4 ~ 5 对，网脉在成熟叶片上凸出；叶柄长 4 ~ 8 cm，几无毛；托叶早落。圆锥花序疏散，与叶对生，基部分枝发达，长 4 ~ 16 cm，花序梗长 1.5 ~ 3.5 cm，被稀疏蛛丝状绒毛；花梗长 2 ~ 3 mm，无毛；花蕾倒卵状椭圆形，高 1.5 ~ 3 mm，顶近截形；花萼浅碟形，

边缘波状浅裂；花瓣 5，呈帽状黏合脱落；雄蕊 5，花丝丝状，长 1.2 ~ 1.6 mm，花药黄色，卵状椭圆形，长 0.8 ~ 1.2 mm，在雌花内短小，败育；花盘发达，5 裂；雌蕊 1，在雌花中完全退化，子房卵圆形，花柱短，柱头扩大。果实圆球形，直径 0.7 ~ 1.5 cm；种子倒卵状椭圆形，先端近圆形，基部有短喙，种脐在种子背面中部呈长椭圆形，种脊微凸出，表面光滑，腹面中棱脊凸起，两侧洼穴呈宽沟状，向上达种子 1/4 处。花期 5 ~ 7 月，果期 6 月至翌年 1 月。

| 生境分布 | 生于海拔 400 ~ 2 000 m 的山坡灌丛、林下或溪边林中。分布于湖北神农架、房县、丹江口。

| 采收加工 | 秋、冬季采挖，洗净，切片，鲜用或晒干。

| 功能主治 | 清热解毒。用于痈疽疔疮，慢性骨髓炎。

葡萄科 Vitaceae 俞藤属 *Yua*

大果俞藤 *Yua austro-orientalis* (Metcalf) C. L. Li

| 药 材 名 | 大果俞藤。

| 形态特征 | 木质藤本。小枝圆柱形，褐色或灰褐色，多皮孔，无毛；卷须 2 叉分枝，与叶对生。叶为掌状 5 小叶，叶片较厚，亚革质，倒卵状披针形或倒卵状椭圆形，长 5 ~ 9 cm，宽 2 ~ 4 cm，先端急尖、短渐尖或钝，基部楔形，边缘上部每侧有 2 ~ 5 锯齿，稀齿不明显，上面绿色，无毛，下面淡绿色，无毛，常有白粉，两面干时网脉凸起，侧脉 6 ~ 9 对；叶柄长 3 ~ 6 cm，小叶柄长 0.2 ~ 1.2 cm，侧小叶柄常较短，中间小叶柄较长，无毛。花序为复二歧聚伞花序，被白粉，无毛，与叶对生，花序梗长 1.5 ~ 2 cm，花梗长 3 ~ 6 mm；花蕾长椭圆形，高 2 ~ 3.5 cm；萼杯状，全缘；花瓣 5，高约 3 mm，

花蕾时粘合，以后展开脱落；雄蕊 5，长 3 ~ 3.8 mm，花药黄色，长椭圆形，长约 2 mm；雌蕊长 2 ~ 2.5 mm，花柱渐狭，柱头不明显扩大。果实圆球形，直径 1.5 ~ 2.5 cm，紫红色，味酸甜；种子梨形，背腹侧扁，长 6 ~ 8 mm，宽约 5 mm，先端微凹，基部有短喙，背面种脐在种子中部，腹面两侧洼穴达种子上部 2/3 处，种脐和洼穴周围有 6 ~ 9 横肋，干时十分明显，胚乳在横切面呈“M”形。花期 5 ~ 7 月，果期 10 ~ 12 月。

| 生境分布 | 生于海拔 100 ~ 900 m 的山坡沟谷林中、林缘灌丛中、岩边、山坡野地或攀缘于树上。分布于湖北五峰、竹溪、郧西。

| 采收加工 | 夏、秋季采收，根、茎藤切片晒干，叶鲜用或晒干。

| 功能主治 | **根、茎藤：**祛风通络，散瘀消肿，活血止痛。用于风湿性关节炎。

叶：清热解毒，收敛生肌。用于创伤出血，疮毒。

葡萄科 Vitaceae 俞藤属 *Yua*

俞藤 *Yua thomsonii* (Laws.) C. L. Li

| 药 材 名 |

俞藤。

| 形态特征 |

木质藤本。小枝圆柱形，褐色，嫩枝略有棱纹，无毛；卷须 2 叉分枝，相隔 2 节间断与叶对生。叶为掌状 5 小叶，草质，小叶披针形或卵状披针形，长 2.5 ~ 7 cm，宽 1.5 ~ 3 cm，先端渐尖或尾状渐尖，基部楔形，边缘上半部每侧有 4 ~ 7 细锐锯齿，上面绿色，无毛，下面淡绿色，常被白色粉霜，无毛或脉上被稀疏短柔毛，网脉不明显突出，侧脉 4 ~ 6 对；小叶柄长 2 ~ 10 cm，有时侧生小叶近无柄，无毛；叶柄长 2.5 ~ 6 cm，无毛。花序为复二歧聚伞花序，与叶对生，无毛；萼碟形，全缘，无毛；花瓣 5，稀 4，高 3 ~ 3.5 mm，无毛，花蕾时粘合，以后展开脱落，雄蕊 5，稀 4，长约 2.5 mm，花药长椭圆形，长约 1.5 mm；雌蕊长约 3 mm，花柱细，柱头不明显扩大。果实近球形，直径 1 ~ 1.3 cm，紫黑色，味淡甜。种子梨形，长 5 ~ 6 mm，宽约 4 mm，先端微凹，背面种脐达种子中部，腹面两侧洼穴从基部达种子 2/3 处，周围无明显横肋纹，胚乳横切面呈“M”形。花期 5 ~ 6 月，果期 7 ~ 9 月。

| 生境分布 | 生于海拔 250 ~ 1 300 m 的山坡林中或攀缘树上。分布于湖北南漳、恩施。

| 采收加工 | 夏、秋季采收，晒干。

| 功能主治 | 祛风除湿，解毒消肿。用于风湿关节痛，妇女白带，无名肿毒。

杜英科 Elaeocarpaceae 杜英属 *Elaeocarpus*

杜英 *Elaeocarpus decipiens* Hemsl.

| 药材名 | 杜英。

| 形态特征 | 常绿乔木，高 5 ~ 15 m。嫩枝及顶芽初时被微毛，不久变秃净，干后黑褐色。叶革质，披针形或倒披针形，长 7 ~ 12 cm，宽 2 ~ 3.5 cm，上面深绿色，干后发亮，下面秃净无毛，幼嫩时亦无毛，先端渐尖，尖头钝，基部楔形，常下延，侧脉 7 ~ 9 对，在上面不明显，在下面稍凸起，网脉在两面均不明显，边缘有小钝齿；叶柄长 1 cm，初时有微毛，在结实时变秃净。总状花序多生于叶腋及无叶的二年生枝条上，长 5 ~ 10 cm，花序轴纤细，有微毛；花梗长 4 ~ 5 mm；花白色，萼片披针形，长 5.5 mm，宽 1.5 mm，先端尖，两侧有微毛；花瓣倒卵形，与萼片等长，上半部撕裂，裂片 14 ~ 16，外侧无

毛，内侧近基部有毛；雄蕊 25 ~ 30，长 3 mm，花丝极短，花药先端无附属物；花盘 5 裂，有毛；子房 3 室，花柱长 3.5 mm，每室 2 胚珠。核果椭圆形，长 2 ~ 2.5 cm，宽 1.3 ~ 2 cm，外果皮无毛，内果皮坚骨质，表面有多数沟纹，1 室，种子 1，长 1.5 cm。花期 6 ~ 7 月。

| 生境分布 | 生于海拔 400 ~ 700 m 的林中。湖北有分布。

| 采收加工 | **根：**冬季采挖，洗净，切片，晒干。

| 功能主治 | 散瘀消肿。用于跌打损伤，瘀肿。

杜英科 Elaeocarpaceae 杜英属 *Elaeocarpus*

日本杜英 *Elaeocarpus japonicus* Sieb. et Zucc.

| 药 材 名 | 日本杜英。

| 形态特征 | 乔木。嫩枝秃净无毛；叶芽有发亮绢毛。叶革质，通常卵形，有时椭圆形或倒卵形，长 6 ~ 12 cm，宽 3 ~ 6 cm，先端尖锐，尖头钝，基部圆或钝，初时两面密被银灰色绢毛，很快变秃净，老叶上面深绿色，发亮，干后仍有光泽，下面无毛，有多数细小黑色腺点，侧脉 5 ~ 6 对，在下面凸起，网脉在两面均明显；边缘有疏锯齿；叶柄长 2 ~ 6 cm，初时被毛，不久完全秃净。总状花序长 3 ~ 6 cm，生于当年生枝的叶腋内，花序轴有短柔毛；花梗长 3 ~ 4 mm，被微毛；花两性或单性。两性花：萼片 5，长圆形，长 4 mm，两面有毛；花瓣长圆形，两面有毛，与萼片等长，先端全缘或有数浅齿；雄蕊 15，

花丝极短，花药长 2 mm，有微毛，先端无附属物；花盘 10 裂，连合成环；子房有毛，3 室，花柱长 3 mm，有毛。雄花：萼片 5 ~ 6，花瓣 5 ~ 6，均两面被毛；雄蕊 9 ~ 14；退化子房存在或缺。核果椭圆形，长 1 ~ 1.3 cm，宽 8 mm，1 室；种子 1，长 8 mm。花期 4 ~ 5 月。

| 生境分布 | 生于海拔 400 ~ 1 300 m 的常绿林中。湖北有分布。

| 功能主治 | 消肿散瘀。用于跌打损伤，瘀肿。

椴树科 Tiliaceae 田麻属 *Corchoropsis*

光果田麻 *Corchoropsis psilocarpa* Harms & Loes.

| 药 材 名 | 光果田麻。

| 形态特征 | 一年生草本。高 40 ~ 50 cm。茎直立，分枝，密被星状短柔毛和平整长柔毛。叶卵形或狭卵形，长 2 ~ 3.6 cm，宽 0.8 ~ 2 cm，先端短尖，基部近截形或圆形；叶缘有粗锯齿，两面均密生星状短柔毛，基出脉 3；叶柄长 0.5 ~ 1.8 cm；花黄色，单生于叶腋，直径约 6 mm；萼片 5，托叶钻形，狭披针形，长约 2.5 mm；花瓣 5，倒卵形，先端微凹；发育雄蕊与退化雄蕊近等长；子房无毛。蒴果长角状圆筒形，脱落，长 1.8 ~ 2.6 cm，无毛。种子倒卵形。花期 7 ~ 8 月，果期 9 ~ 10 月。

| 生境分布 | 生于海拔 100 m 的路边。分布于湖北罗田。

| 功能主治 | 清热利湿，解毒，止血。

椴树科 Tiliaceae 田麻属 *Corchoropsis*

田麻 *Corchoropsis tomentosa* (Thunb.) Makino

| 药 材 名 | 田麻。

| 形态特征 | 一年生草本。高 40 ~ 60 cm。分枝有星状短柔毛。叶卵形或狭卵形，长 2.5 ~ 6 cm，宽 1 ~ 3 cm，边缘有钝牙齿，两面均密生星状短柔毛，基出脉 3；叶柄长 0.2 ~ 2.3 cm；托叶钻形，长 2 ~ 4 mm，脱落。花有细柄，单生于叶腋，直径 1.5 ~ 2 cm；萼片 5，狭窄披针形，长约 5 mm；花瓣 5，黄色，倒卵形；发育雄蕊 15，每 3 雄蕊成一束，退化雄蕊 5，与萼片对生，匙状条形，长约 1 cm；子房被短茸毛。蒴果角状圆筒形，长 1.7 ~ 3 cm，有星状柔毛。果期秋季。

| 生境分布 | 生于海拔 250 ~ 1 500 m 的山坡、丘陵、路边、草丛或田埂上。分

布于湖北来凤、咸丰、鹤峰、巴东、兴山、神农架、房县、丹江口、通山，以及武汉。

| 采收加工 | **全草：**夏、秋季采收，切段，鲜用或晒干。

| 功能主治 | 平肝利湿，解毒，止血。用于疳积，白带过多，痈疖肿毒；外用于外伤出血。

椴树科 Tiliaceae 黄麻属 *Corchorus*

甜麻 *Corchorus aestuans* L.

| 药材名 | 野黄麻。

| 形态特征 | 一年生草本。高约 1 m。茎红褐色，稍被淡黄色柔毛；枝细长，披散。叶卵形或阔卵形，长 4.5 ~ 6.5 cm，宽 3 ~ 4 cm，先端短渐尖或急尖，基部圆形，两面均有稀疏的长粗毛，边缘有锯齿，近基部一对锯齿往往延伸成尾状的小裂片，基出脉 5 ~ 7；叶柄长 0.9 ~ 1.6 cm，被淡黄色的长粗毛。花单独或数朵组成聚伞花序，生于叶腋或腋外，花序梗或花梗均极短或近无；萼片 5，狭窄长圆形，长约 5 mm，上部半凹陷如舟状，先端具角，外面紫红色；花瓣 5，与萼片近等长，倒卵形，黄色；雄蕊多数，长约 3 mm，黄色；子房长圆柱形，被柔毛，花柱圆棒状，柱头如喙，5 齿裂。蒴果长筒形，长约 2.5 cm，

直径约 5 mm，具 6 纵棱，其中 3 ~ 4 棱呈翅状凸起，先端有 3 ~ 4 向外延伸的角，角 2 叉，成熟时 3 ~ 4 瓣裂，果瓣有浅横隔；种子多数。花期夏季。

| 生境分布 | 生于荒地、旷野、村旁，为南方各地常见的杂草。湖北有分布。

| 采收加工 | **全草**：9 ~ 10 月选晴天挖取，洗去泥土，切段，晒干。

| 功能主治 | 清热利湿，消肿拔毒。用于中暑发热，痢疾，咽喉疼痛；外用于疮疖肿毒。

椴树科 Tiliaceae 黄麻属 *Corchorus*

黄麻 *Corchorus capsularis* L.

| 药材名 | 黄麻。

| 形态特征 | 直立木质草本，高 1 ~ 2 m，无毛。叶纸质，卵状披针形至狭窄披针形，长 5 ~ 12 cm，宽 2 ~ 5 cm，先端渐尖，基部圆形，两面均无毛，三出脉的两侧脉上行不过半，中脉有侧脉 6 ~ 7 对，边缘有粗锯齿；叶柄长约 2 cm，有柔毛。花单生或数花排成腋生聚伞花序，有短的花序梗及花梗；萼片 4 ~ 5，长 3 ~ 4 mm；花瓣黄色，倒卵形，约与萼片等长；雄蕊 18 ~ 22，离生；子房无毛，柱头浅裂。蒴果球形，直径 1 cm 或稍大，先端无角，表面有直行钝棱及小瘤状突起，5 爿裂开。花期夏季，果实秋后成熟。

| 生境分布 | 生于山坡、田边、路旁湿地。湖北有栽培。

| 采收加工 | 夏、秋季采收，鲜用或晒干。

| 功能主治 | 理气止血，排脓解毒。用于咯血，吐血，血崩，便血，脘腹疼痛，泻痢，疔痈疮疹。

椴树科 Tiliaceae 扁担杆属 *Grewia*

扁担杆 *Grewia biloba* G. Don

| 药 材 名 | 娃娃拳。

| 形态特征 | 落叶灌木。高 1 ~ 3 m。小枝具黄褐色星状毛。叶卵形、菱状卵形至菱状披针形，长 2 ~ 11 cm，宽 1.5 ~ 6.5 cm，先端渐尖或急尖，基部宽楔形至圆形，边缘有不规则的锯齿或重锯齿，有时呈不显著 3 裂，基出脉 3 条，上面粗糙或被星状毛，下面密被星状毛；叶柄长 5 ~ 15 mm，具星状毛；托叶长 2 ~ 4 mm。花淡黄色，直径约 1 cm，数朵成伞形花序，与叶对生或腋生；萼片 5（~ 6），长圆形，长 3.5 ~ 4 mm；花瓣与萼片同数，小，宽卵形，长 1 mm；雌、雄蕊梗短；雄蕊多数，花丝短，长 1 ~ 1.5 mm；子房圆形，有毛，花柱远较雄蕊为长。核果双球形或球形，直径 8 ~ 12 mm，熟时橙黄

色或红色。花期 6 ~ 7 月，果期 9 ~ 10 月。

| **生境分布** | 生长在 500 m 以下的山坡、疏林下或草丛中。分布于湖北兴山、神农架、崇阳，以及武汉。

| **采收加工** | **全株：**夏、秋季采挖，洗净，晒干或鲜用。

| **功能主治** | 用于脾虚食少，胸痞腹胀，妇女崩漏带下，疳积。

椴树科 Tiliaceae 扁担杆属 *Grewia*

小花扁担杆 *Grewia biloba* G. Don var. *parviflora* (Bge.) Hand.-Mazz.

| 药 材 名 | 吉利子树。

| 形态特征 | 灌木。高 1 ~ 3 m。小枝密被褐色短毛和星状毛。叶互生；叶柄长 4 ~ 8 mm，密被淡褐色短柔毛；叶片宽卵形，长 3 ~ 11 cm，宽 2 ~ 6 cm，先端钝尖，基部截形或近圆形，上面疏被短毛和星状毛，下面密被黄褐色软茸毛，边缘具不整齐锯齿或微 3 浅裂。聚伞花序，与叶对生；总花梗与花梗均密被淡褐色短毛和星状毛；花淡黄色，直径约 1 cm；萼片披针形，下面被星状柔毛；花瓣基部有圆形鳞片状腺体，腺体边缘被长柔毛；花柱 2 室，背着药；子房 2 室，密被长柔毛，花柱细长；柱头分裂不整齐。核果近球形，2 ~ 4 组合，橙黄色或成熟后黑红色，有光泽，2 裂，每裂有 2 小核。花期 6 ~ 7

月，果期 8 ~ 9 月。

| 生境分布 | 生长在低山平原及草丛中。分布于湖北来凤、神农架、崇阳、英山，以及襄阳、咸宁、武汉。

| 采收加工 | **枝叶：**春、夏季采收，晒干。

| 功能主治 | 健脾益气，祛风除湿。用于疳积，脘腹胀满，脱肛，崩漏，带下，风湿痹痛。

椴树科 Tiliaceae 椴属 *Tilia*

华椴 *Tilia chinensis* Maxim.

| 药 材 名 | 华椴。

| 形态特征 | 乔木。高 7 ~ 15 m。小枝无毛。叶阔卵形，长 5 ~ 10 cm，宽 4.5 ~ 8 cm，先端突尖，基部偏斜，心形或近截形，边缘有刺针状细锯齿，上面近无毛，下面密被星状毛；叶柄长 4 ~ 6.5 cm，无毛。聚伞花序长 5 ~ 8 cm，1 ~ 3 花，着生于苞片中央；苞片黄绿色，长 5 ~ 10 cm，梗长 5 ~ 10 mm；花黄色，萼片长卵形，长 7 mm，花瓣长圆状椭圆形，长约 9 mm，先端微凹，退化雄蕊长 6.5 mm，雄蕊多数，长约为花瓣之半。核果长圆形，5 棱明显，外密被星状毛。

| **生境分布** | 生于海拔 1 700 ～ 2 400 m 的山坡或深林中。分布于湖北巴东、神农架。

| **功能主治** | **根**：用于跌打损伤。

椴树科 Tiliaceae 椴属 *Tilia*

毛糯米椴 *Tilia henryana* Szyszyl.

| 药材名 | 毛糯米椴。

| 形态特征 | 落叶乔木。高 10 ~ 20 cm。树皮灰褐色。小枝时有星状毛，后即无毛。叶宽卵形，长 4 ~ 13 cm，宽 5 ~ 10 cm，先端短渐尖，基部偏斜，心形或截形，边缘刺毛状，上面疏被、下面及脉腋密被褐色星状毛；叶柄长 1.5 ~ 3.5 cm。聚伞花序有 5 花，着生于苞片中部以上；苞片匙形，黄白色，长 5.5 ~ 13 cm，被星状毛；花白色；萼片椭圆状披针形，长 5 mm，外被星状毛，内面基部有长柔毛；花瓣较萼片长；退化雄蕊花瓣状，长于雄蕊，雄蕊多数，簇生；子房被星状毛，花柱细长，柱头 5。果实近球形，直径约 5 mm，有 5 棱，外面有小瘤状突起与星状绒毛。果期 9 ~ 10 月。

| **生境分布** | 生于海拔1 500 m以下的山坡或林中。分布于湖北鹤峰、丹江口、罗田，以及武汉。

| **功能主治** | 祛风除湿，活血止痛。用于风湿痹痛，四肢麻木，跌打损伤。

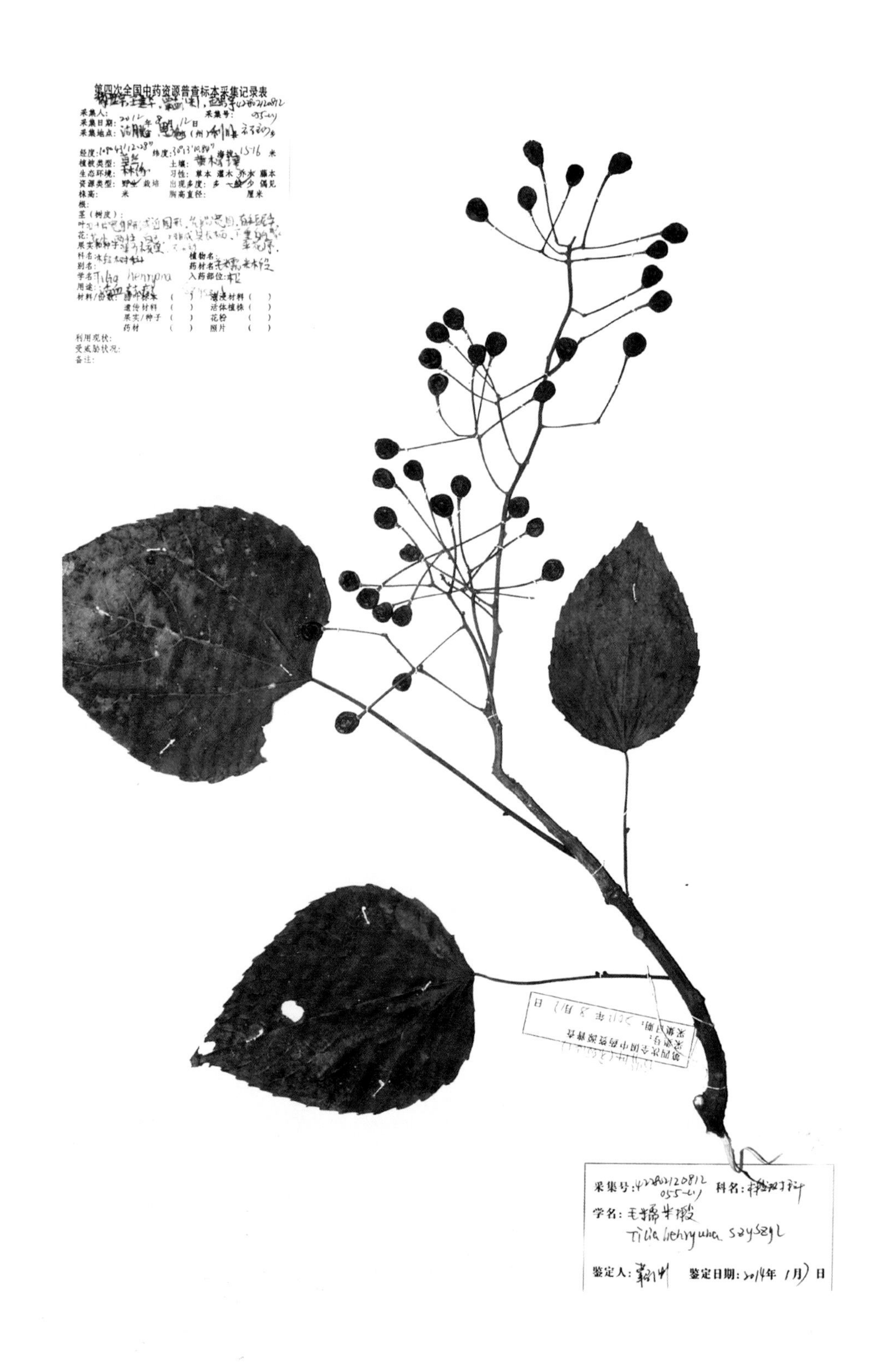

椴树科 Tiliaceae 椴属 *Tilia*

粉椴 *Tilia oliveri* Szyszyl.

|药 材 名| 粉椴。

|形态特征| 乔木，高 8 m。树皮灰白色；嫩枝通常无毛或偶有不明显微毛，顶芽秃净。叶卵形或阔卵形，长 9 ~ 12 cm，宽 6 ~ 10 cm，有时较细小，先端急锐尖，基部斜心形或截形，上面无毛，下面被白色星状茸毛，侧脉 7 ~ 8 对，边缘密生细锯齿；叶柄长 3 ~ 5 cm，近秃净。聚伞花序长 6 ~ 9 cm，有 6 ~ 15 花，花序梗长 5 ~ 7 cm，有灰白色星状茸毛，下部 3 ~ 4.5 cm 与苞片合生；花梗长 4 ~ 6 mm；苞片窄倒披针形，长 6 ~ 10 cm，宽 1 ~ 2 cm，先端圆，基部钝，有短柄，上面中脉有毛，下面被灰白色星状柔毛；萼片卵状披针形，长 5 ~ 6 mm，被白色毛；花瓣长 6 ~ 7 mm；退化雄蕊比花瓣短；

雄蕊约与萼片等长；子房有星状茸毛，花柱比花瓣短。果实椭圆形，被毛，有棱或仅在下半部有棱突，多少凸起。花期 7 ~ 8 月。

| **生境分布** | 生于山坡、山谷阔叶林。湖北有分布。

| **功能主治** | 清热解毒，止咳平喘，利尿消肿，消炎镇痛。

椴树科 Tiliaceae 椴属 *Tilia*

少脉椴 *Tilia paucicostata* Maxim.

| 药 材 名 | 少脉椴。

| 形态特征 | 落叶大乔木。高 15 ~ 30 cm。小枝纤细无毛，叶卵形，长 4 ~ 7 cm，宽 3.5 ~ 4.5 cm，先端渐尖，基部偏斜，截形或近心形，上面绿色，无毛，下面浅绿色，无毛或仅腋脉有簇毛，边缘有具尖头的粗齿；叶柄纤细，长 1.5 ~ 4 cm。聚伞花序出自苞片近基部，有 7 ~ 15 花，苞片桃红色，长 4.5 ~ 7.5 cm，具柄，平滑无毛；花小，带黄色；萼片长 3 ~ 5 mm；花瓣倒卵形，长 6 mm；退化雄蕊约与花瓣等长，雄蕊多数，5 束，短于花瓣；子房被绒毛。果实球形或梨形，长约 7 mm；宽约 3 mm，基部尖，微呈五棱形，外面有短绒毛或腺状凸起。花期 7 月，果期 9 ~ 10 月。

| 生境分布 | 生于海拔 1 500 ~ 1 700 m 的林中。分布于湖北神农架。

| 功能主治 | **树皮：**用于接骨。

椴树科 Tiliaceae 椴属 *Tilia*

椴树 *Tilia tuan* Szyszyl.

| 药 材 名 |

椴树根。

| 形态特征 |

乔木，高 20 cm。树皮灰色，直裂，小枝近秃净，顶芽无毛或有微毛。叶互生；叶柄长 3 ~ 5 cm，近秃净；叶片卵圆形，长 7 ~ 14 cm，宽 5.5 ~ 9 cm，先端短尖或渐尖，基部单侧心形或斜截形，上面无毛，下面初时有星状茸毛，以后变秃净，在脉腋有毛丛，干后灰色或褐绿色，边缘上半部有疏而小的齿突；侧脉 6 ~ 7 对。聚伞花序长 8 ~ 13 cm，无毛；花梗长 7 ~ 9 mm；苞片狭窄，呈倒披针形，长 10 ~ 16 cm，宽 1.5 ~ 2.5 cm，无柄，先端钝，基部圆形或楔形，上面通常无毛，下面有星状柔毛，下半部 5 ~ 7 cm 与花序梗合生；萼片长圆状披针形，长 5 mm，被茸毛，内面有长茸毛；花瓣 7 ~ 8 mm；退化雄蕊长 6 ~ 7 mm；雄蕊长 5 mm；子房有毛，花柱长 4 ~ 5 mm。果实球形，宽 8 ~ 10 mm，无棱，有小突起，被星状茸毛。花期 7 月，果期 10 月。

| 生境分布 |

生于海拔 1 300 ~ 1 800 m 的山谷或山坡上

阔叶杂木林中。分布于湖北咸丰、宣恩、鹤峰、五峰、神农架、崇阳，以及恩施等。

| **采收加工** | **根：**秋季采挖，洗净泥土，切片，晒干。

| **功能主治** | 祛风除湿，活血止痛，止咳。用于风湿痹痛，四肢麻木，跌打损伤，久咳。

椴树科 Tiliaceae 刺蒴麻属 *Triumfetta*

刺蒴麻 *Triumfetta rhomboidea* Jacq.

药材名

刺蒴麻。

形态特征

亚灌木。嫩枝被灰褐色短茸毛。叶互生；叶柄长 1 ~ 5 cm；叶片纸质，生于茎下部的叶阔卵圆形，长 3 ~ 8 cm，宽 2 ~ 6 cm，先端常 3 裂，基部圆形；生于茎上部的叶长圆形；上面有疏毛，下面有星状柔毛，边缘有不规则的粗锯齿；基出脉 3 ~ 5，两侧脉直达裂片尖端，聚伞花序数枝腋生，花序梗及花梗均极短；萼片狭长圆形，长 5 mm，须端有角，被长毛；花瓣比萼片略短，黄色，边缘有毛；雄蕊 10；子房有刺毛。果实球形，不开裂，被灰黄色柔毛，具钩针刺，长 2 mm，有 2 ~ 6 种子。花期夏、秋季。

生境分布

生于林边灌丛中。湖北有分布。

采收加工

全草：全年均可采收，切段，鲜用或晒干。
根：冬季或早春萌发前挖取根部，洗净泥沙，切片，鲜用或晒干。

| **功能主治** | 清热利湿，通淋化石。用于风热感冒，痢疾，尿路结石，疮疖，毒蛇咬伤。

锦葵科 Malvaceae 秋葵属 *Abelmoschus*

咖啡黄葵 *Abelmoschus esculentus* (L.) Moench

| 药 材 名 | 秋葵。

| 形态特征 | 一年生草本。高 1 ~ 2 m。茎圆柱形，疏生散刺。叶互生；叶柄长 7 ~ 15 cm，被长硬毛；托叶线形，长 7 ~ 10 mm，被疏硬毛。叶掌状 3 ~ 7 裂，直径 10 ~ 30 cm，裂片阔至狭，两面均被疏硬毛，边缘具粗齿及凹缺。花单生于叶腋间，花梗长 1 ~ 2 cm，疏被糙硬毛；花萼钟形，较长于小苞片，密被星状短绒毛；花黄色，内面基部紫色，直径 5 ~ 7 cm，花瓣倒卵形，长 4 ~ 5 cm。蒴果筒状尖塔形，长 10 ~ 25 cm，直径 1.5 ~ 2 cm，先端具长喙，疏被糙硬毛；种子球形，多数，直径 4 ~ 5 mm，具毛脉纹。花期 5 ~ 9 月。

| 生境分布 | 湖北有栽培。

| 采收加工 | 根：11 月至翌年 2 月采挖，抖去泥土，晒干或炕干。

叶：9 ~ 10 月采收，晒干。

花：6 ~ 8 月采摘，晒干。

种子：9 ~ 10 月采摘成熟果实，脱粒，晒干。

| 功能主治 | 利咽，通淋，下乳，调经。

锦葵科 Malvaceae 秋葵属 *Abelmoschus*

黄蜀葵 *Abelmoschus manihot* (L.) Medicus

| 药材名 | 黄蜀葵花、黄蜀葵根、黄蜀葵叶、黄蜀葵子、黄蜀葵茎。

| 形态特征 | 一年生或多年生草本。高 1 ~ 2 m，疏被长硬毛。叶掌状 5 ~ 9 深裂，直径 15 ~ 30 cm，裂片长圆状披针形，长 8 ~ 18 cm，宽 1 ~ 6 cm，具粗钝锯齿，两面疏被长硬毛；叶柄长 6 ~ 18 cm，疏被长硬毛；托叶披针形，长 11 ~ 1.5 cm。花单生于枝端叶腋；小苞片 4 ~ 5，卵状披针形，长 15 ~ 25 mm，宽 4 ~ 5 mm，疏被长硬毛；萼佛焰苞状，5 裂，近全缘，较长于小苞片，被柔毛，果时柔毛脱落；花大，淡黄色，内面基部紫色，直径约 12 cm；雄蕊柱长 1.5 ~ 2 cm，花药近无柄；柱头紫黑色，匙状盘形。蒴果卵状椭圆形，长 4 ~ 5 cm，直径 2.5 ~ 3 cm，被硬毛；种子多数，肾形，被柔毛组成的条纹多条。

花期 8 ~ 10 月。

| **生境分布** | 生于山谷草丛、田边或沟旁灌丛间。湖北有分布。

| **采收加工** | 秋季采收种子和根，夏、秋季采收叶和花，晒干。

| **功能主治** | **花**：外用于烫火伤。

根、叶：外用于疔疮，腮腺炎，骨折，刀伤。

种子：清热解毒，润燥滑肠。用于大便秘结，小便不利，水肿，尿路结石，乳汁不通。

茎：清热解毒，通便利尿。用于高热不退，大便秘结，小便不利，疔疮肿毒，烫伤。

锦葵科 Malvaceae 秋葵属 *Abelmoschus*

刚毛黄蜀葵 *Abelmoschus manihot* (L.) Medicus var. *pungens* (Roxb.) Hochr.

| 药 材 名 |

黄蜀葵花、黄蜀葵根。

| 形态特征 |

本种与黄蜀葵的不同之处在于本种植株全体密被黄色长刚毛。

| 生境分布 |

湖北有分布。

| 采收加工 |

黄蜀葵花：夏、秋季采收。

黄蜀葵根：秋季采挖。

| 功能主治 |

黄蜀葵花：通淋，消肿，解毒。用于淋病，痈疽肿毒，烫火伤。

黄蜀葵根：利水，散瘀，消肿，解毒。用于淋病，水肿，乳汁不通，腮腺炎，痈肿。

锦葵科 Malvaceae 秋葵属 *Abelmoschus*

黄葵 *Abelmoschus moschatus* Medicus

| 药 材 名 | 黄葵。

| 形态特征 | 一年生或二年生草本。高 1 ~ 2 m，被粗毛。叶通常掌状 5 ~ 7 深裂，直径 6 ~ 15 cm，裂片披针形至三角形，边缘具不规则锯齿，偶有浅裂似槭叶状，基部心形，两面均疏被硬毛；叶柄长 7 ~ 15 cm，疏被硬毛；托叶线形，长 7 ~ 8 mm。花单生于叶腋间，花梗长 2 ~ 3 cm，被倒硬毛；小苞片 8 ~ 10，线形，长 10 ~ 13 mm；花萼佛焰苞状，长 2 ~ 3 cm，5 裂，常早落；花黄色，内面基部暗紫色，直径 7 ~ 12 cm；雄蕊柱长约 2.5 cm，平滑无毛；花柱分枝 5，柱头盘状。蒴果长圆形，长 5 ~ 6 cm，先端尖，被黄色长硬毛；种子肾形，具腺状脉纹，具香味。花期 6 ~ 10 月。

| **生境分布** | 生于平原、山谷、溪涧旁或山坡灌丛中。湖北有分布和栽培。

| **采收加工** | **全株：**夏、秋季采，洗净，鲜用或晒干。

| **功能主治** | 清热解毒，下乳通便。用于高热不退，肺热咳嗽，痢疾，大便秘结，产后乳汁不通，骨折，痈疮脓肿，无名肿毒，水火烫伤。

锦葵科 Malvaceae 秋葵属 *Abelmoschus*

箭叶秋葵 *Abelmoschus sagittifolius* (Kurz) Merr.

| 药 材 名 | 五指山参、火炮草果、五指山参。

| 形态特征 | 多年生草本。高 40 ~ 100 cm。具萝卜状肉质根。小枝被糙硬长毛。叶形多样，下部的叶卵形，中部以上的叶卵状戟形、箭形至掌状 3 ~ 5 浅裂或深裂，裂片阔卵形至阔披针形，长 3 ~ 10 cm，先端钝，基部心形或戟形，边缘具锯齿或缺刻，上面疏被刺毛，下面被长硬毛；叶柄长 4 ~ 8 cm，疏被长硬毛。花单生于叶腋，花梗纤细，长 4 ~ 7 cm，密被糙硬毛；小苞片 6 ~ 12，线形，宽 1 ~ 1.7 mm，长约 1.5 cm，疏被长硬毛；花萼佛焰苞状，长约 7 mm，先端具 5 齿，密被细绒毛；花红色或黄色，直径 4 ~ 5 cm，花瓣倒卵状长圆形，长 3 ~ 4 cm；雄蕊柱长约 2 cm，平滑无毛；花柱枝 5，柱头扁平。蒴果椭圆形，

长约 3 cm，直径约 2 cm，被刺毛，具短喙；种子肾形，具腺状条纹。花期 5 ~ 9 月。

| 生境分布 | 常见于低丘、草坡、旷地、稀疏松林下或干燥的瘠地。湖北有分布。

| 采收加工 | **根：**秋、冬季采挖，洗净，切片，晒干。

果：秋、冬季采摘，鲜用或晒干。

叶：春、秋季采集，洗净，鲜用或晒干。

| 功能主治 | 滋养强壮，利水渗湿，滋阴清热，润肺，排脓拔毒，接骨。用于胃痛，腹泻，神经衰弱；外用于祛瘀消肿，跌打扭伤。

锦葵科 Malvaceae 苘麻属 *Abutilon*

华苘麻 *Abutilon sinense* Oliv.

| 药材名 | 老熊花。

| 形态特征 | 灌木。高约 3.5 m。叶互生；叶柄长 8 ~ 20 cm，被丝状长毛；叶近圆卵形，长 7 ~ 13 cm，宽 4 ~ 13 cm，先端尾状渐尖，基部心形，上面被星状长硬毛，下面被星状细绒毛和长毛，边缘具粗锯齿。花单生于叶腋，花梗长 3 ~ 5 cm，宽 5 ~ 8 mm，密被细绒毛和长毛；萼片披针形，长 1.5 ~ 2.5 cm，宽 5 ~ 8 mm，密被星状细绒毛，基部合生；花大，钟状，黄色，内面基部紫红色，花瓣倒卵形，长 3.5 ~ 5 cm；雄蕊柱长 2.5 ~ 3 cm，无毛，先端具多数花丝；花柱分枝 8 ~ 10，柱头头状。蒴果长 2 ~ 3 cm，直径 1.5 ~ 2.2 cm，分果爿 8 ~ 10，先端尖，被星状毛，内具 7 ~ 9 种子；种子肾形，疏

被短刚毛。花期 1 ~ 5 月。

| 生境分布 | 生于海拔 300 ~ 2 000 m 的山坡疏林或竹林内。湖北有分布。

| 采收加工 | **根皮：**秋季采挖根，洗净，剥取皮，鲜用或晒干。

| 功能主治 | 清热解毒，续筋接骨。用于肝炎，淋巴结炎，乳腺炎，疮疖，足癣，跌打损伤，骨折。

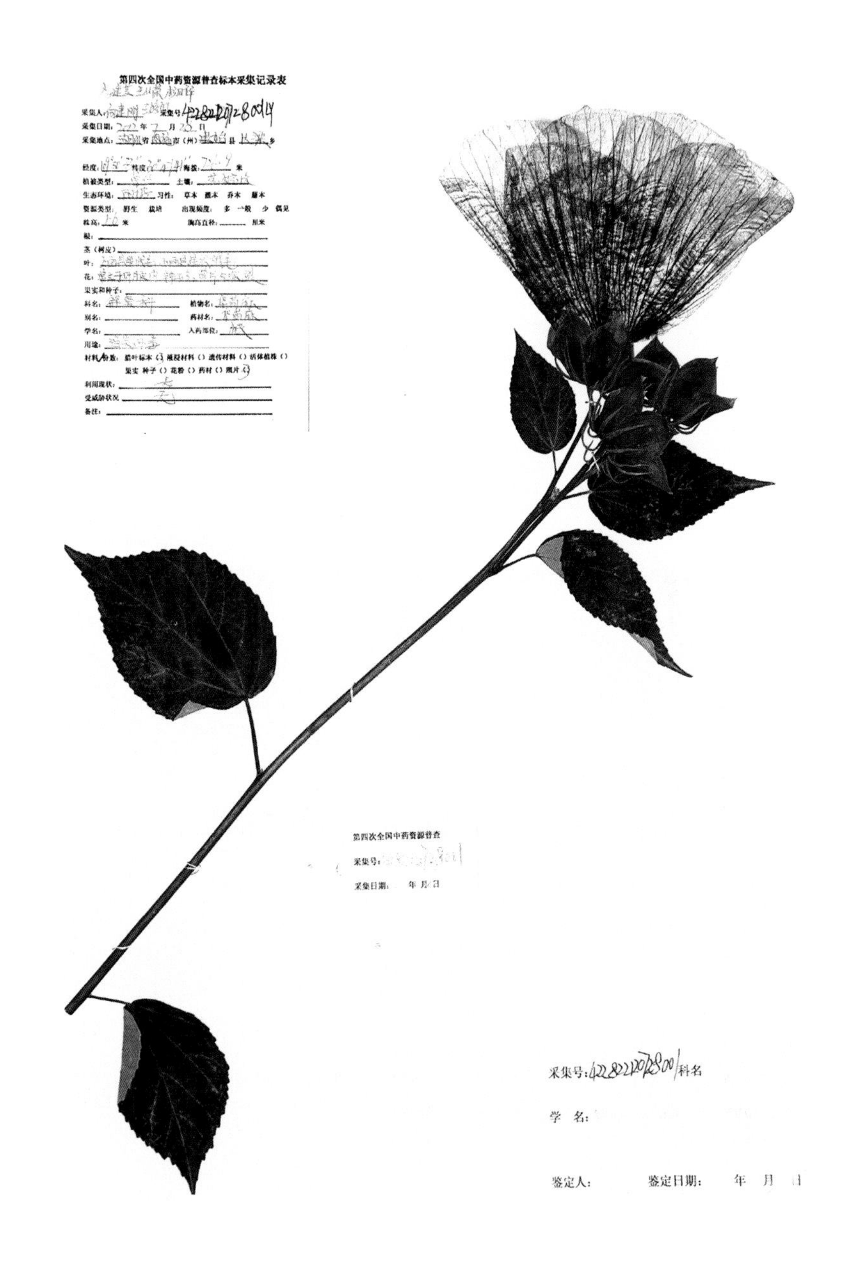

锦葵科 Malvaceae 苘麻属 *Abutilon*

苘麻 *Abutilon theophrasti* Medicus

| 药 材 名 | 苘麻、苘麻根、苘麻子。

| 形态特征 | 一年生草本。高 1 ~ 2 m，栽培的可达 3 ~ 4 m。茎直立，上部分枝，全株被星状毛。单叶互生，圆心形，长 7 ~ 18 cm，宽与长几相等，先端渐尖，基部心形，边缘具圆锯齿，两面密被星状毛，叶脉掌状，6 ~ 7 出；叶柄长 8 ~ 18 cm，密被星状毛。花单生于叶腋，花梗长 1 ~ 3 cm；花萼绿色，下部呈管状，上部 5 裂，裂片卵圆形，先端渐尖，长约 8 mm；花瓣 5，黄色，长约 1 cm，阔倒卵形；雄蕊多数，雄蕊筒甚短；雌蕊心皮 15 ~ 20，轮状排列。蒴果半球形，直径约 2 cm，分果爿 15 ~ 20，先端有 2 长芒，外被粗毛；种子 1 至数枚，三角状黑肾形，黑褐色。花期 7 ~ 8 月，果期 9 ~ 10 月。

| 生境分布 | 常见于路旁、荒地和田野间。湖北有分布。

| 采收加工 | **全草或叶、根：**秋季果实成熟时采收，晒干后，打下种子，筛去果皮及杂质，再晒干。

| 功能主治 | 清热解毒，利湿退翳。用于赤白痢疾，淋证涩痛，痈肿疮毒，目生翳膜。

锦葵科 Malvaceae 药葵属 *Althaea*

蜀葵 *Althaea rosea* (L.) Cavan.

药材名

蜀葵花、蜀葵苗、蜀葵根、蜀葵子。

形态特征

二年生直立草本。高达 2 m。茎枝密被刺毛。叶近圆心形，直径 6 ~ 16 cm，掌状 5 ~ 7 浅裂或波状棱角，裂片三角形或圆形，中裂片长约 3 cm，宽 4 ~ 6 cm，上面疏被星状柔毛，粗糙，下面被星状长硬毛或绒毛；叶柄长 5 ~ 15 cm，被星状长硬毛；托叶卵形，长约 8 mm，先端具 3 尖。花腋生，单生或近簇生，排列成总状花序式，具叶状苞片，花梗长约 5 mm，果时延长至 1 ~ 2.5 cm，被星状长硬毛；小苞片杯状，常 6 ~ 7 裂，裂片卵状披针形，长 10 mm，密被星状粗硬毛，基部合生；萼钟状，直径 2 ~ 3 cm，5 齿裂，裂片卵状三角形，长 1.2 ~ 1.5 cm，密被星状粗硬毛；花大，直径 6 ~ 10 cm，有红色、紫色、白色、粉红色、黄色和黑紫色等，单瓣或重瓣，花瓣倒卵状三角形，长约 4 cm，先端凹缺，基部狭，爪被长髯毛；雄蕊柱无毛，长约 2 cm，花丝纤细，长约 2 mm，花药黄色；花柱分枝多数，微被细毛。果实盘状，直径约 2 cm，被短柔毛，分果爿近圆形，多数，背部厚达 1 mm，具纵槽。

花期 2 ~ 8 月。

| 生境分布 | 湖北有分布。

| 采收加工 | **花、苗：**夏、秋季采收，晒干。

根：冬季挖取，去除栓皮，洗净，切片，晒干。

种子：秋季果实成熟后摘取果实，晒干，打下种子，筛去杂质，再晒干。

| 功能主治 | **花：**和血润燥，通利二便。用于痢疾，吐血，血崩，带下，二便不通，疟疾，小儿风疹。

锦葵科 Malvaceae 梧桐属 *Firmiana*

梧桐 *Firmiana platanifolia* (L. f.) Marsili

| 药材名 | 梧桐。

| 形态特征 | 落叶乔木。高达 16 m。树皮青绿色，平滑。叶心形，掌状 3 ~ 5 裂，直径 15 ~ 30 cm，裂片三角形，先端渐尖，基部心形，两面均无毛或略被短柔毛，基生脉 7，叶柄与叶片等长。圆锥花序顶生，长约 20 ~ 50 cm，下部分枝长达 12 cm，花淡黄绿色；萼 5 深裂几至基部，萼片条形，向外卷曲，长 7 ~ 9 mm，外面被淡黄色短柔毛，内面仅在基部被柔毛；花梗与花几等长；雄花的雌雄蕊柄与萼等长，下半部较粗，无毛，花药 15 不规则地聚集在雌雄蕊柄的先端，退化子房梨形且甚小；雌花的子房圆球形，被毛。蓇葖果膜质，有柄，成熟前开裂成叶状，长 6 ~ 11 cm，宽 1.5 ~ 2.5 cm，外面被短茸毛或几无毛，

每蓇葖果有种子 2 ~ 4；种子圆球形，表面有皱纹，直径约 7 mm。花期 6 月。

| 生境分布 | 宜植于村边、宅旁、山坡、石灰岩山坡等处。湖北有栽培。

| 采收加工 | 根、茎皮随时可采，夏季采花，秋季采集种子、叶，晒干。

| 功能主治 | **根：**祛风湿，杀虫。用于风湿性关节痛，肺结核咯血，跌打损伤，带下，丝虫病，蛔虫病。

茎皮：祛风湿，杀虫。用于痔疮，脱肛。

子：顺气和胃，补肾。用于胃痛，伤食腹泻，小儿口疮，须发早白。

叶：镇静，降血压，祛风，解毒。用于冠心病，高血压，风湿关节痛，阳痿，遗精，神经衰弱，银屑病，痈疮肿毒。

花：用于烫火伤，水肿。

锦葵科 Malvaceae 棉属 *Gossypium*

草棉 *Gossypium herbaceum* L.

| 药 材 名 | 草棉。

| 形态特征 | 一年生草本至亚灌木，高达 1.5 m，疏被柔毛。叶互生；叶柄长 2.5 ~ 8 cm，被长柔毛；托叶线形，长 5 ~ 10 mm，早落；叶掌状 5 裂，直径 5 ~ 10 cm，通常宽超过长，裂片宽卵形，深裂不到叶片的中部，先端尖，基部心形，上面被星状长硬毛，下面被细绒毛，沿脉被长柔毛。花单生于叶腋，花梗长 1 ~ 2 cm，被长柔毛；小苞片基部合生，阔三角形，长 2 ~ 3 cm，宽超过长，先端具 6 ~ 8 齿，沿脉被疏长毛；花萼杯状，5 浅裂；花黄色，内面基部紫色，直径 5 ~ 7 cm。蒴果卵圆形，长约 3 cm，具喙，通常 3 ~ 4 室。种子大，长约 1 cm，分离，斜圆锥形，被白色长绵毛和短绵毛。花期 7 ~ 9 月。

| 生境分布 | 栽培于田园。湖北有栽培。

| 采收加工 | 秋季采收，晒干。

| 功能主治 | 止血。用于吐血，便血，血崩，金疮出血。

锦葵科 Malvaceae 棉属 *Gossypium*

陆地棉 *Gossypium hirsutum* L.

| 药 材 名 | 棉花、棉花子、棉花壳、棉花根。

| 形态特征 | 叶掌状至浅裂，裂片宽三角形至卵圆形；子叶为肾形，绿色，基点呈红色，宽约 50 mm。一般 2 子叶对生，一大一小，小子叶的面积为大子叶面积的 80% 左右。子叶枯落后，留下 1 对痕迹，亦称子叶节。幼嫩茎枝上大多着生有茸毛，老熟部位因茸毛逐渐脱落而稀疏。小苞片 3、基部离生，心形，先端具 7 ~ 9 齿，齿裂的长约为宽的 3 ~ 4 倍；雄蕊柱长 1 ~ 2 cm，花丝排列疏松；蒴果卵圆形，种子除被长绵毛外，还有不易剥离的短绵毛。花期夏、秋季。

| 生境分布 | 湖北有分布和栽培。

| 采收加工 | 秋季采收，晒干。

| 功能主治 | **花**：止血。用于吐血，下血，血崩，金疮出血。

子：温肾，活血止血，利尿。用于乳汁不通，崩漏，痔血。

壳：温胃降逆，化痰止咳。用于噎膈，胃寒呃逆，咳嗽气喘。

根：止咳平喘，通经止痛。用于咳嗽，气喘，月经不调，崩漏。

锦葵科 Malvaceae 木槿属 *Hibiscus*

木芙蓉 *Hibiscus mutabilis* L.

| 药 材 名 | 芙蓉花、芙蓉叶。

| 形态特征 | 落叶灌木或小乔木。高 2 ~ 5 m。枝被星状短柔毛。叶大，互生，阔卵形至圆卵形，长 10 ~ 20 cm，宽 9 ~ 22 cm，掌状 3 ~ 5 裂，裂片三角形；基部心形，先端短尖或渐尖，边缘有波状钝齿，上面稍有毛，下面密被星状茸毛；叶柄长 5 ~ 8 cm。花腋生或簇生于枝端，直径 7 ~ 10 cm；早晨开花时白色或粉红色，至下午变深红色；花梗粗长，被黄褐色毛；小苞片 8 ~ 10，线形，长 1.5 ~ 2.5 cm，被毛；萼 5 裂，长 3 ~ 4 cm，被毛，裂片阔卵形；花冠大，花瓣 5，外面被毛，单瓣或重瓣；雄蕊多数，花丝结合成圆筒形，包围花柱；子房 5 室，花柱先端 5 裂，柱头头状。蒴果球形，室背开裂为 5 瓣，

长约 2.5 cm，被粗长毛；种子肾形，有长毛。花期 8 ～ 10 月。

| 生境分布 | 低海拔的山坡、灌木林中，庭园中常见栽培。分布于湖北利川、五峰、巴东、房县，以及武汉。

| 采收加工 | **花：**8 ～ 10 月采摘初开放的花朵，晒干或烘干。

叶：夏、秋季采摘叶，阴干或晒干，研成粉末。

| 功能主治 | **花、叶：**凉血，解毒，消肿，止痛。用于痈疽焮肿，蛇串疮，烫伤，目赤肿痛，跌打损伤。

锦葵科 Malvaceae 木槿属 *Hibiscus*

朱槿 *Hibiscus rosa-sinensis* L.

| 药 材 名 | 朱槿。

| 形态特征 | 常绿灌木，高 1 ~ 3 m。小枝圆柱形，疏被星状柔毛。叶互生；叶柄长 5 ~ 20 mm，上面被长柔毛；托叶线形，长 5 ~ 12 mm，被毛；叶片阔卵形或狭卵形，长 4 ~ 9 cm，宽 2 ~ 5 cm，先端渐尖，基部圆形或楔形，边缘具粗齿或缺刻，两面除背面沿脉上有少许疏毛外均无毛。花单生于上部叶腋间，常下垂，花梗长 3 ~ 7 cm，疏被星状柔毛或近平滑无毛，近端有节；小苞片 6 ~ 7，线形，长 8 ~ 15 mm，疏被星状柔毛，基部合生；花萼钟形，长约 2 cm，被星状柔毛，裂片 5，卵形至披针形；花冠漏斗形，直径 6 ~ 10 cm，玫瑰红色、淡红色、淡黄色等，花瓣倒卵形，先端圆，外面疏被柔毛；雄蕊长

4 ～ 8 cm，平滑无毛。花期全年。

| 生境分布 | 生于疏松肥沃的土壤中，多为栽培。湖北恩施等有栽培。

| 采收加工 | **根：**全年均可采挖，洗净，晒干。

叶：夏、秋季采摘，鲜用。

| 功能主治 | 清热解毒，利尿消肿。用于腮腺炎，支气管炎，急性结膜炎，尿路感染，带下，月经不调。

锦葵科 Malvaceae 木槿属 *Hibiscus*

木槿 *Hibiscus syriacus* L.

| 药 材 名 |

木槿花、木槿根、木槿皮、木槿叶、木槿子。

| 形态特征 |

落叶灌木。高 1 ~ 4 m。树皮灰褐色。小枝密被黄色星状绒毛。叶菱形至三角状卵形，长 3 ~ 10 cm，宽 2 ~ 4 cm，具深浅不同的 3 裂或不裂，先端钝，基部楔形，边缘具不整齐齿缺，下面沿叶脉微被毛或近无毛；叶柄长 5 ~ 25 mm，上面被星状柔毛；托叶线形，长约 6 mm，疏被柔毛。花单生于枝端叶腋间，花梗长 4 ~ 14 mm，被星状短绒毛；小苞片 6 ~ 8，线形，长 6 ~ 15 mm，宽 1 ~ 2 mm，密被星状疏绒毛；花萼钟形，长 14 ~ 20 mm，密被星状短绒毛，裂片 5，三角形；花钟形，淡紫色，直径 5 ~ 6 cm，花瓣倒卵形，长 3.5 ~ 4.5 cm，外面疏被纤毛和星状长柔毛；雄蕊柱长约 3 cm；花柱枝无毛。蒴果卵圆形，直径约 12 mm，密被黄色星状绒毛；种子肾形，背部被黄白色长柔毛。花期 7 ~ 10 月。

| 生境分布 |

生于海拔 1 500 m 以下的山坡、路旁、田野、屋旁等处。湖北有栽培。

| 采收加工 | **花**：夏、秋季晴天早晨、花半开时采摘，晒干。

根：全年均可采挖，洗净，切片，鲜用或晒干。

茎皮：4 ~ 5 月剥取，晒干。

根皮：秋末挖取根，剥取根皮，晒干。

叶：全年均可采摘，鲜用或晒干。

果实：9 ~ 10 月果实现黄绿色时采收，晒干。

| 功能主治 | **花**：清热利湿，凉血解毒。用于肠风泻血，赤白下痢，痔疮出血，肺热咳嗽，咯血，带下，疮疖痈肿，烫伤。

根：清热凉血，消痈肿。用于肠风，痢疾，痈肿，肠痢，痔疮肿痛，赤白带下，疖子，肺结核。

皮：清热利湿，杀虫止痒。用于湿热泻痢，肠风泻血，脱肛，痔疮，赤白带下，阴道毛滴虫病，皮肤疥癣，阴囊湿疹。

叶：清热解毒。用于赤白痢疾，肠风，痈肿疮毒。

果实：清肺化痰。用于肺风痰喘，支气管炎，偏正头痛，黄水疮，湿疹。

锦葵科 Malvaceae 木槿属 *Hibiscus*

野西瓜苗 *Hibiscus trionum* L.

| 药 材 名 |

野西瓜苗、野西瓜子。

| 形态特征 |

一年生草本。高 20 ~ 100 cm。全株被有疏密不等的细软毛。茎稍柔软，直立或稍卧生。基部叶近圆形，边缘具齿裂，中部和下部的叶掌状，3 ~ 5 深裂，中间裂片较大，裂片倒卵状长圆形，先端钝，边缘具羽状缺刻或大锯齿。花单生于叶腋，花梗长 2 ~ 5 cm；小苞片多数，线形，具缘毛；花萼 5 裂，膜质，上具绿色纵脉；花瓣 5，淡黄色，紫心；雄蕊多数，花丝相结合成圆筒，包裹花柱；子房 5 室，花柱先端 5 裂，柱头头状。蒴果圆球形，有长毛；种子成熟后黑褐色，粗糙而无毛。花期 7 ~ 9 月。

| 生境分布 |

生于海拔 400 ~ 500 m 的山坡、路旁、旷野、平原、山野、丘陵或田埂。分布于湖北神农架、房县。

| 采收加工 |

全草或根：夏、秋季采收，去净泥土，晒干。

种子：夏、秋季采收成熟果实，晒干，打下种子，筛净，再晒干。

| 功能主治 | **野西瓜苗：**清热解毒，利咽止咳。用于咽喉肿痛，咳嗽，泻痢，疮毒，烫伤。

野西瓜苗子：补肾，润肺。用于肾虚头晕，耳鸣，耳聋，肺痨咳嗽。

锦葵科 Malvaceae 花葵属 *Lavatera*

三月花葵 *Lavatera trimestris* L.

| 药 材 名 | 三月花葵。

| 形态特征 | 一年生草本，高 1 ～ 2 m，少分枝，被短柔毛。叶肾形，上部叶卵形，常 3 ～ 5 裂，长 2 ～ 5 cm，宽 2.5 ～ 7 cm，边缘具锯齿或牙齿，上面被疏柔毛，下面被星状疏柔毛；叶柄长 3 ～ 7 cm，被长柔毛；托叶卵形，长 4 ～ 5 mm，先端具渐尖头，被长柔毛。花紫色，单生于叶腋间，花梗长 1.5 ～ 4 cm，被粗伏毛状疏柔毛；小苞片 3，正三角形，具齿，长 8 mm，宽 14 mm，下半部合生，两面均被疏柔毛；花萼杯状，5 裂，裂片三角状卵形，略长于小苞片，密被星状柔毛；花冠直径约 6 cm，花瓣 5，倒卵圆形，长约 3 cm，先端圆形，基部狭，秃净；雄蕊柱长约 8 mm；花柱基部膨大，盘状，直径约 1 cm，心皮

白色，具无色透明平展的条纹，部分条纹网状。花期 4 ~ 8 月。

| 生境分布 | 栽培于庭园。湖北有栽培。

| 功能主治 | 清利湿热，消炎镇痛。

锦葵科 Malvaceae 锦葵属 *Malva*

冬葵 *Malva crispa* L.

| 药 材 名 | 冬葵子、冬葵叶、冬葵根。

| 形态特征 | 一年生草本。高1 m。不分枝，茎被柔毛。叶圆形，常5～7裂或角裂，直径5～8 cm，基部心形，裂片三角状圆形，边缘具细锯齿，并极皱缩扭曲，两面无毛至疏被糙伏毛或星状毛，在脉上尤为明显；叶柄瘦弱，长4～7 cm，疏被柔毛。花小，白色，直径约6 mm，单生或几个簇生于叶腋，近无花梗至具极短梗；小苞片3，披针形，长4～5 mm，宽1 mm，疏被糙伏毛；萼浅杯状，5裂，长8～10 mm，裂片三角形，疏被星状柔毛；花瓣5，较萼片略长。果实扁球形，直径约8 mm，分果爿11，网状，具细柔毛；种子肾形，直径约1 mm，暗黑色。花期6～9月。

| 生境分布 | 生于路旁、村落、农田旁。湖北有栽培和分布。

| 采收加工 | **种子、果实：**夏、秋季果实成熟时采收，除去杂质，阴干。

叶子：夏、秋季采收，鲜用。

根：夏、秋季采挖，洗净，鲜用或晒干。

| 功能主治 | **果实：**利水通淋，滑肠通便，下乳。用于淋病，水肿，大便不通，乳汁不行。

叶：清热下利。用于肺热咳嗽，咽喉肿痛，湿热黄疸，二便不通，乳汁不下，疮疖痈肿，丹毒。

根：清热利水，解毒。用于水肿，热淋，带下，乳痈，疳疮，蛇虫咬伤。

锦葵科 Malvaceae 锦葵属 *Malva*

圆叶锦葵 *Malva rotundifolia* L.

| 药 材 名 | 圆叶锦葵。

| 形态特征 | 多年生草本。高 25 ~ 50 cm，分枝多而常匍生，被粗毛。叶肾形，长 1 ~ 3 cm，宽 1 ~ 4 cm，基部心形，边缘具细圆齿，偶为 5 ~ 7 浅裂，上面疏被长柔毛，下面疏被星状柔毛；叶柄长 3 ~ 12 cm，被星状长柔毛；托叶小，卵状渐尖。花通常 3 ~ 4 簇生于叶腋，偶有单生于茎基部的，花梗不等长，长 2 ~ 5 cm，疏被星状柔毛；小苞片 3，披针形，长约 5 mm，被星状柔毛；萼钟形，长 5 ~ 6 mm，被星状柔毛，裂片 5，三角状渐尖头；花白色至浅粉红色，长 10 ~ 12 mm，花瓣 5，倒心形；雄蕊柱被短柔毛；花柱分枝 13 ~ 15。果扁圆形，直径 5 ~ 6 mm，分果 13 ~ 15，不为网状，

被短柔毛；种子肾形，直径约 1 mm，被网纹或无网纹。花期夏季。

| 生境分布 | 生于海拔 800 m 的荒野、草坡、草丛中。湖北洪山有栽培。分布于湖北神农架。

| 采收加工 | **根**：夏、秋季挖根，洗净，切片，晒干。

| 功能主治 | 益气止汗，利尿通乳，托毒排脓。用于贫血，乳汁缺少，自汗，盗汗，肺结核咳嗽，肾炎性水肿，尿血，崩漏，脱肛，子宫脱垂，疮疡溃后脓稀不易愈合。

锦葵科 Malvaceae 锦葵属 *Malva*

锦葵 *Malva sinensis* Cavan.

| 药材名 |

锦葵花。

| 形态特征 |

二年生或多年生直立草本。高 50 ~ 90 cm。分枝多，疏被粗毛。叶互生；叶柄长 4 ~ 8 cm，近无毛，但上面槽内被长硬毛；托叶偏斜，卵形，具锯齿，先端渐尖；叶圆心形或肾形，具 5 ~ 7 圆齿状钝裂片，长 5 ~ 12 cm，宽与长几相等，基部近心形至圆形，边缘具圆锯齿，两面均无毛或仅脉上疏被短糙状毛。花 3 ~ 11 簇生，花梗长 1 ~ 2 cm，无毛或疏被粗毛；小苞片 3，长圆形，长 3 ~ 4 mm，宽 1 ~ 2 mm，先端圆形，疏被柔毛；萼杯状，长 6 ~ 7 mm，萼裂片 5，宽三角形，两面均被星状疏柔毛；花紫红色或白色，直径 3.5 ~ 4 cm，花瓣 5，匙形，长约 2 cm，先端微缺，爪具髯毛；雄蕊柱长 8 ~ 10 mm，被刺毛，花丝无毛；花柱分枝 9 ~ 11，被微细毛。果扁圆形，直径 5 ~ 7 mm，分果爿 9 ~ 11，肾形，被柔毛。种子黑褐色，肾形，长 2 mm。花期 5 ~ 10 月。

| 生境分布 |

常见栽培，供园林观赏，偶有逸生。湖北有

分布。

| 采收加工 | **花、叶、茎：**夏、秋季采收，晒干。

| 功能主治 | 清热解毒，利湿，理气通便。

锦葵科 Malvaceae 锦葵属 *Malva*

野葵 *Malva verticillata* L.

|药材名| 葵菜。

|形态特征| 两年生草本。盛花期高 50 ~ 100 cm。茎直立，几无毛。叶肾形至圆形，掌状 5 ~ 7 浅裂，长 4 ~ 9 cm，宽 5 ~ 12 cm，基部心形，裂片圆形或三角形，边缘有圆锯齿，两面疏被粗伏毛或几无毛；叶柄长 5 ~ 8 cm，几无毛，沿沟有毛；托叶卵状披针形。花小，直径约 1 cm，近白色，先端淡红色，簇生于叶腋；花梗短，不显露；小苞片 3，分离，线状披针形，长 4 ~ 5 mm，急尖；萼杯状，裂片有喙毛；花冠长约 2 两倍于萼，花瓣 5，倒心形，先端微凹；雄蕊柱上部有毛；子房由 9 ~ 11 心皮组成。果扁圆形，直径 6 ~ 7 mm，由 9 ~ 11 个肾脏形的心皮环所组成，心皮无毛，平滑或背部有不明

显皱纹。花期 3 ～ 7 月，花后见果。

| **生境分布** | 生长在平原、山地、林缘、草地、路旁等多种生境中，通常处于半野生状态，能够适应多种土壤类型。湖北有分布。

| **功能主治** | 清热利湿，凉血解毒。

锦葵科 Malvaceae 马松子属 *Melochia*

马松子 *Melochia corchorifolia* L.

| 药材名 | 马松子。

| 形态特征 | 半灌木状草本。高不及 1 m。枝黄褐色，略被星状短柔毛。叶薄纸质，卵形、矩圆状卵形或披针形，稀有不明显的 3 浅裂，长 2.5 ~ 7 cm，宽 1 ~ 1.3 cm，先端急尖或钝，基部圆形或心形，边缘有锯齿，上面近无毛，下面略被星状短柔毛，基生脉 5；叶柄长 5 ~ 25 mm；托叶条形，长 2 ~ 4 mm。花排成顶生或腋生的密聚伞花序或团伞花序；小苞片条形，混生在花序内；萼钟状，5 浅裂，长约 2.5 mm，外面被长柔毛和刚毛，内面无毛，裂片三角形；花瓣 5，白色，后变为淡红色，矩圆形，长约 6 mm，基部收缩；雄蕊 5，下部连合成筒，与花瓣对生；子房无柄，5 室，密被柔毛，花柱 5，线状。蒴果

圆球形，有 5 棱，直径 5 ～ 6 mm，被长柔毛，每室有种子 1 ～ 2；种子卵圆形，略呈三角状，褐黑色，长 2 ～ 3 mm。花期夏秋。

| 生境分布 | 生于山坡、路旁草丛中。分布于湖北麻城、南漳、洪湖、樊城、咸安、猇亭、随县、英山、通城、阳新、孝南、红安、公安、黄梅、浠水、荆州、崇阳、伍家岗、沙洋、嘉鱼、曾都、汉南、点军、黄州、当阳、松滋、汉川、秭归、东宝、通山、大悟、枝江、京山、广水、大冶、钟祥、云梦、宜城、石首，以及襄阳、武汉、随州。

| 功能主治 | 止痒退疹。用于皮肤瘙痒，癣，瘾疹，湿疮，湿疹，阴部湿痒等。

锦葵科 Malvaceae 黄花稔属 *Sida*

黄花稔 *Sida acuta* Burm. f

| 药 材 名 | 花稔。

| 形态特征 | 直立亚灌木状草本。高 1 ~ 2 m；分枝多，小枝被柔毛至近无毛。叶披针形，长 2 ~ 5 cm，宽 4 ~ 10 mm，先端短尖或渐尖，基部圆或钝，具锯齿，两面均无毛或疏被星状柔毛，上面偶被单毛；叶柄长 4 ~ 6 mm，疏被柔毛；托叶线形，与叶柄近等长，常宿存。花单朵或成对生于叶腋，花梗长 4 ~ 12 mm，被柔毛，中部具节；萼浅杯状，无毛，长约 6 mm，下半部合生，裂片 5，尾状渐尖；花黄色，直径 8 ~ 10 mm，花瓣倒卵形，先端圆，基部狭长 6 ~ 7 mm，被纤毛；雄蕊柱长约 4 mm，疏被硬毛。蒴果近圆球形，分果爿 4 ~ 9，但通常为 5 ~ 6，长约 3.5 mm，先端具 2 短芒，果皮具网状皱纹。花期冬、

春季。

| 生境分布 | 生于路边山野丘陵下、山坡灌丛间、路旁或荒坡。湖北有分布。

| 采收加工 | **叶片：**夏、秋季采收，鲜用或晾干或晒干。

根：早春萌发前挖取，洗去泥沙，切片，晒干。

| 功能主治 | 清热利湿，解毒消肿，活血止痛，排脓。用于感冒发热，扁桃体炎，尿路结石，黄疸，痢疾，腹中疼痛；外用于痈疖疔疮。

锦葵科 Malvaceae 黄花稔属 *Sida*

心叶黄花稔 *Sida cordifolia* L.

|药 材 名| 心叶黄花稔。

|形态特征| 直立亚灌木，高约 1 m。小枝密被星状柔毛并混生长柔毛，毛长约 3 mm。叶互生；叶柄长 1 ~ 2.5 cm，密被星状柔毛并混生长柔毛；托叶线形，长约 5 mm，密被星状柔毛；叶卵形，长 1.5 ~ 5 cm，宽 1 ~ 4 cm，先端钝或圆，基部微心形或圆形，边缘具钝齿，两面均密被星状柔毛，下面脉上混生长柔毛。花单生或簇生于叶腋或枝端，花梗长 5 ~ 15 mm，密被星状柔毛和混生长柔毛，上端具节；花萼杯状，裂片 5，三角形，长 5 ~ 6 mm，密被星状柔毛并混生长柔毛；花黄色，直径约 1.5 cm；花瓣长圆形，长 6 ~ 8 mm；雄蕊柱长约 6 mm，被长硬毛。蒴果直径 6 ~ 8 mm，分果 10，先端具 2 长芒，

芒长 3 ~ 4 mm，突出萼外，被倒生刚毛。种子长卵形，先端具短毛。花期全年。

| **生境分布** | 生于山坡灌丛间或路旁草丛中。湖北有分布。

| **采收加工** | 夏、秋季采收，洗去泥沙，除去杂质，切碎，鲜用或晒干。

| **功能主治** | 清热利湿，止咳，解毒消痈。用于湿热黄疸，痢疾，泄泻，淋病，发热咳嗽，气喘，痈肿疮毒。

锦葵科 Malvaceae 黄花稔属 *Sida*

白背黄花稔 *Sida rhombifolia* L.

|药材名|

黄花母、黄花母根。

|形态特征|

亚灌木状草本或亚灌木。高 0.3 ~ 1 m，直立，多分枝。嫩枝绿色，老时淡红褐色，稍被短柔毛或近秃净。叶互生，披针形，长 3 ~ 5 cm，先端短尖和渐尖，基部浑圆或钝，边缘有细锯齿，近基部常全缘，上面光秃，绿色，经霜变淡红色，下面浅绿色；具叶柄；托叶披针形，较叶柄为长。花腋生，单朵或数朵簇生，花梗短；花萼连合，萼管近球形，先端 5 裂，裂片三角形，短尖，绿色；花瓣 5，基部合生，黄色；雄蕊多数；心皮 4 ~ 9，包藏于萼内，有皱纹，并有短芒。蒴果扁球形。

|生境分布|

生于山坡灌丛间、旷野和沟谷两岸。湖北有分布。

|采收加工|

全草或根：夏、秋季采挖，洗净，鲜用或切片。

| 功能主治 | 清热利湿，活血排脓。

锦葵科 Malvaceae 黄花稔属 *Sida*

拔毒散 *Sida szechuensis* Matsuda

| 药材名 | 拔毒散。

| 形态特征 | 直立亚灌木，高约 1 m。小枝被星状长柔毛。叶二型；叶柄长 5 ~ 10 mm，被星状柔毛；托叶钻形，较短于叶柄；下部的叶宽菱形至扇形，长 2.5 ~ 5 cm，宽近似，先端短尖至浑圆，基部楔形，边缘具 2 齿，上部的叶长圆状椭圆形至长圆形，长 2 ~ 3 cm，两端钝至浑圆，上面疏被星状毛或糙伏毛至几无毛，下面密被灰色星状毡毛。花单生或簇生于小枝先端，花梗长约 1 cm，密被星状粘毛，中部以上具节；花萼杯状，长约 7 mm，裂片三角形，疏被星状柔毛；花黄色，直径 1 ~ 1.5 cm，花瓣倒卵形，长约 8 mm；雄蕊柱长约 5 mm，被长硬毛。果实近圆球形，直径约 6 mm，分果爿 8 ~ 9，

疏被星状柔毛，具短芒。种子黑褐色，平滑，长 2 mm，种脐被白色柔毛。花期 6 ~ 11 月。

| **生境分布** | 生于荒坡灌丛、松林边、路旁和沟谷边。湖北有分布。

| **采收加工** | 秋季采收，鲜用或晒干。

| **功能主治** | 下乳，活血，利湿，解毒。用于乳汁不下，乳痈，痈肿，小便淋涩，泄泻，痢疾，闭经，骨折。

锦葵科 Malvaceae 梵天花属 *Urena*

地桃花 *Urena lobata* Linn.

| 药 材 名 | 地桃花。

| 形态特征 | 直立半灌木，有分枝，高达 1 m，全株被柔毛及星状毛。叶互生，下部叶心形或近圆形，上部叶椭圆形或近披针形，长 3 ~ 8 cm，宽 1 ~ 6 cm，基部近圆形、心形或楔形，先端短尖，边缘具细锯齿，有时 3 ~ 5 浅裂或具角，上面绿色，下面淡绿色，掌状网脉，中脉基部有 1 腺体；叶柄长 2 ~ 6 cm；托叶 2，线形，早落。花单生于叶腋或稍丛生；副萼 5 裂，裂片三角形；花萼 5 裂，裂片较副萼小，二者表面均被星状毛；花瓣 5，粉红色，呈椭圆形，基部与雄蕊管相连合；雄蕊合生，花丝连成管状，管口具浅齿，花药紫红色；雌蕊 1，花柱圆柱状，先端 10 裂，柱头头状，红色，被短毛，子房 5 室，

外被短毛，每室有 1 胚珠。蒴果扁球形，纵径约 5 mm，横径约 8 mm，自中轴分裂为 5，每一分蒴呈球状五等分，楔形，具细毛和钩刺，钩呈星状，分蒴中各有 1 种子。花期 5 ~ 12 月，果期 6 月至翌年 1 月。

| 生境分布 | 生于海拔 500 ~ 1 500 m 的草坡、山边灌丛和路旁。湖北有分布。

| 采收加工 | **全草或根：**全年均可采收，洗净，鲜用或晒干。

| 功能主治 | 祛风利湿，清热解毒。用于感冒发热，风湿痹痛，痢疾，水肿，淋病，带下，吐血，痈肿，外伤出血。

锦葵科 Malvaceae 梵天花属 *Urena*

梵天花 *Urena procumbens* L.

| 药 材 名 | 梵天花、梵天花根。

| 形态特征 | 小灌木，高 80 cm。枝平铺，小枝被星状绒毛。下部叶掌状 3 ~ 5 深裂，裂口深达中部以下，圆形而狭，长 1.5 ~ 6 cm，宽 1 ~ 4 cm，裂片菱形或倒卵形，呈葫芦状，先端钝，基部圆形至近心形，具锯齿，两面均被星状短硬毛，叶柄长 4 ~ 15 mm，被绒毛；托叶钻形，长约 1.5 mm，早落。花单生或近簇生，花梗长 2 ~ 3 mm；小苞片长约 7 mm，基部 1/3 处合生，疏被星状毛；花萼短于小苞片或与之近等长，卵形，尖头，被星状毛；花冠淡红色，花瓣长 10 ~ 15 mm；雄蕊柱无毛，与花瓣等长。果实球形，直径约 6 mm，具刺和长硬毛，刺端有倒钩，种子平滑无毛。花期 6 ~ 9 月。

| 生境分布 | 生于山野、路边、荒坡或灌丛中。湖北有分布。

| 采收加工 | **梵天花：**夏、秋季采收，洗净，除去杂质，晒干。

梵天花根：全年均可采挖，洗净，切片，晒干或鲜用。

| 功能主治 | **梵天花：**祛风解毒。用于痢疾，疮疡，风毒流注，毒蛇咬伤。

梵天花根：健脾祛湿，活血化瘀。用于风湿性关节炎，劳伤脚弱，水肿，疟疾，痛经，带下，跌打损伤，痈疽肿毒。

猕猴桃科 Actinidiaceae 猕猴桃属 *Actinidia*

软枣猕猴桃 *Actinidia arguta* (Sieb. & Zucc.) Planch. ex Miq.

| 药 材 名 |

软枣猕猴桃。

| 形态特征 |

大型落叶藤本。小枝基本无毛或幼嫩时星散地薄被柔软绒毛或茸毛，长 7 ~ 15 cm，隔年枝灰褐色，直径约 4 mm，洁净无毛或部分表皮呈污灰色皮屑状，皮孔长圆形至短条形，不显著至很不显著；髓白色至淡褐色，片层状。叶膜质或纸质，卵形、长圆形、阔卵形至近圆形，长 6 ~ 12 cm，宽 5 ~ 10 cm，先端急短尖，基部圆形至浅心形，等侧或稍不等侧，边缘具繁密的锐锯齿，腹面深绿色，无毛，背面绿色，侧脉腋上有髯毛或连中脉和侧脉下段的两侧沿生少量卷曲柔毛，个别较普遍地被卷曲柔毛，横脉和网状小脉不发达，可见或不可见，侧脉稀疏，6 ~ 7 对，分叉或不分叉；叶柄长 3 ~ 6（~ 10）cm，无毛或略被微弱的卷曲柔毛。花序腋生或腋外生，1 ~ 2 回分枝，具 1 ~ 7 花，或厚或薄地被淡褐色短绒毛，花序梗长 7 ~ 10 mm，花梗长 8 ~ 14 mm，苞片线形，长 1 ~ 4 mm。花绿白色或黄绿色，芳香，直径 1.2 ~ 2 cm；萼片 4 ~ 6，卵圆形至长圆形，长 3.5 ~ 5 mm，边缘较薄，有不甚显著的缘毛，两面薄被粉末状短茸毛，或外面毛较少或近无毛；花瓣 4 ～ 6，楔状倒卵形或瓢状倒阔卵形，长 7 ～ 9 mm，1 花 4 瓣的其中有 1 瓣 2 裂至半；花丝丝状，长 1.5 ～ 3 mm，花药黑色或暗紫色，长圆形箭头状，长 1.5 ～ 2 mm；子房瓶状，长 6 ～ 7 mm，洁净无毛，花柱长 3.5 ～ 4 mm。果实圆球形至柱状长圆形，长 2 ～ 3 cm，有喙或喙不显著，无毛，无斑点，不具宿存萼片，成熟时绿黄色或紫红色。种子纵径约 2.5 mm。花期 6 ～ 7 月，果期 9 月。

| 生境分布 | 生于海拔 1 900 m 的山地灌丛中或林内。分布于湖北谷城、宜都、房县。

| 资源情况 | 野生资源一般，栽培资源一般。

| 功能主治 | **果实：**滋阴清热，除烦止渴，通淋。用于热病津伤或阴血不足，烦渴引饮，石淋，维生素 C 缺乏症，牙龈出血，肝炎。

根：清热利湿，祛风除痹，解毒消肿，止血。用于黄疸，消化不良，呕吐，风湿痹痛，消化道恶性肿瘤，痈疡疮疖，跌打损伤，外伤出血，乳汁不下。

叶：止血。用于外伤出血。

猕猴桃科 Actinidiaceae 猕猴桃属 *Actinidia*

硬齿猕猴桃 *Actinidia callosa* Lindl.

| 药 材 名 | 水梨藤。

| 形态特征 | 大型落叶藤本。着花小枝长 5 ~ 15 cm，一般枝长 8 ~ 12 cm，直径 2.5 ~ 3 mm，洁净无毛，个别有极少量硬毛，皮孔相当显著，髓淡褐色，片层状或实心，芽体被锈色茸毛；隔年枝灰褐色，直径 3 ~ 5 mm，干时有皱纹状纵棱，皮孔开裂或不开裂，髓片层状。叶卵形、阔卵形、倒卵形或椭圆形，长 5 ~ 12 cm，宽 3.5 ~ 8.5 cm，先端急尖至长渐尖或钝形至圆形，基部阔楔形至圆形或截形至心形，边缘有芒刺状小齿或普通斜锯齿乃至粗大的重锯齿，齿尖通常硬化，腹面深绿色，完全无毛，背面绿色，完全无毛或仅侧脉腋上有髯毛，叶脉比较发达，在上面下陷，在背面隆起呈圆线形，侧脉 6 ~ 8 对，

横脉不甚显著，网状小脉不易见；叶柄水红色，长 2 ~ 8 cm，洁净无毛。花序有 1 ~ 3 花，通常花单生；花序梗 7 ~ 15 mm，花梗 11 ~ 17 mm，均无毛或有毛。花白色，直径约 15 mm；萼片 5，卵形，长 4 ~ 5 mm，无毛或被黄褐色短绒毛，或内面薄被短绒毛，外面洁净无毛；花瓣 5，倒卵形，长 8 ~ 10 mm，花丝丝状，长 3 ~ 5 mm，花药黄色，卵状箭头形，长 1.5 ~ 2 mm；子房近球形，高约 3 mm，被灰白色茸毛，花柱比子房稍长。果实墨绿色，近球形至卵珠形或乳头形，长 1.5 ~ 4.5 cm，直径 1 ~ 1.7 cm，有显著的淡褐色圆形斑点，具反折的宿存萼片。种子长 2 ~ 2.5 mm。

| 生境分布 | 生于海拔 750 ~ 1 400 m 的山林沟谷中。分布于湖北利川。

| 资源情况 | 野生资源稀少，栽培资源丰富。

| 采收加工 | **根皮：**全年均可采挖根，剥取根皮，鲜用或晒干。

| 功能主治 | 清热，消肿，利湿，止痛。用于湿热水肿，肠痈，痈肿疮毒。

猕猴桃科 Actinidiaceae 猕猴桃属 *Actinidia*

异色猕猴桃 *Actinidia callosa* Lindl. var. *discolor* C. F. Liang

| 药 材 名 | 异色猕猴桃。

| 形态特征 | 小枝坚硬，干后灰黄色，洁净无毛。叶坚纸质，干后腹面黑褐色，背面灰黄色，椭圆形、矩状椭圆形至倒卵形，长 6 ～ 12 cm，宽 3.5 ～ 6 cm，先端急尖，基部阔楔形或钝，边缘有粗钝锯齿或波状锯齿，通常上端的锯齿更粗大，两面洁净无毛，脉腋也无髯毛，叶脉发达，中脉和侧脉在背面极度隆起，呈圆线形；叶柄长度中等，一般 2 ～ 3 cm，无毛；花序和萼片两面均无毛；果较小，卵珠形或近球形，长 1.5 ～ 2 cm。

| 生境分布 | 生于海拔 1 000 m 以下的低山和丘陵中的沟谷、山坡乔木林、灌丛林中、林缘。分布于湖北保康。

| 资源情况 | 野生资源稀少，栽培资源较丰富。

| 功能主治 | 利尿通淋，祛风除湿，止痢。用于石淋，痢疾，风湿痹痛。

猕猴桃科 Actinidiaceae 猕猴桃属 *Actinidia*

京梨猕猴桃 *Actinidia callosa* Lindl. var. *henryi* Maxim.

| 药 材 名 | 京梨猕猴桃。

| 形态特征 | 小枝较坚硬，干后土黄色，洁净无毛；叶卵形或卵状椭圆形至倒卵形，长 8 ~ 10 cm，宽 4 ~ 5.5 cm，边缘锯齿细小，背面脉腋上有髯毛，先端急尖至长渐尖或钝形至圆形，边缘有齿，齿尖通常硬化，腹面深绿色，叶脉比较发达，叶柄水红色，洁净无毛。花序均无毛或有毛。果实乳头状至矩圆圆柱状，长可达 5 cm，是本种中果实最长最大者。花期 5 ~ 6 月，果期 9 ~ 10 月。

| 生境分布 | 生于海拔 700 ~ 2 600 m 的山地林中、灌丛中、阴坡的针阔叶混交林和杂木林中。分布于湖北恩施、房县、郧西、夷陵、神农架、竹溪、秭归、竹山、宣恩、五峰、咸丰、兴山、南漳。

| **资源情况** | 野生资源较少，栽培资源丰富。

| **采收加工** | **根皮、果实：**全年均可采，鲜用或晒干。

| **功能主治** | 清热，利湿，消肿，止痛。用于湿热水肿，肠痈，痈肿疮毒。

猕猴桃科 Actinidiaceae 猕猴桃属 *Actinidia*

中华猕猴桃 *Actinidia chinensis* Planch.

| 药 材 名 | 中华猕猴桃。

| 形态特征 | 大型落叶藤本。幼枝或厚或薄地被有灰白色茸毛、褐色长硬毛或铁锈色硬毛状刺毛，老时秃净或留有断损残毛；花枝短的 4 ~ 5 cm，长的 15 ~ 20 cm，直径 4 ~ 6 mm；隔年枝完全秃净无毛，直径 5 ~ 8 mm，皮孔长圆形，比较显著或不甚显著；髓白色至淡褐色，片层状。叶纸质，倒阔卵形至倒卵形或阔卵形至近圆形，长 6 ~ 17 cm，宽 7 ~ 15 cm，先端平截并中间凹入或具突尖、急尖至短渐尖，基部钝圆、平截至浅心形，边缘具脉出的直伸的睫状小齿，腹面深绿色，无毛、中脉和侧脉上有少量软毛或散被短糙毛，背面苍绿色，密被灰白色或淡褐色星状绒毛，侧脉 5 ~ 8 对，常在中部以上分歧

成叉状，横脉比较发达，易见，网状小脉不易见；叶柄长 3 ~ 6（~ 10）cm，被灰白色茸毛或黄褐色长硬毛或铁锈色硬毛状刺毛。聚伞花序 1 ~ 3 花，花序梗长 7 ~ 15 mm，花梗长 9 ~ 15 mm；苞片小，卵形或钻形，长约 1 mm，均被灰白色丝状绒毛或黄褐色茸毛；花初放时白色，放后变淡黄色，有香气，直径 1.8 ~ 3.5 cm；萼片 3 ~ 7，通常 5，阔卵形至卵状长圆形，长 6 ~ 10 mm，两面密被压紧的黄褐色绒毛；花瓣 5，有时少至 3 ~ 4 或多至 6 ~ 7，阔倒卵形，有短距，长 10 ~ 20 mm，宽 6 ~ 17 mm；雄蕊极多，花丝狭条形，长 5 ~ 10 mm，花药黄色，长圆形，长 1.5 ~ 2 mm，基部叉开或不叉开；子房球形，直径约 5 mm，密被金黄色的压紧交织绒毛或不压紧不交织的刷毛状糙毛，花柱狭条形。果实黄褐色，近球形、圆柱形、倒卵形或椭圆形，长 4 ~ 6 cm，被茸毛、长硬毛或刺毛状长硬毛，成熟时秃净或不秃净，具小而多的淡褐色斑点；宿存萼片反折；种子细小，纵径 2.5 mm。花期 6 ~ 7 月，果熟期 8 ~ 9 月。

| 生境分布 | 生于海拔 200 ~ 600 m 的低山区的山地林间，一般多出现于高草灌丛、灌木林或次生疏林中。分布于湖北五峰、房县、神农架、当阳、曾都、南漳、宣恩、利川、松滋、长阳、张湾、麻城、蕲春、来凤、郧西、黄梅、保康、远安、浠水、赤壁、红安、竹溪、通城、崇阳、谷城、兴山、云梦、英山、夷陵、咸安、阳新、恩施、通山、丹江口、秭归、枝江、钟祥、罗田。

| 采收加工 | **果实**：9 月中下旬至 10 月上旬果实成熟时采摘，鲜用或晒干。

根：全年均可采，洗净，切段，晒干或鲜用。

藤：鲜用或晒干。

枝叶：夏季采收，鲜用或晒干。

| 功能主治 | **果实**：解热，止渴，健胃，通淋。用于烦热，消渴，肺热干咳，消化不良，湿热黄疸，石淋，痔疮。

根：清热解毒，祛风利湿，活血消肿。用于肝炎，痢疾，消化不良，淋浊，带下，风湿关节痛，水肿，跌打损伤，疮疖，瘰疬结核，胃肠道肿瘤，乳腺癌。

藤：和中开胃，清热利湿。用于消化不良，反胃呕吐，黄疸，石淋。

枝叶：清热解毒，散瘀，止血。用于痈疮肿毒，烫伤，风湿关节痛，外伤出血。

猕猴桃科 Actinidiaceae 猕猴桃属 *Actinidia*

硬毛猕猴桃 *Actinidia chinensis* Planch. var. *hispida* C. F. Liang

| 药 材 名 | 猕猴桃。

| 形态特征 | 幼枝或厚或薄地被有灰白色茸毛、褐色长硬毛或铁锈色硬毛状刺毛，老时秃净或留有断损残毛；花枝多数较长，达 15 ~ 20 cm，被黄褐色长硬毛，毛落后仍可见到硬毛残迹。叶倒阔卵形至倒卵形，长 9 ~ 11 cm，宽 8 ~ 10 cm，先端常具突尖，叶柄被黄褐色长硬毛。花较大，直径 3.5 cm 左右；子房被刷毛状糙毛。果实近球形、圆柱形或倒卵形，长 5 ~ 6 cm，被常分裂为 2 ~ 3 数束状的刺毛状长硬毛。

| 生境分布 | 分布于海拔 800 ~ 1 400 m 的山林地带。分布于湖北南漳、鹤峰、利川、房县、茅箭等。

| 功能主治 | 清热利湿，活血抗肿瘤。用于风湿性关节炎，痢疾，肝炎，丝虫病，跌打损伤，淋巴结结核，恶性肿瘤，痈肿疔毒，外伤出血等。

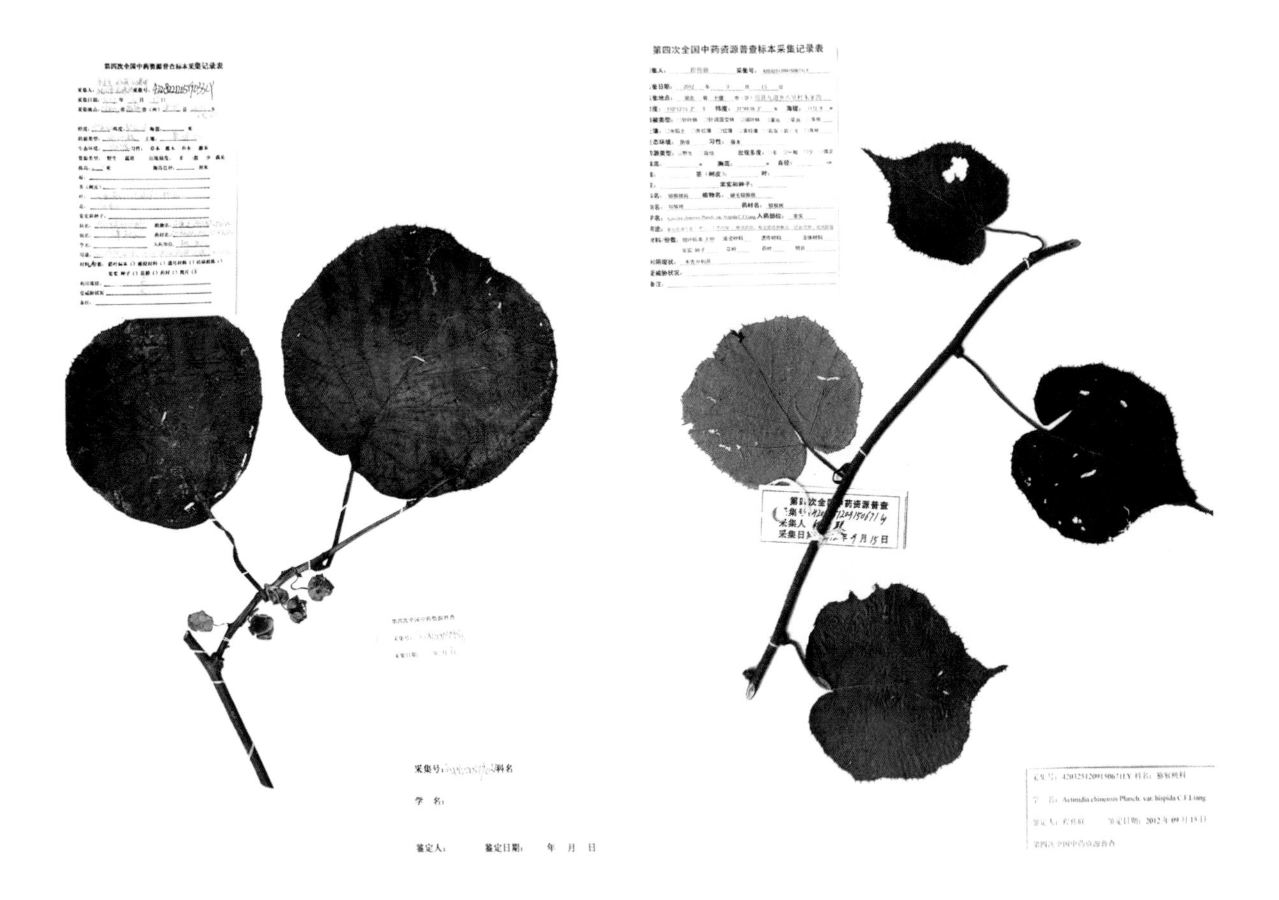

猕猴桃科 Actinidiaceae 猕猴桃属 *Actinidia*

狗枣猕猴桃 *Actinidia kolomikta* (Maxim. & Rupr.) Maxim.

| 药材名 |

狗枣猕猴桃。

| 形态特征 |

大型落叶藤本。小枝紫褐色，直径约 3 mm，短花枝基本无毛，有较显著的带黄色的皮孔。长花枝幼嫩时顶部薄被短茸毛，有不甚显著的皮孔，隔年枝褐色，直径约 5 mm，有光泽，皮孔相当显著，稍凸起；髓褐色，片层状。叶膜质或薄纸质，阔卵形、长方卵形至长方状倒卵形，长 6 ~ 15 cm，宽 5 ~ 10 cm，先端急尖至短渐尖，基部心形，少数圆形至截形，两侧不对称，边缘有单锯齿或重锯齿，两面近同色，上部往往变为白色，后渐变为紫红色，两面近洁净或沿中脉及侧脉略被一些尘埃状柔毛，腹面散生软弱的小刺毛，背面侧脉腋上髯毛有或无，叶脉不发达，近扁平状，侧脉 6 ~ 8 对；叶柄长 2.5 ~ 5 cm，初时略被少量尘埃状柔毛，后秃净。聚伞花序，雄性的有花 3，雌性的通常 1 花单生，花序梗和花梗纤弱，或多或少地被黄褐色微绒毛，花序梗长 8 ~ 12 mm，花梗长 4 ~ 8 mm，苞片小，钻形，不及 1 mm；花白色或粉红色，芳香，直径 15 ~ 20 mm；萼片 5，长方卵形，长 4 ~

6 mm，两面被有极微弱的短绒毛，边缘有睫状毛；花瓣 5，长方状倒卵形，长 6 ~ 10 mm；花丝丝状，长 5 ~ 6 mm，花药黄色，长方箭头状，长约 2 mm；子房圆柱状，长约 3 mm，无毛，花柱长 3 ~ 5 mm。果柱状长圆形、卵形或球形，有时为扁体长圆形，长达 2.5 cm，果皮洁净无毛，无斑点，未熟时暗绿色，成熟时淡橘红色，并有深色的纵纹；果熟时花萼脱落；种子长约 2 mm。花期 5 月下旬至 7 月初，果熟期 9 ~ 10 月。

| 生境分布 | 生于海拔 800 ~ 1 500 m 的山地混交林或杂木林中的开旷地。分布于湖北竹溪。

| 采收加工 | **果实**：秋季采收，晒干。

| 功能主治 | 滋养强壮。用于维生素 C 缺乏症。

猕猴桃科 Actinidiaceae 猕猴桃属 *Actinidia*

阔叶猕猴桃 *Actinidia latifolia* (Gardn. & Champ.) Merr.

| 药 材 名 | 阔叶猕猴桃。

| 形态特征 | 大型落叶藤本。着花小枝绿色至蓝绿色，一般长 15 ～ 20 cm，直径约 2.5 mm，基本无毛，至多幼嫩时薄被微茸毛，或密被黄褐色绒毛，皮孔显著或不显著，隔年枝直径约 8 mm；髓白色，片层状、中空或实心。叶坚纸质，通常为阔卵形，有时近圆形或长卵形，长 8 ～ 13 cm，宽 5 ～ 8.5 cm，最大可达 15 cm × 12 cm，先端短尖至渐尖，基部浑圆或浅心形、平截和阔楔形，等侧或稍不等侧，边缘具疏生的突尖状硬头小齿，腹面草绿色或榄绿色，无毛，有光泽，背面密被灰色至黄褐色短度的紧密的星状绒毛，或较长的疏松的星状绒毛，侧脉 6 ～ 7 对，横脉显著可见，网状小脉不易见；叶柄长 3 ～ 7 cm，无

毛或略被微茸毛。花序为 3 ~ 4 歧多花的大型聚伞花序，花序梗长 2.5 ~ 8.5 cm，花梗 0.5 ~ 1.5 cm，果期伸长并增大，雄花花序远较雌性花的为长，从上至下厚薄不均地被黄褐色短茸毛；苞片小，条形，长 1 ~ 2 mm；花有香气，直径 14 ~ 16 mm；萼片 5，淡绿色，瓢状卵形，长 4 ~ 5 mm，宽 3 ~ 4 mm，花开放时反折，两面均被污黄色短茸毛，内面较薄；花瓣 5 ~ 8，前半部及边缘部分白色，下半部的中央部分橙黄色，长圆形或倒卵状长圆形，长 6 ~ 8 mm，宽 3 ~ 4 mm，开放时反折；花丝纤弱，长 2 ~ 4 mm，花药卵状箭头形，长 1 mm；子房圆球形，长约 2 mm，密被污黄色茸毛，花柱长 2 ~ 3 mm，不育子房卵形，长约 1 mm，被茸毛。果暗绿色，圆柱形或卵状圆柱形，长 3 ~ 3.5 cm，直径 2 ~ 2.5 cm，具斑点，无毛或仅在两端有少量残存茸毛；种子纵径 2 ~ 2.5 mm。花期 5 月上旬至 6 月中旬，果期 11 月。

| 生境分布 | 生于海拔 450 ~ 800 m 山地的山谷或山沟地带的灌丛中、森林迹地上。分布于湖北秭归、罗田。

| 资源情况 | 野生资源较少，栽培资源丰富。

| 采收加工 | **果实**：全年均可采摘，洗净，鲜用或晒干。

茎、叶：春、夏采集，鲜用或晒干。

根：全年均可采挖，洗净，鲜用或晒干。

| 功能主治 | **果实**：益气养阴，用于久病虚弱，肺痨。

茎、叶：清热解毒，消肿止痛，除湿。用于咽喉肿痛，痈肿疔疮，毒蛇咬伤，烫火伤，泄泻。

根：清热除湿，消肿解毒。用于腰痛，筋骨疼痛，乳痈，疥疮。

猕猴桃科 Actinidiaceae 猕猴桃属 *Actinidia*

大籽猕猴桃 *Actinidia macrosperma* C. F. Liang

| 药 材 名 | 大籽猕猴桃。

| 形态特征 | 中小型落叶藤本或灌木状藤本；着花小枝淡绿色，长 5 ~ 20 cm，一般长 12 cm，直径 2 ~ 2.5 mm，无毛或下部薄被锈褐色小腺毛，皮孔不显著或稍显著，叶腋上偶见花梗萎断后残存的刺状残留物；芽无毛；隔年枝绿褐色，皮孔小且稀，仅仅可见；髓白色，实心。叶幼时膜质，老时近革质，卵形或椭圆形，长 3 ~ 8 cm，宽 1.7 ~ 5 cm，先端渐尖、急尖至浑圆，基部阔楔形至圆形，两侧对称或稍不对称，边缘有斜锯齿或圆锯齿，老时或近全缘，腹面绿色，无毛，背面浅绿色，脉腋上或有髯毛，中脉上或有短小软刺，叶脉不发达，侧脉 4 ~ 5 对；叶柄水红色，长 10 ~ 22 mm，无毛。花常单生，白

色，芳香，直径 2 ～ 3 cm；花序梗长 6 ～ 7 mm，花梗长 9 ～ 15 mm，均无毛或局部有少数小腺毛；苞片披针形或条形，长 1 ～ 2 mm，边缘有若干腺状毛；萼片 2 ～ 3，卵形至长卵形，先端有喙，长 6 ～ 12 mm，绿色，两面均洁净无毛；花瓣 5 ～ 12，瓢状倒卵形，长 10 ～ 15 mm；花丝丝状，长 3 ～ 7 mm，花药黄色，卵状箭头形，长 1.5 ～ 2.5 mm；子房瓶状，长 6 ～ 8 mm，直径 7 mm，无毛，花柱长约 5 mm。果实成熟时橘黄色，卵圆形或圆球形，长 3 ～ 3.5 cm，先端有乳头状的喙，基部有或无宿存萼片，果皮上无斑点，种子大，长 4 ～ 5 mm。

| 生境分布 | 生于丘陵或低山地的丛林中或林缘。分布于湖北点军、房县。

| 功能主治 | 清热解毒，消肿疖。

猕猴桃科 Actinidiaceae 猕猴桃属 *Actinidia*

黑蕊猕猴桃 *Actinidia melanandra* Franch.

| 药 材 名 | 黑蕊猕猴桃。

| 形态特征 | 中型落叶藤本。小枝洁净无毛，直径约 2.5 mm，有皮孔，肉眼难见，髓褐色或淡褐色，片层状。叶纸质，椭圆形、长方状椭圆形或狭椭圆形，长 5 ~ 11 cm，宽 2.5 ~ 5 cm，先端急尖至短渐尖，基部圆形或阔楔形，等侧或稍不等侧，锯齿显著至不显著，不内弯至内弯，腹面绿色，无毛，背面灰白色、粉绿色至苍绿色，侧脉腋上有髯毛或无，叶脉不显著，侧脉 6 ~ 7 对；叶柄无毛，长 1.5 ~ 5.5 cm。聚伞花序不均匀地薄被小茸毛，1 ~ 2 回分枝，有花 1 ~ 7；花序梗长 10 ~ 12 mm，花梗长 7 ~ 15 mm；苞片小，钻形，长约 1 mm；花绿白色，直径约 15 mm；萼片 5，有时 4，卵形至长方状卵形，长

3 ~ 6 mm，除边缘有流苏状缘毛外，他处均无毛；花瓣 5，有时 4 或 6，匙状倒卵形，长 6 ~ 13 mm；花药黑色，长方状箭头形，长约 2 mm，花丝丝状，长约 3 mm；子房瓶状，洁净无毛，长约 7 mm，花柱长 4 ~ 5 mm。果实瓶状卵珠形，长约 3 cm，无毛，无斑点，先端有喙，基部萼片早落。种子小，长约 2 mm。花期 5 月至 6 月上旬。

| 生境分布 | 生于海拔 1 000 ~ 1 600 m 的山地阔叶林中湿润处。分布于湖北郧西、鹤峰。

| 功能主治 | 清热解毒，化湿健胃，活血散结。

猕猴桃科 Actinidiaceae 猕猴桃属 *Actinidia*

葛枣猕猴桃 *Actinidia polygama* (Sieb. et Zucc.) Maxim.

| 药材名 | 葛枣猕猴桃。

| 形态特征 | 大型落叶藤本。着花小枝细长，一般 20 cm 以上，直径约 2.5 mm，基本无毛，最多幼枝顶部略被微柔毛，皮孔不很显著；髓白色，实心。叶膜质（花期）至薄纸质，卵形或椭圆卵形，长 7 ~ 14 cm，宽 4.5 ~ 8 cm，先端急渐尖至渐尖，基部圆形或阔楔形，边缘有细锯齿，腹面绿色，散生少数小刺毛，有时前端部变为白色或淡黄色，背面浅绿色，沿中脉和侧脉多少有一些卷曲的微柔毛，有时中脉上着生少数小刺毛，叶脉比较发达，在背面呈圆线形，侧脉约 7 对，其上段常分叉，横脉颇显著，网状小脉不明显；叶柄近无毛，长 1.5 ~ 3.5 cm。花序 1 ~ 3 花，花序梗长 2 ~ 3 mm，花梗长 6 ~ 8 mm，

均薄被微绒毛；苞片小，长约 1 mm；花白色，芳香，直径 2 ～ 2.5 cm；萼片 5，卵形至长方卵形，长 5 ～ 7 mm，两面薄被微茸毛或近无毛；花瓣 5，倒卵形至长方状倒卵形，长 8 ～ 13 mm，最外 2 ～ 3 的背面有时略被微茸毛；花丝线形，长 5 ～ 6 mm，花药黄色，卵形箭头状，长 1 ～ 1.5 mm；子房瓶状，长 4 ～ 6 mm，洁净无毛，花柱长 3 ～ 4 mm。果实成熟时淡橘色，卵珠形或柱状卵珠形，长 2.5 ～ 3 cm，无毛，无斑点，先端有喙，基部有宿存萼片；种子长 1.5 ～ 2 mm。花期 6 月中旬至 7 月上旬，果熟期 9 ～ 10 月。

｜生境分布｜ 生于海拔 500 ～ 1 900 m 的山林、河边灌丛、山谷杂木林缘中。分布于湖北利川、鹤峰、竹溪。

| 采收加工 |

枝叶：春、秋季采收，晒干或鲜用。

果实：秋季采收，晒干或鲜用。

根：全年均可采挖，洗净，晒干或鲜用。

| 功能主治 |

枝叶：祛除风湿，温经止痛，消癥瘕。用于中风半身不遂，风寒湿痹，腰疼，疝痛，癥瘕积聚，气痢，白癜风。

果实：祛风通络，活血行气，散寒止痛。用于中风口眼歪斜，痃癖腹痛，腰痛，疝气。

根：祛风散寒，杀虫止痛。用于寒痹腰痛，风虫牙痛。

猕猴桃科 Actinidiaceae 猕猴桃属 *Actinidia*

红茎猕猴桃 *Actinidia rubricaulis* Dunn

| 药 材 名 | 红茎猕猴桃。

| 形态特征 | 较大的中型半常绿藤本。除子房外，全体洁净无毛。着花小枝较坚硬，红褐色，长 3 ~ 15 cm，一般 10 cm 左右，直径 2.5 mm，皮孔较显著，髓污白色，实心；隔年枝深褐色，直径 4 ~ 4.5 mm，具纵行棱脊。叶坚纸质至革质，长方状披针形至倒披针形，偶见矩卵形，长 7 ~ 12 cm，宽 3 ~ 4.5 cm，先端渐尖至急尖，基部钝圆至阔楔状钝圆形，边缘有较稀疏的硬尖头小齿，有时略成浅波状，具齿处凹陷，倒披针形叶的上方有若干粗大锯齿，腹面深绿色，背面淡绿色，叶脉不发达；在叶面稍下陷或与叶面平，在叶背突出，基本呈圆线形，侧脉 8 ~ 10 对，弯拱形，横脉极不显著，网脉则较显著，可见；叶柄水红色，长 1 ~ 3 cm。花序通常单花，绝少 2 ~ 3 花，

花序梗长 2 ～ 10 mm，花梗长 5 ～ 12 mm；花白色或红色，直径约 1 cm；萼片 4 ～ 5，卵圆形至矩卵形，长 4 ～ 5 mm，基本洁净或内面和靠边部分有短茸毛；花瓣 5，瓢状倒卵形，长 5 ～ 6 mm；花丝粗短，长 1 ～ 3 mm，花药心状或略矩圆状箭头形，长 1.5 ～ 2 mm；子房柱球形，长约 2 mm，被茶褐色短绒毛，花柱粗短，约与子房等长。果暗绿色，卵圆形至柱状卵珠形，长 1 ～ 1.5 cm，幼时被有茶褐色绒毛，渐老渐秃净，有枯褐色斑点，晚期仍有反折的宿存萼片。花期 4 月中旬至 5 月下旬。

| 生境分布 | 生于海拔 300 ～ 1 800 m 的山地阔叶林中。分布于湖北神农架、秭归。

| 功能主治 | 祛风活络，消肿止痛，行气散瘀。用于风湿痹痛，跌打损伤，瘀血肿痛。

猕猴桃科 Actinidiaceae 猕猴桃属 *Actinidia*

革叶猕猴桃 *Actinidia rubricaulis* Dunn var. *coriacea* (Fin. et Gagn.) C. F. Liang

| 药 材 名 | 革叶猕猴桃。

| 形态特征 | 攀缘灌木。枝红褐色，无毛，具皮孔；髓实心，坚固，淡白色或淡黄色。叶厚革质，长圆形至卵状长圆形，椭圆状长圆形，长 4 ~ 13 cm，宽 2 ~ 4 cm，先端急尖至渐尖，基部楔形至宽楔形，下部全缘，中部以上具疏红色腺细锯齿，两面无毛，主脉上面具槽，背面隆起，侧脉每边 6 ~ 7，细，网结，细脉不明显；叶柄长 2 ~ 2.5 cm，无毛。花生于无叶小枝或幼枝条无叶部分，花梗细，长约 2.2 mm，无毛；萼片 5，卵形，长 4 ~ 5 mm，宽约 3.5 mm，先端钝，外面无毛，内生白色短柔毛，边缘具缘毛；花瓣 5，红色，边缘淡白色或淡黄色，近圆形，长 7 ~ 10 mm，宽 4 ~ 7 mm，先端圆形，基部狭窄；

花丝红色，长 1.5 mm，花药黄色；子房圆锥状，长约 2.5 mm，直径约 1.5 mm，密生白色短绒毛，花柱丝状，长 3 mm。浆果卵形或球形，长 2 cm，褐色，成熟时无毛，有斑点。

| 生境分布 | 生于海拔 1 000 m 以上的山地阔叶林中、山地灌丛中、林中或沟边。分布于湖北鹤峰、神农架。

| 采收加工 | 秋季采果，晒干。秋季采挖根，洗净，晒干。

| 功能主治 | **果实：**抗肿瘤。用于肿瘤。

根：行气活血。用于跌打损伤，腰背疼痛，内伤吐血。

猕猴桃科 Actinidiaceae 猕猴桃属 *Actinidia*

四萼猕猴桃 *Actinidia tetramera* Maxim.

| 药 材 名 |

四萼猕猴桃。

| 形态特征 |

中型落叶藤本。着花小枝长 3 ~ 8 cm，直径约2.5 mm，红褐色，无毛，皮孔显著，髓褐色，片层状；隔年枝直径约 3 mm。叶薄纸质，长方状卵形、长方状椭圆形或椭圆状披针形，长 4 ~ 8 cm，宽 2 ~ 4 cm，先端长渐尖，基部楔状狭圆形、圆形或截形，两侧不对称，边缘有细锯齿，两面近同色，有时上部变为白色，腹面完全无毛，叶背脉腋上有极显著的白色髯毛，叶面完全无毛，叶背仅在中脉下段和叶柄上有少量小刺毛，中脉的下段乃至叶柄上常有一些白色小刺毛或叶面中脉和侧脉有较多的刺毛，侧脉 6 ~ 7 对，叶干后两面均极易见，横脉与网状小脉很不发达，几不可见；叶柄水红色，长 1.2 ~ 3.5 cm。花白色，渲染淡红色，通常花单生，极少 2 ~ 3 花集成聚伞花序，雌花远比雄花常见；花梗丝状，无毛，长 1.5 ~ 2.2 cm；苞片废退；萼片 4，少数 5，长方状卵形，长 4 ~ 5 mm，两面洁净无毛，唯边缘有极细睫状毛；花瓣 4，少数 5，瓢状倒卵形，长 7 ~ 10 mm；花丝丝状，长约 4 mm，基部膨大如棒头，

花药黄色，长圆形，长约 1.5 mm，两端钝圆；子房榄球形，长约 3.5 mm，洁净无毛，花柱细长，长约 4 mm。果熟时橘黄色，卵珠状，无毛，无斑点，有反折的宿存萼片；种子长 2.5 mm。花期 5 月中旬至 6 月中旬，果熟期 9 月中旬开始。

| 生境分布 | 生于海拔 1 100 ~ 2 700 m 的山地丛林中近水处。分布于湖北竹溪。

| 资源情况 | 野生资源稀少，栽培资源丰富。

| 功能主治 | 止渴生津，解热。

猕猴桃科 Actinidiaceae 猕猴桃属 *Actinidia*

巴东猕猴桃 *Actinidia tetramera* Maxim. var. *badongensis* C. F. Liang

| 药 材 名 | 巴东猕猴桃。

| 形态特征 | 中型落叶藤本。着花小枝长 3 ~ 8 cm，直径约 2.5 mm，红褐色，无毛，皮孔显著，髓褐色，片层状；隔年枝直径约 3 mm。叶薄纸质，长方卵形、长方状椭圆形或椭圆状披针形，长 4 ~ 8 cm，宽 2 ~ 4 cm，先端长渐尖，基部楔状狭圆形、圆形或截形，两侧不对称，边缘有细锯齿，两面近同色，有时上部变为白色，腹面完全无毛，叶背脉腋上无髯毛，叶面中脉和侧脉常有较多的刺毛，侧脉 6 ~ 7 对，叶干后两面均极易见，横脉与网状小脉很不发达，几不可见；叶柄水红色，长 1.2 ~ 3.5 cm。花白色，渲染淡红色，通常 1 花单生，极少为 2 ~ 3 成聚伞花序的，雌性花远比雄性花普遍常见；

花梗丝状，无毛，长 1.5 ～ 2.2 cm；苞片废退；萼片 4，少数 5，长方卵形，长 4 ～ 5 mm，两面洁净无毛，唯边缘有极细睫状毛；花瓣 4，少数 5，瓢状倒卵形，长 7 ～ 10 mm；花丝丝状，长约 4 mm，基部膨大如棒头，花药黄色，长圆形，长约 1.5 mm，两端钝圆；子房榄球形，长约 3.5 mm，洁净无毛，花柱细长，长约 4 mm。果实成熟时橘黄色，卵珠状，长 1.52 cm，无毛，无斑点，有反折的宿存萼片；种子长 2.5 mm。花期 5 月中旬至 6 月中旬，果熟期 9 月中开始。

| **生境分布** | 生于海拔 2 300 ～ 2 400 m 的山地杂木林中。分布于湖北巴东。

| **功能主治** | 止渴生津，清热解毒。

猕猴桃科 Actinidiaceae 猕猴桃属 *Actinidia*

毛蕊猕猴桃 *Actinidia trichogyna* Franch.

| 药材名 | 毛蕊猕猴桃。

| 形态特征 | 中型落叶藤本。着花小枝短者长 4 ～ 8 cm，长者长 17 ～ 30 cm，直径 2 ～ 4 mm，洁净无毛，芽体被锈色绒毛，皮孔不显著至较显著；隔年枝直径 3 ～ 6 mm，皮孔较显著，髓淡褐色，片层状。叶纸质至软革质（成熟叶），卵形至长卵形，长 5 ～ 10 cm，宽 3 ～ 6 cm，先端急尖至渐尖，基部钝至圆形乃至浅心形，两侧基本对称或稍不对称，边缘有小锯齿，腹面绿色，背面粉绿色，两面完全无毛，叶脉不发达，侧脉 6 ～ 7 对，横脉几不可辨，网脉细密；叶柄水红色，长 2.5 ～ 5 cm，洁净无毛。花序具 1 ～ 3 花，洁净无毛，花序梗短，长 2 ～ 3 mm，花梗长 7 ～ 8 mm；苞片狭三角形，长约 1.5 mm；

花白色，直径约 2 cm；萼片 5，长圆形，长 5 ~ 6 mm，外面的边缘部分和内面全部薄被灰黄色短茸毛；花瓣 5，倒卵形，基本平展，长 9 ~ 10 mm；花丝丝状，长 4 ~ 6 mm，花药黄色，长圆形，长 2.5 ~ 3 mm；子房柱状近球形，长约 3 mm，薄被灰黄色茸毛，花柱比子房稍短。果实成熟时暗绿色，秃净，具褐色斑点，近球形、卵珠形或柱状长圆形，长 15 ~ 30 mm，直径 10 ~ 20 mm，大多数单生，少数 1 序 2 果，稀 3 果；种子长约 2 mm。花期 5 月下旬至 7 月上旬，果期 10 月。

| **生境分布** | 生于海拔 1 000 ~ 1 800 m 的山地树林中。分布于湖北利川、鹤峰、长阳。

| **功能主治** | 清热解毒，补虚益损。

猕猴桃科 Actinidiaceae 猕猴桃属 *Actinidia*

对萼猕猴桃 *Actinidia valvata* Dunn

| 药材名 | 对萼猕猴桃。

| 形态特征 | 中型落叶藤本。着花小枝淡绿色，长 10 ~ 15 cm，直径约 2 mm，幼嫩时薄被极微小的茸毛，皮孔很不显著；隔年枝灰绿色，皮孔较显著；髓白色，实心。叶近膜质，阔卵形至长卵形，长 5 ~ 13 cm，宽 2.5 ~ 7.5 cm，先端渐尖至浑圆，基部阔楔形至截圆形，不下延或下延，两侧稍不对称；边缘有细锯齿，腹面绿色，背面稍淡，两面均无毛，叶脉不很发达，侧脉 5 ~ 6 对；叶柄水红色，无毛，长 15 ~ 20 mm。花序具 2 ~ 3 花或 1 花单生；花序梗长约 1.5 cm，花梗长不及 1 cm，均略被微茸毛；苞片钻形，长 1 ~ 2 mm；花白色，直径约 2 cm；萼片 2 ~ 3，卵形至长方状卵形，长 6 ~ 9 mm，两面

均无毛或外面的中间部分略被微茸毛；花瓣 7 ~ 9，近圆形，长 1 ~ 1.5 cm，宽 10 ~ 12 mm；花丝丝状，长约 5 mm，花药橙黄色，条状矩圆形，长 2.5 ~ 4 mm；子房瓶状，长约 5 mm，洁净无毛，花柱比子房稍长。果实成熟时橙黄色，卵珠状，稍偏肿，长 2 ~ 2.5 cm，无斑点，先端有尖喙，基部有反折的宿存萼片。花期 5 月上旬。

| 生境分布 | 生于低海拔的山区山谷丛林中。分布于湖北南漳、保康、枣阳、鹤峰、通城。

| 采收加工 | **根**：夏、秋季采挖，洗净，切片或切段，晒干。

| 功能主治 | 清热解毒，消肿。用于上呼吸道感染，夏季热，带下，痈肿疮疖，麻风病。

山茶科 Theaceae 山茶属 *Camellia*

尖连蕊茶 *Camellia cuspidata* (Kochs) Wright ex Gard.

| 药 材 名 | 尖连蕊茶。

| 形态特征 | 灌木。高达 3 m，嫩枝无毛，或最初开放的新枝有微毛，很快变秃净。叶革质，卵状披针形或椭圆形，长 5 ~ 8 cm，宽 1.5 ~ 2.5 cm，先端渐尖至尾状渐尖，基部楔形或略圆，上面干后黄绿色，发亮，下面浅绿色，无毛；侧脉 6 ~ 7 对，在上面略下陷，在下面不明显；边缘密具细锯齿，齿刻相隔 1 ~ 1.5 mm；叶柄长 3 ~ 5 mm，略有残留短毛。花单独顶生，花梗长 3 mm，有时稍长；苞片 3 ~ 4，卵形，长 1.5 ~ 2.5 mm，无毛；花萼杯状，长 4 ~ 5 mm，萼片 5，无毛，不等大，分离至基部，厚革质，阔卵形，先端略尖，薄膜质，花冠白色，长 2 ~ 2.4 cm，无毛；花瓣 6 ~ 7，基部连生 2 ~ 3 mm，并与雄蕊

的花丝贴生，外侧 2 ~ 3 花瓣较小，革质，长 1.2 ~ 1.5 cm，内侧 4 或 5 花瓣长达 2.4 cm；雄蕊比花瓣短，无毛，外轮雄蕊只在基部和花瓣合生，其余部分离生，花药背部着生；雌蕊长 1.8 ~ 2.3 cm，子房无毛；花柱长 1.5 ~ 2 cm，无毛，先端 3 浅裂，裂片长约 2 mm。蒴果圆球形，直径 1.5 cm，有宿存苞片和萼片，果皮薄，1 室，种子 1，圆球形。花期 4 ~ 7 月。

| 生境分布 | 生于海拔 400 ~ 1 060 m 的山坡林下。分布于湖北竹溪、通山、鹤峰、神农架、大冶、保康、秭归、南漳、咸丰。

| 采收加工 | **根：**全年均可采挖，去栓皮，洗净，切段，晒干。

| 功能主治 | 健脾消食，补虚。用于脾虚食少，病后体弱。

山茶科 Theaceae 山茶属 *Camellia*

山茶 *Camellia japonica* L.

| 药 材 名 | 山茶花、山茶根、山茶叶、山茶子。

| 形态特征 | 灌木或小乔木。高 9 m，嫩枝无毛。叶革质，椭圆形，长 5 ~ 10 cm，宽 2.5 ~ 5 cm，先端略尖，或急短尖而有钝尖头，基部阔楔形，上面深绿色，干后发亮，无毛，下面浅绿色，无毛，侧脉 7 ~ 8 对，在上、下两面均能见，边缘有相隔 2 ~ 3.5 cm 的细锯齿。叶柄长 8 ~ 15 mm，无毛。花顶生，红色，无梗；苞片及萼片约 10，组成长 2.5 ~ 3 cm 的杯状苞被，半圆形至圆形，长 4 ~ 20 mm，外面有绢毛，脱落；花瓣 6 ~ 7，外侧 2 花瓣近圆形，几离生，长 2 cm，外面有毛，内侧 5 花瓣基部连生约 8 mm，倒卵圆形，长 3 ~ 4.5 cm，无毛；雄蕊 3 轮，长 2.5 ~ 3 cm，外轮花丝基部连生，花丝管长

1.5 cm，无毛；内轮雄蕊离生，稍短，子房无毛，花柱长 2.5 cm，先端 3 裂。蒴果圆球形，直径 2.5 ~ 3 cm，2 ~ 3 室，每室有种子 1 ~ 2，3 爿裂开，果爿厚木质。花期 1 ~ 4 月。

| 生境分布 | 生于海拔 1 000 ~ 2 800 m 的山沟、水旁或疏林中。分布于湖北罗田、江陵、随县、咸丰、孝昌、广水、阳新、云梦、京山、汉川、崇阳、黄梅、石首、麻城、长阳、曾都、南漳、沙洋、蔡甸、红安、谷城，以及武汉、随州等。

| 资源情况 | 无野生资源，栽培资源丰富。

| 采收加工 | **山茶花：**4 ~ 5 月花朵盛开期分批采收，晒干或炕干。在干燥过程中要少翻动，避免破碎或散瓣。

山茶根：全年均可采，洗净，晒干。

山茶叶：全年均可采收，鲜用或洗净晒干。

山茶子：10 月采收成熟果实，取种子，晒干。

| 功能主治 | **山茶花：**凉血止血，散瘀消肿。用于吐血，衄血，咯血，便血，痔血，赤白痢，血淋，血崩，带下，烫伤，跌扑损伤。

山茶根：散瘀消肿，消食。用于跌打损伤，食积腹胀。

山茶叶：清热解毒，止血。用于痈疽肿毒，烫火伤，出血。

山茶子：去油垢。用于发多油腻。

山茶科 Theaceae 山茶属 *Camellia*

油茶 *Camellia oleifera* Abel.

| 药 材 名 | 油茶。

| 形态特征 | 灌木或中乔木。嫩枝有粗毛。叶革质，椭圆形、长圆形或倒卵形，先端尖而有钝头，有时渐尖或钝，基部楔形，长 5 ~ 7 cm，宽 2 ~ 4 cm，有时较长，上面深绿色，发亮，中脉有粗毛或柔毛，下面浅绿色，无毛或中脉有长毛，侧脉在上面能见，在下面不很明显，边缘有细锯齿，有时具钝齿，叶柄长 4 ~ 8 mm，有粗毛。花顶生，近无梗，苞片与萼片约 10，由外向内逐渐增大，阔卵形，长 3 ~ 12 mm，背面有贴紧柔毛或绢毛，花后毛脱落，花瓣 5 ~ 7，白色，倒卵形，长 2.5 ~ 3 cm，宽 1 ~ 2 cm，有时较短或更长，先端凹入或 2 裂，基部狭窄，近离生，背面有丝毛，至少在最外侧的有丝毛；雄蕊长

1 ~ 1.5 cm，外侧雄蕊仅基部略连生，偶有花丝管长达 7 mm 的，无毛，花药黄色，背部着生；子房有黄长毛，3 ~ 5 室，花柱长约 1 cm，无毛，先端不同程度 3 裂。蒴果球形或卵圆形，直径 2 ~ 4 cm，1 室或 3 室，2 爿或 3 爿裂开，每室有种子 1 或 2，果爿厚 3 ~ 5 mm，木质，中轴粗厚；苞片及萼片脱落后留下的果柄长 3 ~ 5 mm，粗大，有环状短节。花期冬春间。

| 生境分布 | 生于海拔 500 m 以下的丘陵、山岗、平原地区。分布于湖北利川、来凤、五峰、襄城、宜城、安陆、谷城、英山、应城、梁子湖、铁山、枝江、咸丰、蕲春、建始、张湾、猇亭、竹溪、秭归、嘉鱼、曾都、黄陂、团风、宣恩、通城、房县、通山、鹤峰、保康、当阳、宜都、长阳、夷陵、大冶、神农架。

| 资源情况 | 野生资源稀少，栽培资源丰富。

| 采收加工 | **茶油子：**秋季果实成熟时采集种子，榨取油。

油茶根：全年均可采收，鲜用或晒干。

油茶叶：全年均可采收，鲜用或晒干。

油茶花：冬季采收。

| 功能主治 | **种子：**行气，润肠，杀虫。用于气滞腹痛，肠燥便秘，蛔虫病，钩虫病，疥癣瘙痒。

根：清热解毒，理气止痛，活血消肿。用于咽喉肿痛，胃痛，牙痛，跌打伤痛，烫火伤。

叶：收敛止血，解毒。用于皮肤溃烂瘙痒，疮疽。

花：凉血止血。用于吐血，咯血，便血，子宫出血，烫伤。

茶油饼：燥湿解毒，杀虫去积，消肿止痛。用于湿疹痛痒，跌打伤肿。

山茶科 Theaceae 山茶属 *Camellia*

滇山茶 *Camellia reticulata* Lindl.

| 药 材 名 | 滇山茶。

| 形态特征 | 灌木至小乔木。有时高达 15 m。嫩枝无毛。叶阔椭圆形，长 8 ~ 11 cm，宽 4 ~ 5.5 cm，先端尖锐或急短尖，基部楔形或圆形，上面干后深绿色，发亮，下面深褐色，无毛，侧脉 6 ~ 7 对，在上面可见，在下面凸起，边缘有细锯齿；叶柄长 8 ~ 13 mm，无毛。花顶生，红色，直径约 10 cm，无梗；苞片及萼片 10 ~ 11，组成长 2.5 cm 的杯状苞被，最下 1 ~ 2 半圆形，短小，其余圆形，长 1.5 ~ 2 cm，背面多黄白色绢毛；花瓣 6 ~ 7，红色，最外 1 花瓣近似萼片，倒卵圆形，长约 2.5 cm，背面有黄色绢毛，其余花瓣倒卵圆形，长 5 ~ 5.5 cm，宽 3 ~ 4 cm，先端圆或微凹入，基部连生约 1.5 cm，无毛；雄蕊长

约 3.5 cm，外轮花丝基部 1.5 ～ 2 cm 联结成花丝管，游离花丝无毛；子房有黄白色长毛，花柱长 3 ～ 3.5 cm，无毛或基部有白色。蒴果扁球形，高 4.5 cm，宽 5.5 cm，3 爿裂开，果爿厚 7 mm；种子卵球形，长约 1.5 cm。

| **生境分布** | 湖北有栽培。分布于湖北团风。

| **采收加工** | **叶、花：**冬季采集，晒干。

| **功能主治** | 凉血止血，解毒止痢。用于吐血，便血，月经过多，刀伤出血，泄泻，痢疾，烫火伤。

山茶科 Theaceae 山茶属 *Camellia*

茶 *Camellia sinensis* (L.) O. Ktze.

| 药 材 名 | 茶。

| 形态特征 | 灌木或小乔木。嫩枝无毛。叶革质，长圆形或椭圆形，长 4 ~ 12 cm，宽 2 ~ 5 cm，先端钝或尖锐，基部楔形，上面发亮，下面无毛或初时有柔毛，侧脉 5 ~ 7 对，边缘有锯齿，叶柄长 3 ~ 8 mm，无毛。花 1 ~ 3 腋生，白色，花梗长 4 ~ 6 mm，有时稍长；苞片 2，早落；萼片 5，阔卵形至圆形，长 3 ~ 4 mm，无毛，宿存；花瓣 5 ~ 6，阔卵形，长 1 ~ 1.6 cm，基部略连合，背面无毛，有时有短柔毛；雄蕊长 8 ~ 13 mm，基部连生 1 ~ 2 mm；子房密生白毛；花柱无毛，先端 3 裂，裂片长 2 ~ 4 mm。蒴果 1 ~ 2 球形或 3 球形，高 1.1 ~ 1.5 cm，每球有种子 1 ~ 2。花期 10 月至翌年 2 月。

| 生境分布 | 生于海拔 200 ~ 800 m 的坡地上。分布于湖北恩施、神农架，以及宜昌、襄阳、十堰。

| 功能主治 | 消食去腻，降火明目，宁心除烦，清暑解毒，生津止渴。

山茶科 Theaceae 柃木属 *Eurya*

窄叶柃 *Eurya stenophylla* Merr. var. *stenophylla*

| 药材名 | 窄叶柃。

| 形态特征 | 灌木。高 0.5 ~ 2 m。全株无毛。嫩枝黄绿色，有 2 棱，小枝灰褐色；顶芽披针形。叶革质或薄革质，狭披针形，有时为狭倒披针形，长 3 ~ 6 cm，宽 1 ~ 1.5 cm，先端锐尖或短渐尖，基部楔形至阔楔形，边缘有钝锯齿，上面深绿色，有光泽，下面淡绿色，两面无毛，中脉在上面凹下，在下面凸起，侧脉 6 ~ 8 对，在上面不明显或稍凹下，在下面略明显且稍隆起；叶柄长约 1 mm。花 1 ~ 3 簇生于叶腋，花梗长 3 ~ 4 mm，无毛。雄花：小苞片 2，圆形，长约 0.5 mm，先端圆，有小突尖；萼片 5，近圆形，长约 3 mm，先端圆，无毛；花瓣 5，倒卵形，长 5 ~ 6 mm；雄蕊 14 ~ 16，花药不具分格，退化子房无

毛。雌花：小苞片与雄花同；萼片 5，卵形，长约 1.5 mm，无毛；花瓣 5，白色，卵形，长约 5 mm；子房卵形，无毛，花柱长约 2.5 mm，先端 3 裂。果实长卵形，长 5 ～ 6 mm，直径 3 ～ 4 mm。花期 10 ～ 12 月，果期翌年 7 ～ 8 月。

| **生境分布** | 生于海拔 200 ～ 600 m 的山地。湖北有分布。

| **功能主治** | 祛风除湿，解毒敛疮。

山茶科 Theaceae 紫茎属 *Stewartia*

紫茎 *Stewartia sinensis* Rehd. et Wils.

| 药 材 名 | 紫茎。

| 形态特征 | 小乔木。树皮灰黄色。嫩枝无毛或有疏毛，冬芽苞约7。叶纸质，椭圆形或卵状椭圆形，长6～10 cm，宽2～4 cm，先端渐尖，基部楔形，边缘有粗齿，侧脉7～10对，下面叶腋常有簇生毛丛；叶柄长1 cm。花单生，直径4～5 cm，花梗长4～8 mm；苞片长卵形，长2～2.5 cm，宽1～1.2 cm；萼片5，基部连生，长卵形，长1～2 cm，先端尖，基部有毛；花瓣阔卵形，长2.5～3 cm，基部连生，外面有绢毛；雄蕊有短的花丝管，被毛；子房有毛。蒴果卵圆形，先端尖，宽1.5～2 cm；种子长1 cm，有窄翅。花期6月。

| 生境分布 | 生于海拔600～1 900 m的常绿阔叶林或常绿、落叶阔叶混交林中

或林缘。分布于湖北保康、嘉鱼、神农架。

| 采收加工 | **根皮、茎皮：**秋季采收，晒干。

| 功能主治 | 活血舒筋，祛风除湿。用于跌打损伤，风湿麻木。

藤黄科 Guttiferae 金丝桃属 *Hypericum*

黄海棠 *Hypericum ascyron* L.

|药材名|

黄海棠。

|形态特征|

多年生草本。高 0.5 ~ 1.3 m。茎直立或在基部上升，单一或数茎丛生，不分枝或上部具分枝，有时于叶腋抽出小枝条，茎及枝条幼时具 4 棱，后明显具 4 纵线棱。叶无柄，叶片披针形、长圆状披针形、长圆状卵形至椭圆形或狭长圆形，长（2 ~）4 ~ 10 cm，宽（0.4 ~）1 ~ 2.7（~ 3.5）cm，先端渐尖、锐尖或钝形，基部楔形或心形而抱茎，全缘，坚纸质，上面绿色，下面通常淡绿色且散布淡色腺点，中脉、侧脉及近边缘脉下面明显，脉网较密。花序具 1 ~ 35 花，顶生，近伞房状至狭圆锥状，后者包括多数分枝；花直径（2.5 ~）3 ~ 8 cm，平展或外反；花蕾卵珠形，先端圆形或钝形；花梗长 0.5 ~ 3 cm；萼片卵形或披针形至椭圆形或长圆形，长（3 ~）5 ~ 15（~ 25）mm，宽 1.5 ~ 7 mm，先端锐尖至钝形，全缘，结果时直立；花瓣金黄色，倒披针形，长 1.5 ~ 4 cm，宽 0.5 ~ 2 cm，十分弯曲，具腺斑或无腺斑，宿存；雄蕊极多数，5 束，每束有雄蕊约 30，花药金黄色，具松脂状腺点；子房宽卵珠形至狭卵珠状三角形，长 4 ~ 7（~ 9）mm，5 室，具中央空腔；花柱 5，长为子房的 1/2 至 2 倍，自基部或至上部 4/5 处分离。蒴果为或宽或狭的卵珠形或卵珠状三角形，长 0.9 ~ 2.2 cm，宽 0.5 ~ 1.2 cm，棕褐色，成熟后先端 5 裂，柱头常折落；种子棕色或黄褐色，圆柱形，微弯，长 1 ~ 1.5 mm，有明显的龙骨状突起或狭翅和细的蜂窝纹。花期 7 ~ 8 月，果期 8 ~ 9 月。

| 生境分布 | 生于海拔 0 ~ 2 800 m 的山坡林下、林缘、灌丛中、草丛中、草甸中、溪旁及河岸湿地等处。庭院有栽培。分布于湖北恩施、神农架、保康、秭归、松滋、沙洋、房县、黄陂、大悟、石首、蕲春。

| 功能主治 | 用于吐血，子宫出血，外伤出血，疮疖痈肿，风湿，痢疾，月经不调等。

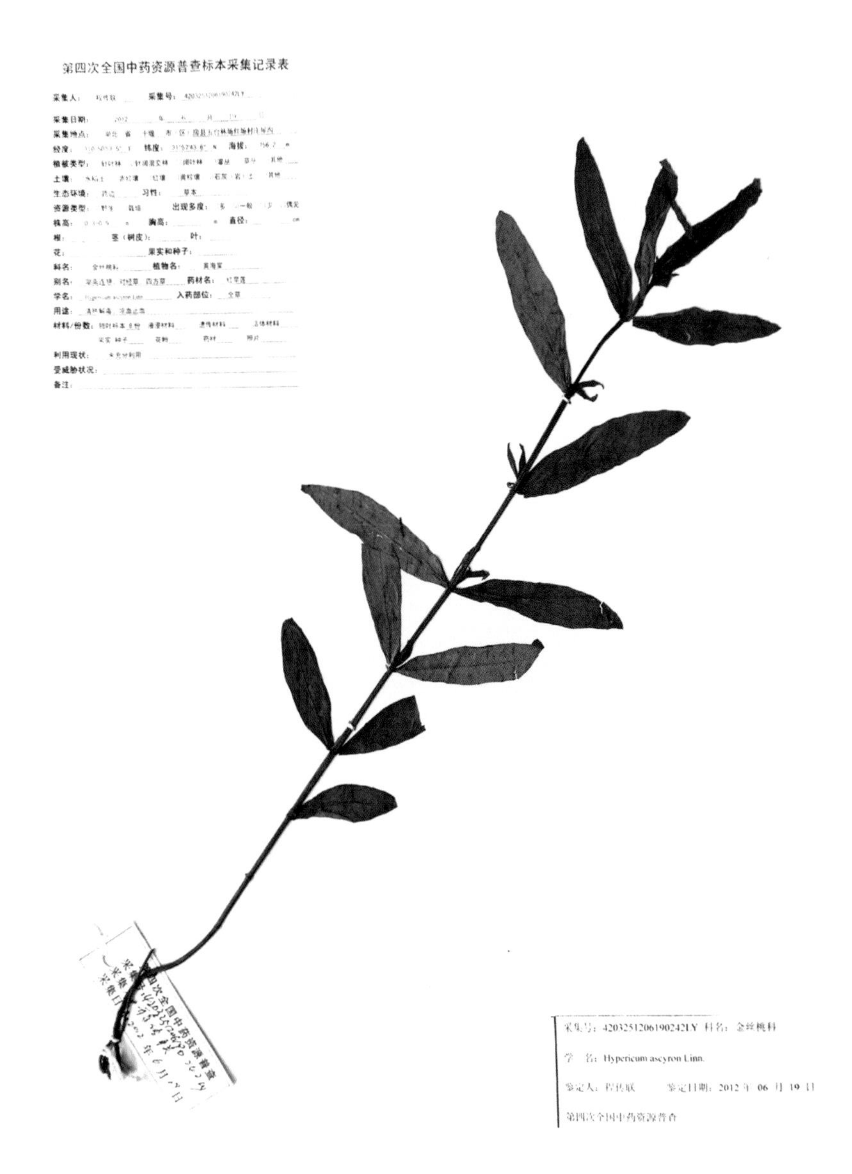

藤黄科 Guttiferae 金丝桃属 *Hypericum*

赶山鞭 *Hypericum attenuatum* Choisy

|药材名|

赶山鞭。

|形态特征|

多年生草本。高（15 ~ ）30 ~ 74 cm；根茎具发达的侧根及须根。茎数个丛生，直立，圆柱形，常有2纵线棱，且全面散生黑色腺点。叶无柄；叶片卵状长圆形或卵状披针形至长圆状倒卵形，长（0.8 ~ ）1.5 ~ 2.5（ ~ 3.8）cm，宽（0.3 ~ ）0.5 ~ 1.2 cm，先端圆钝或渐尖，基部渐狭或微心形，略抱茎，全缘，两面通常光滑，下面散生黑腺点，侧脉2对，与中脉在上面凹陷，在下面凸起，边缘脉及脉网不明显。花序顶生，多花或有时少花，为近伞房状或圆锥花序；苞片长圆形，长约0.5 cm；花直径1.3 ~ 1.5 cm，平展；花蕾卵珠形；花梗长3 ~ 4 mm；萼片卵状披针形，长约5 mm，宽2 mm，先端锐尖，表面及边缘散生黑腺点；花瓣淡黄色，长圆状倒卵形，长1 cm，宽约0.4 cm，先端钝形，表面及边缘有稀疏的黑腺点，宿存；雄蕊3束，每束有雄蕊约30，花药具黑腺点；子房卵珠形，长约3.5 mm，3室；花柱3，自基部离生，与子房等长或稍长于子房。蒴果卵珠形或长圆状卵珠形，长0.6 ~ 10 mm，

宽约 4 mm，具长短不等的条状腺斑。种子黄绿、浅灰黄或浅棕色，圆柱形，微弯，长 1.2 ~ 1.3 mm，宽约 0.5 mm，两端钝形且具小尖突，两侧有龙骨状突起，表面有细蜂窝纹。花期 7 ~ 8 月，果期 8 ~ 9 月。

| 生境分布 | 生于山坡杂草中。分布于湖北咸丰、应城、襄城、巴东、秭归、宜城、松滋、房县。

| 采收加工 | **全草**：秋季采摘，晒干。

| 功能主治 | 止血，镇痛，通乳。用于咯血，吐血，子宫出血，风湿关节痛，神经痛，跌打损伤，乳汁缺乏，乳腺炎；外用于创伤出血，痈疖肿毒。

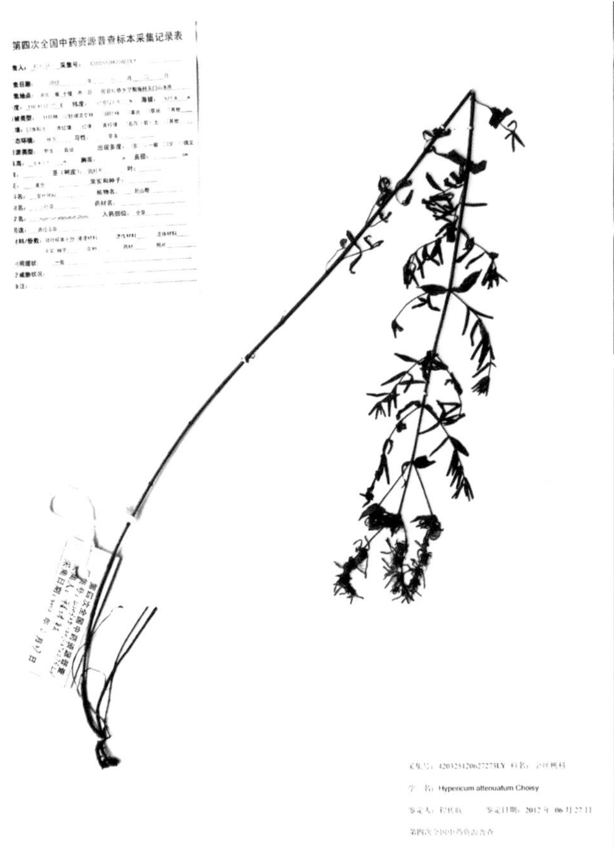

藤黄科 Guttiferae 金丝桃属 *Hypericum*

挺茎遍地金 *Hypericum elodeoides* Choisy

| 药 材 名 | 挺茎遍地金。

| 形态特征 | 多年生草本。高 0.2 ~ 0.4 m。全体无毛。根茎具发达的侧根及须根。茎数枚丛生，直立或下部依地而上升，圆柱形，无腺点，单一或上部分枝，分枝有花序。叶近无柄；叶片披针状长圆形至长圆形，长 2 ~ 5.5 cm，宽 0.5 ~ 1 cm，先端钝形或近圆形，基部浅心形而略抱茎，全缘，坚纸质，上面绿色，下面淡绿色，边缘疏生黑色腺点，全面

散布多数透明松脂状腺点，侧脉每边约 3，斜升，与中脉在上面略凹陷，在下面凸起，脉网稀疏，下面明显可见。花序于茎及分枝上顶生，为多花蝎尾状二歧聚伞花序，苞片及小苞片为卵状披针形至长圆状披针形，长 3 ~ 6 mm，全面散布松脂状腺条，边缘有小刺齿，齿端有黑色腺体；萼片卵状或长圆状披针形，长约 6 mm，宽 3 mm，先端锐尖，全面有松脂状腺条，边缘有小刺齿，齿端有黑色腺体；花瓣倒卵状长圆形，长约 15 mm，宽 4 mm，先端钝形，上部边缘具黑色腺点，有时尚有黑腺条；雄蕊 3 束，每束具雄蕊约 20，花丝长 0.8 ~ 1.1 cm，花药黄色，有黑色腺点；子房卵珠形，长约 4 mm；花柱 3，长为子房的 2 倍或 2 倍以上，自基部分离，叉开。蒴果卵珠形，长约 5 mm，宽 4 mm，成熟时褐色，外密布腺纹；种子黄褐色，圆柱形，长约 0.7 mm，一侧有不明显的棱状突起，先端无附属。花期 7 ~ 8 月，果期 9 ~ 10 月。

| 生境分布 | 生于海拔 750 ~ 3 100 m 的山坡草丛、灌丛、林下及田埂上。分布于湖北利川。

| 采收加工 | **全草：**夏季采收，洗净，晒干。

| 功能主治 | 清热解毒，止泻。用于小儿鹅口疮，小儿肺炎，口腔炎，乳痈，黄水疮，毒蛇咬伤，腹泻，久痢。

藤黄科 Guttiferae 金丝桃属 *Hypericum*

小连翘 *Hypericum erectum* Thunb. ex Murray

| 药 材 名 | 小连翘。

| 形态特征 | 多年生草本。高 0.3 ~ 0.7 m。茎单一，直立或上升，通常不分枝，有时上部分枝，圆柱形，无毛，无腺点。叶无柄，叶片长椭圆形至长卵形，长 1.5 ~ 5 cm，宽 0.8 ~ 1.3 cm，先端钝，基部心形抱茎，全缘，内卷，坚纸质，上面绿色，下面淡绿色，近边缘密生腺点，全面有或多或少的小黑腺点，侧脉每边约 5，斜上升，与中脉在上面凹陷，在下面凸起，脉网较密，下面多少明显。花序顶生，多花，伞房状聚伞花序，常具腋生花枝；苞片和小苞片与叶同形，长达 0.5 cm；花直径 1.5 cm，近平展；花梗长 1.5 ~ 3 mm；萼片卵状披针形，长约 2.5 mm，宽不及 1 mm，先端锐尖，全缘，边缘及全

面具黑腺点；花瓣黄色，倒卵状长圆形，长约 7 mm，宽 2.5 mm，上半部有黑色点线；雄蕊 3 束，宿存，每束有雄蕊 8 ~ 10，花药具黑色腺点；子房卵珠形，长约 3 mm，宽 1 mm；花柱 3，自基部离生，与子房等长。蒴果卵珠形，长约 10 mm，宽 4 mm，具纵向条纹；种子绿褐色，圆柱形，长约 0.7 mm，两侧具龙骨状突起，无顶生附属物，表面有细蜂窝纹。花期 7 ~ 8 月，果期 8 ~ 9 月。

| 生境分布 | 生于山坡草丛或山野较阴湿处。分布于湖北通山、来凤、利川、通城、英山、建始、宣恩、张湾、恩施、枣阳、竹溪、咸丰、鹤峰。

| 采收加工 | **全草**：夏、秋季采收，晒干或鲜用。

| 功能主治 | 活血，止血，调经，通乳，消肿，止痛。用于吐血，衄血，子宫出血，月经不调，乳汁不通，疖肿，跌打损伤，创伤出血。

藤黄科 Guttiferae 金丝桃属 *Hypericum*

扬子小连翘 *Hypericum faberi* R. Keller

| 药材名 | 扬子小连翘。

| 形态特征 | 多年生草本。高 0.2 ~ 0.8 m。茎屈膝状或匍匐状上升，圆柱形，多分枝。叶具柄，叶柄长 1 ~ 3 mm；叶片卵状长圆形至长圆形，长 1 ~ 2.5 cm，宽 0.6 ~ 0.8 cm，先端钝形或锐尖，基部宽楔形至圆形，全缘，扁平或略背卷，上面绿色，下面淡绿色，边缘生有黑腺点，全面散布淡色透明腺点，侧脉每边 2 ~ 3，自中脉中部以下生出，向上弧曲而联结，与中脉在上面微凹，在下面凸起，脉网稀疏，下面隐约可见。花序于茎及分枝上顶生，5 ~ 7 花，蝎尾状二歧聚伞花序；苞片及小苞片线形或线状披针形，长约 3 mm，边缘疏生黑腺点；花直径 5 mm，近平展；花梗长 1.5 ~ 3 mm；萼片倒卵状长圆形，

长 1.5 ～ 2 mm，宽约 0.8 mm，先端稍钝，基部楔形，边缘常疏生黑色腺点，全面有淡色腺点或腺条；花瓣黄色，倒卵状长圆形，长约 6 mm，宽 3 mm，先端钝形，全面无黑腺点或仅在先端具少数黑腺点，宿存；雄蕊 3 束，每束有雄蕊 7 ～ 8，花丝与花瓣约等长，花药黄色，有黑色腺点；子房卵珠形，长约 1.5 mm，1 室；花柱 3，长约 2 mm，自基部分离，叉开。蒴果卵珠形，长 5 ～ 6 mm，宽 3.5 ～ 4 mm，成熟时褐色，具纵腺条纹；种子黄褐色，圆柱形，长约 0.5 mm，两端锐尖，两侧无龙骨状突起，先端无附属物，表面有不明显的细蜂窝纹。花期 6 ～ 7 月，果期 8 ～ 9 月。

| 生境分布 | 生于海拔 1 100 ～ 2 600 m 的山坡草地、灌丛、路旁或田埂上。分布于湖北宣恩、南漳、随县、来凤、张湾、利川，以及随州。

| 功能主治 | 活血止血，调经止痛，解毒消肿。用于吐血，衄血，子宫出血，月经不调，乳汁不通，疖肿，跌打损伤，创伤出血。

藤黄科 Guttiferae 金丝桃属 *Hypericum*

川滇金丝桃 *Hypericum forrestii* (Chittenden) N. Robson

| 药 材 名 | 川滇金丝桃。

| 形态特征 | 灌木，高 0.3 ~ 1.5 m，丛状，有多少直立的枝条。茎红色至橙色，幼时呈四棱形且两侧略压扁，后呈圆柱形；节间长 1 ~ 4.5（~ 6）cm，短于或偶长于叶；表层灰褐色，平滑，易剥落。叶柄长 0.5 ~ 2 mm，略宽；叶片披针形或三角状卵形至宽卵形，长 2 ~ 5.3（~ 6）cm，宽 0.9 ~ 3.2（~ 3.5）cm，先端钝至圆形或略微凹，基部宽楔形至圆形，边缘平坦，坚纸质，上面绿色，下面淡绿色，

主侧脉 4 ~ 5 对，与中脉的分枝形成波状的近边缘脉，第三级脉模糊或几不可见，腹腺体密生，尤其是近中脉处，叶片腺体短条纹状或点状。花序具 1 ~ 20 花，自 1 节或稀自 2 节生出，近伞房状；花梗长 0.4 ~ 1 cm；苞片披针形至叶状，宿存；花直径（2.5 ~ ）3.5 ~ 6 cm，多少呈深杯状；花蕾宽卵球形，先端钝至圆形；萼片分离，在花蕾及结果时直立，卵形或多少呈宽椭圆形至近圆形，近等大至等大，长 6 ~ 9 mm，宽 3 ~ 8 mm，先端圆形或偶有小尖突，全缘或向先端有细的啮蚀状小齿，通常膜质，中脉分明，小脉不明显，腺体 12 或更多，线形，在上方多少呈短线形；花瓣金黄色，无红晕，明显内弯，宽倒卵形，长 1.8 ~ 3 cm，宽 1.1 ~ 2.5 cm，长为萼片的 3 ~ 3.5 倍，全缘或疏生具腺的小短齿，有近顶生的小尖突，小尖突先端圆形；雄蕊 5 束，每束有雄蕊 40 ~ 65，最长者长 1 ~ 1.5 cm，长为花瓣的 2/5 ~ 3/5，花药金黄色；子房宽卵珠形，长（4.5 ~ ）6 ~ 8 mm，宽 4 ~ 4.5 mm，花柱长 4 ~ 7 mm，长为子房的 7/10 ~ 9/10，偶与子房等长，离生，近先端外弯，柱头小。蒴果多少呈宽卵珠形，长 1.2 ~ 1.8 cm，宽 0.8 ~ 1.4 cm；种子深红褐色，狭圆柱形，长 1.2 ~ 1.7 mm，上方略有龙骨状突起或翅，有很浅的梯状网纹。花期 6 ~ 7 月，果期 8 ~ 10 月。

| **生境分布** | 生于海拔 1 500 ~ 3 100 m 的山坡多石地、溪边或松林林缘。分布于湖北保康。

| **功能主治** | 用于咯血，吐血，肠风下血，外伤出血，风湿骨痛，口鼻生疮，肿毒，烫火伤。

藤黄科 Guttiferae 金丝桃属 *Hypericum*

地耳草 *Hypericum japonicum* Thunb. ex Murray

| 药材名 | 地耳草。

| 形态特征 | 一年生或多年生草本。高 2 ~ 45 cm。茎单一或簇生，直立、外倾或匍地而在基部生根，在花序下部不分枝或各式分枝，具 4 纵线棱，散布淡色腺点。叶无柄，叶片通常卵形、卵状三角形至长圆形或椭圆形，长 0.2 ~ 1.8 cm，宽 0.1 ~ 1 cm，先端近锐尖至圆形，基部心形抱茎至截形，全缘，坚纸质，上面绿色，下面淡绿色但有时带苍白色，具 1 ~ 3 基生主脉和 1 ~ 2 对侧脉，但无明显脉网，无边缘生的腺点，全面散布透明腺点。花序具 1 ~ 30 花，呈二歧状或单歧状，有侧生的小花枝或无；苞片及小苞片线形、披针形至叶状，微小至与叶等长；花直径 4 ~ 8 mm，多少平展；花蕾圆柱状椭圆

形，先端多少钝形；花梗长 2 ~ 5 mm；萼片狭长圆形或披针形至椭圆形，长 2 ~ 5.5 mm，宽 0.5 ~ 2 mm，先端锐尖至钝形，全缘，无边缘生的腺点，全面散生透明腺点或腺条纹，果时直伸；花瓣白色、淡黄色至橙黄色，椭圆形或长圆形，长 2 ~ 5 mm，宽 0.8 ~ 1.8 mm，先端钝形，无腺点，宿存；雄蕊 5 ~ 30，不成束，长约 2 mm，宿存，花药黄色，具松脂状腺体；子房 1 室，长 1.5 ~ 2 mm，花柱（2 ~ ）3，长 0.4 ~ 1 mm，自基部离生，开展。蒴果短圆柱形至圆球形，长 2.5 ~ 6 mm，宽 1.3 ~ 2.8 mm，无腺条纹；种子淡黄色，圆柱形，长约 0.5 mm，两端锐尖，无龙骨状突起和先端的附属物，全面有细蜂窝纹。花期 3 ~ 5 月，果期 6 ~ 10 月。

| 生境分布 | 生于海拔 0 ~ 2 800 m 的田边、沟边、草地及撂荒地上。分布于湖北荆州、洪湖、恩施、神农架、保康，以及宜昌、武汉。

| 采收加工 | **全草：**春、夏季开花时采收。

| 功能主治 | 清热利湿，消肿解毒。用于病毒性肝炎，泻痢，小儿惊风，疳积，乳蛾，肠痈，疖肿，蛇咬伤。

藤黄科 Guttiferae 金丝桃属 *Hypericum*

长柱金丝桃 *Hypericum longistylum* Oliv.

| 药材名 | 长柱金丝桃。

| 形态特征 | 灌木。高约 1 m，直立，有极叉开的长枝和羽状排列的短枝。茎红色，幼时有 2 ~ 4 纵线棱并且两侧压扁，最后呈圆柱形；节间长 1 ~ 3 cm，短于至长于叶；皮层暗灰色。叶对生，近无柄或具短柄，柄长 1 mm；叶片狭长圆形至椭圆形或近圆形，长 1 ~ 3.1 cm，宽 0.6 ~ 1.6 cm，先端圆形至略具小尖突，基部楔形至短渐狭，边缘平坦，坚纸质，上面绿色，下面多少密生白霜，主侧脉纤弱，约 3 对，中脉的分枝不或几不可见，无或稀有很纤弱的第三级脉网，无腹腺体，叶片腺体小点状至很小点状。花序 1 花，在短侧枝上顶生；花梗长 8 ~ 12 mm；苞片叶状，宿存；花直径 2.5 ~ 4.5（~ 5）cm，星状；

花蕾狭卵珠形，先端锐尖；萼片离生或在基部合生，在花蕾时及结果时开张或外弯，线形或稀为椭圆形，等大或近等大，长 0.3 ~ 0.6 cm，全缘，中脉多少明显，小脉不显著，腺体约 4，基部的线形，向先端呈点状；花瓣金黄色至橙色，无红晕，开张，倒披针形，长（1.1 ~ ）1.5 ~ 2.2（ ~ 2.4） cm，宽 0.4 ~ 0.8（ ~ 1） cm，长为萼片的 2.5 ~ 3.5 倍，全缘，无腺体，无或几无小尖突；雄蕊 5 束，每束约有雄蕊 15 ~ 25；子房卵珠形，长 3 ~ 4 mm，宽 2 ~ 3 mm，通常略具柄；花柱长 1 ~ 1.8 cm，长为子房的 3.5 ~ 6 倍，合生几达先端然后开张；柱头小。蒴果卵珠形，长（0.4 ~ ）0.6 ~ 1.2 cm，宽 0.4 ~ 0.5 cm，通常略具柄；种子圆柱形，长约 1.3 mm，淡棕褐色，有明显的龙骨状突起和细蜂窝纹。花期 5 ~ 7 月，果期 8 ~ 9 月。

| **生境分布** | 生于海拔 200 ~ 1 200 m 的山坡阳处或沟边潮湿处。分布于湖北郧西、南漳、通山、神农架、张湾、茅箭、当阳、西陵、房县、远安等。

| **功能主治** | 清热解毒，散结消肿。

藤黄科 Guttiferae 金丝桃属 *Hypericum*

金丝桃 *Hypericum monogynum* L.

| 药 材 名 | 金丝桃果。

| 形态特征 | 灌木。高 0.5 ~ 1.3 m，丛状或通常有疏生的开张枝条。茎红色，幼时具 2（~ 4）纵线棱及两侧压扁，很快为圆柱形；皮层橙褐色。叶对生，无柄或具短柄，柄长达 1.5 mm；叶片倒披针形或椭圆形至长圆形，较稀为披针形至卵状三角形或卵形，长 2 ~ 11.2 cm，宽 1 ~ 4.1 cm，先端锐尖至圆形，通常具细小尖突，基部楔形至圆形或上部者有时截形至心形，边缘平坦，坚纸质，上面绿色，下面淡绿色但不呈灰白色，主侧脉 4 ~ 6 对，分枝，常与中脉分枝不分明，第三级脉网密集，不明显，腹腺体无，叶片腺体小而点状。花序具 1 ~ 15（~ 30）花，自茎端第 1 节生出，疏松的近伞房状，有时亦

自茎端 1 ~ 3 节生出，稀有 1 ~ 2 对次生分枝；花梗长 0.8 ~ 2.8（~ 5）cm；苞片小，线状披针形，早落；花直径 3 ~ 6.5 cm，星状；花蕾卵珠形，先端近锐尖至钝形；萼片宽椭圆形、狭椭圆形、长圆形至披针形或倒披针形，先端锐尖至圆形，全缘，中脉分明，细脉不明显，有或多或少的腺体，在基部的线形至条纹状，向先端的点状；花瓣金黄色至柠檬黄色，无红晕，开张，三角状倒卵形，长 2 ~ 3.4 cm，宽 1 ~ 2 cm，长约为萼片的 2.5 ~ 4.5 倍，全缘，无腺体，有侧生的小尖突，小尖突先端锐尖至圆形或消失；雄蕊 5 束，每束有雄蕊 25 ~ 35，最长者长 1.8 ~ 3.2 cm，与花瓣几等长，花药黄色至暗橙色；子房卵珠形或卵珠状圆锥形至近球形，长 2.5 ~ 5 mm，宽 2.5 ~ 3 mm；花柱长 1.2 ~ 2 cm，长约为子房的 3.5 ~ 5 倍，合生几达先端然后向外弯或极偶有合生至全长之半；柱头小。蒴果宽卵珠形，稀为卵珠状圆锥形至近球形，长 6 ~ 10 mm，宽 4 ~ 7 mm。种子深红褐色，圆柱形，长约 2 mm，有狭的龙骨状突起，有浅的线状网纹至线状蜂窝纹。花期 5 ~ 8 月，果期 8 ~ 9 月。

| 生境分布 | 生于海拔 0 ~ 1 500 m 的山坡、路旁或灌丛中。现广泛栽培于庭院。分布于湖北竹溪、洪湖、安陆、恩施、通山、房县、建始、长阳、武昌、鄂城、团风、巴东、云梦、京山、钟祥、嘉鱼，以及宜昌、襄阳。

| 资源情况 | 野生资源较少，栽培资源丰富。

| 功能主治 | 清热解毒，散瘀止痛，祛风湿。用于肝炎，肝脾肿大，急性咽喉炎，结膜炎，疮疖肿毒，蛇咬伤，蜂蜇伤，跌打损伤，风湿腰痛。

藤黄科 Guttiferae 金丝桃属 *Hypericum*

金丝梅 *Hypericum patulum* Thunb. ex Murray

| 药材名 | 金丝梅。

| 形态特征 | 灌木。高 0.3 ~ 1.5（~ 3）m，丛状，具开张的枝条，有时略多叶。茎淡红色至橙色，幼时具 4 纵线棱或 4 棱，很快具 2 纵线棱，有时最后呈圆柱形；节间长 0.8 ~ 4 cm，短于或稀有长于叶；皮层灰褐色。叶具柄，叶柄长 0.5 ~ 2 mm；叶片披针形、长圆状披针形至卵形或长圆状卵形，长 1.5 ~ 6 cm，宽 0.5 ~ 3 cm，先端钝形至圆形，常具小尖突，基部狭或宽楔形至短渐狭，边缘平坦，不增厚，坚纸质，上面绿色，下面较为苍白色，主侧脉 3 对，中脉在上方分枝，第三级脉网稀疏而几不可见，腹腺体多少密集，叶片腺体短线形和点状。花序具 1 ~ 15 花，自茎先端第 1 ~ 2 节生出，伞房状，有时先端第

一节间短，有时在茎中部有一些具 1 ~ 3 花的小枝；花梗长 2 ~ 4（~ 7）mm；苞片狭椭圆形至狭长圆形，凋落；花直径 2.5 ~ 4 cm，多少呈杯状；花蕾宽卵珠形，先端钝形；萼片离生，在花蕾时及果时直立，宽卵形、宽椭圆形、近圆形至长圆状椭圆形或倒卵状匙形，近等大或不等大，长 5 ~ 10 mm，宽 3.5 ~ 7 mm，先端钝形至圆形或微凹而常有小尖突，边缘有细的啮蚀状小齿至具小缘毛，膜质，常带淡红色，中脉通常分明，小脉不明显或略明显，有多数腺条纹；花瓣金黄色，无红晕，多少内弯，长圆状倒卵形至宽倒卵形，长 1.2 ~ 1.8 cm，宽 1 ~ 1.4 cm，长为萼片的 1.5 ~ 2.5 倍，全缘或略为啮蚀状小齿，有 1 行近边缘生的腺点，具侧生的小尖突，小尖突先端多少圆形至消失；雄蕊 5 束，每束有雄蕊约 50 ~ 70，最长者长 7 ~ 12 mm，长约为花瓣的 2/5 ~ 1/2，花药亮黄色；子房多少呈宽卵珠形，长 5 ~ 6 mm，宽 3.5 ~ 4 mm；花柱长 4 ~ 5.5 mm，长为子房的 4/5 至几与子房相等，多少直立，向先端外弯；柱头不或几不呈头状。蒴果宽卵珠形，长 0.9 ~ 1.1 cm，宽 0.8 ~ 1 cm；种子深褐色，多少呈圆柱形，长 1 ~ 1.2 mm，无或几无龙骨状突起，有浅的线状蜂窝纹。花期 6 ~ 7 月，果期 8 ~ 10 月。

| 生境分布 | 生于海拔 450 ~ 2 400 m 的山坡或山谷的疏林下、路旁或灌丛中。分布于湖北谷城、英山、张湾、崇阳、竹山、恩施、神农架、长阳、利川、咸丰、宣恩、嘉鱼、鹤峰。

| 资源情况 | 野生资源较少，栽培资源丰富。

| 采收加工 | **根**：夏季采集，洗净、切碎、晒干。

| 功能主治 | 清热利湿解毒，疏肝通络，祛瘀止痛。用于湿热淋病，肝炎，感冒，扁桃体炎，疝气偏坠，筋骨疼痛，跌打损伤。

藤黄科 Guttiferae 金丝桃属 *Hypericum*

贯叶连翘 *Hypericum perforatum* L.

| 药 材 名 | 贯叶连翘。

| 形态特征 | 多年生草本。高 20 ~ 60 mm。全体无毛。茎直立，多分枝，茎及分枝两侧各有 1 纵线棱。叶无柄，彼此靠近密集，椭圆形至线形，长 1 ~ 2 mm，宽 0.3 ~ 0.7 mm，先端钝形，基部近心形而抱茎，全缘，背卷，坚纸质，上面绿色，下面白绿色，全面散布淡色或黑色腺点，侧脉每边约 2，自中脉基部 1/3 以下生出，斜升，至叶缘联结，与中脉在两面明显，脉网稀疏，不明显。花序为 5 ~ 7 花组成的二歧状的聚伞花序，生于茎及分枝先端，多个再组成顶生圆锥花序；苞片及小苞片线形，长达 4 mm；萼片长圆形或披针形，长 3 ~ 4 mm，宽 1 ~ 1.2 mm，先端渐尖至锐尖，边缘有黑色腺点，全面有 2 行腺

条和腺斑，果时直立，略增大，长达 4.5 mm；花瓣黄色，长圆形或长圆状椭圆形，两侧不相等，长约 1.2 mm，宽 0.5 mm，边缘及上部常有黑色腺点；雄蕊多数，3 束，每束有雄蕊约 15，花丝长短不一，长达 8 mm，花药黄色，具黑腺点；子房卵珠形，长 3 mm，花柱 3，自基部极少开，长 4.5 mm。蒴果长圆状卵珠形，长约 5 mm，宽 3 mm，具背生腺条及侧生黄褐色囊状腺体；种子黑褐色，圆柱形，长约 1 mm，具纵向条棱，两侧无龙骨状突起，表面有细蜂窝纹。花期 7 ~ 8 月，果期 9 ~ 10 月。

| 生境分布 | 生于山区河边草地、山坡和灌丛中。分布于湖北钟祥、建始，以及十堰、黄冈、襄阳。

| 资源情况 | 野生资源稀少，栽培资源丰富。

| 采收加工 | 夏、秋季开花时采割，阴干或低温烘干。

| 功能主治 | 疏肝解郁，清热利湿，消肿止痛。用于气滞郁闷，关节肿痛，小便不利等。

全国中药资源普查标本采集记录表
420303-180914-0181-LY
2018年09月14日
1045.5
110°32'18.75"
32°33'44.85"
Hypericum perforatum L.
420303LY0181

藤黄科 Guttiferae 金丝桃属 *Hypericum*

元宝草 *Hypericum sampsonii* Hance

| 药 材 名 | 元宝草。

| 形态特征 | 多年生草本。高 0.2 ~ 0.8 m，全体无毛。茎单一或少数，圆柱形，无腺点，上部分枝。叶对生，无柄，其基部完全合生为一体而茎贯穿其中心，或宽或狭的披针形至长圆形或倒披针形，长（2 ~ ）2.5 ~ 7（ ~ 8）cm，宽（0.7 ~ ）1 ~ 3.5 cm，先端钝形或圆形，基部较宽，全缘，坚纸质，上面绿色，下面淡绿色，边缘密生有黑色腺点，全面散生透明或间有黑色腺点，中脉直贯叶端，侧脉每边约 4，斜上升，近边缘弧状联结，与中脉两面明显，脉网细而稀疏。花序顶生，多花，伞房状，连同其下方常多达 6 腋生花枝整体形成一个庞大的疏松伞房状至圆柱状圆锥花序；苞片及小苞片线状披针形或线形，

长达 4 mm，先端渐尖；花直径 6 ~ 10（~ 15）mm，近扁平，基部为杯状；花蕾卵珠形，先端钝形；花梗长 2 ~ 3 mm；萼片长圆形或长圆状匙形或长圆状线形，长 3 ~ 7（~ 10）mm，宽 1 ~ 3 mm，先端圆形，全缘，边缘疏生黑腺点，全面散布淡色，稀为黑色腺点及腺斑，果时直伸；花瓣淡黄色，椭圆状长圆形，长 4 ~ 8（~ 13）mm，宽 1.5 ~ 4（~ 7）mm，宿存，边缘有无柄或近无柄的黑腺体，全面散布淡色，或稀为黑色腺点和腺条纹；雄蕊 3 束，宿存，每束具雄蕊 10 ~ 14，花药淡黄色，具黑腺点。子房卵珠形至狭圆锥形，长约 3 mm，3 室；花柱 3，长约 2 mm，自基部分离。蒴果宽卵珠形至或宽或狭的卵珠状圆锥形，长 6 ~ 9 mm，宽 4 ~ 5 mm，散布有卵珠状黄褐色囊状腺体；种子黄褐色，长卵柱形，长约 1 mm，两侧无龙骨状突起，先端无附属物，表面有明显的细蜂窝纹。花期 5 ~ 6 月，果期 7 ~ 8 月。

| 生境分布 | 生于海拔 0 ~ 1 200 m 的路旁、山坡、草地、灌丛、田边、沟边等处。分布于湖北建始、五峰、利川、公安、洪湖、保康、当阳、枝江、安陆、梁子湖、青山、鹤峰、恩施、英山、丹江口、黄梅、崇阳、监利、茅箭、夷陵、东宝、南漳、通山、咸丰、通城、秭归、浠水、咸安、竹溪、蔡甸、曾都、郧西、麻城、松滋、张湾、嘉鱼、华容、神农架、武穴、广水、阳新、谷城、房县、宜都、远安。

| 采收加工 | 夏、秋季采收，除去叶面上的泥沙杂质，放于通风处晒干或鲜用。

| 功能主治 | 清热解毒，通经活络，凉血止血。用于小儿高热，痢疾，肠炎，吐血，衄血，月经不调，带下；外用于外伤出血，跌打损伤，乳腺炎，烫火伤，毒蛇咬伤。

柽柳科 Tamaricaceae 柽柳属 *Tamarix*

柽柳 *Tamarix chinensis* Lour.

| 药 材 名 | 柽柳。

| 形态特征 | 灌木或小乔木。高3 ~ 6 m。幼枝柔弱，开展而下垂，红紫色或暗紫色。叶鳞片状，钻形或卵状披针形，长1 ~ 3 mm，半贴生，背面有龙骨状脊。每年开花2 ~ 3次；春季在去年生小枝上侧生总状花序，花稍大而稀疏；夏、秋季在当年生幼枝先端形成总状花序组成顶生大型圆锥花序，常下弯，花略小而密生，每朵花具1线状钻形的绿色小苞片；花5基数，粉红色；萼片卵形；花瓣椭圆状倒卵形，长约2 mm；雄蕊着生于花盘裂片之间，长于花瓣；子房圆锥状瓶形，花柱3，棍棒状。蒴果长约3.5 mm，3瓣裂。花期4 ~ 9月，果期6 ~ 10月。

| **生境分布** | 生于河流冲积地、海滨、滩头、潮湿盐碱地和沙荒地。湖北有分布。

| **采收加工** | 未开花时采下幼嫩枝梢，阴干。

| **功能主治** | 疏风，解表，透疹，解毒。用于风热感冒，麻疹初起，疹出不透，风湿痹痛，皮肤瘙痒。

堇菜科 Violaceae 堇菜属 *Viola*

鸡腿堇菜 *Viola acuminata* Ledeb.

| 药材名 |

红铧头草。

| 形态特征 |

多年生草本。通常无基生叶。根茎较粗，垂直或倾斜，密生多条淡褐色根。茎直立，通常 2 ~ 4 丛生，无毛或上部被白色柔毛。叶片心形、卵状心形或卵形，先端锐尖、短渐尖至长渐尖，基部通常心形（狭或宽心形变异幅度较大），稀截形，边缘具钝锯齿及短缘毛，两面密生褐色腺点，沿叶脉被疏柔毛；叶柄下部者长，上部者较短，无毛或被疏柔毛；托叶草质，叶状，通常羽状深裂成流苏状，或浅裂成牙齿状，边缘被缘毛，两面有褐色腺点，沿脉疏生柔毛。花淡紫色或近白色，具长梗；花梗细，被细柔毛，通常均超出于叶，中部以上或在花附近具 2 线形小苞片；萼片线状披针形，外面 3 萼片较长而宽，先端渐尖，基部附属物长 2 ~ 3 mm，末端截形或有时具 1 ~ 2 齿裂，上面及边缘有短毛，具 3 脉；花瓣有褐色腺点，上方花瓣与侧方花瓣近等长，上瓣向上反曲，侧瓣里面近基部有长须毛，下瓣里面常有紫色脉纹；距通常直，长 1.5 ~ 3.5 mm，呈囊状，末端钝；下方 2 雄蕊之距短而钝；子房圆锥状，

无毛。蒴果椭圆形，长约 1 cm，无毛，通常有黄褐色腺点，先端渐尖。花果期 5 ~ 9 月。

| **生境分布** | 生于海拔 310 m ~ 2 200 m 的杂木林下、林缘、灌丛、山坡草地或溪谷湿地等处。分布于湖北宣恩、恩施、巴东、神农架、丹江口、保康、罗田，以及宜昌。

| **采收加工** | **全草**：夏、秋季采收，鲜用或晒干。

| **功能主治** | 清热解毒，消肿止痛。用于肺热咳嗽，急性病毒性肝炎，疮疖肿毒，跌打损伤。

| **附　　注** | 本种下分鸡腿堇菜（原变种）*Viola acuminata* var. *acuminate* 和毛花鸡腿堇菜（变种）*Viola acuminata* var. *pilifera*，二者用途相同。毛花鸡腿堇菜（变种）与鸡腿堇菜（原变种）的区别在于前者：花较大，距长而粗，长 4.5 ~ 5 mm，直径 2 ~ 3 mm；上方花瓣里面近基部处有须毛；下方 2 雄蕊的距呈长角状，长 4 ~ 4.5 mm；托叶披针形，被短柔毛，边缘疏生细齿；花果期 5 ~ 9 月。

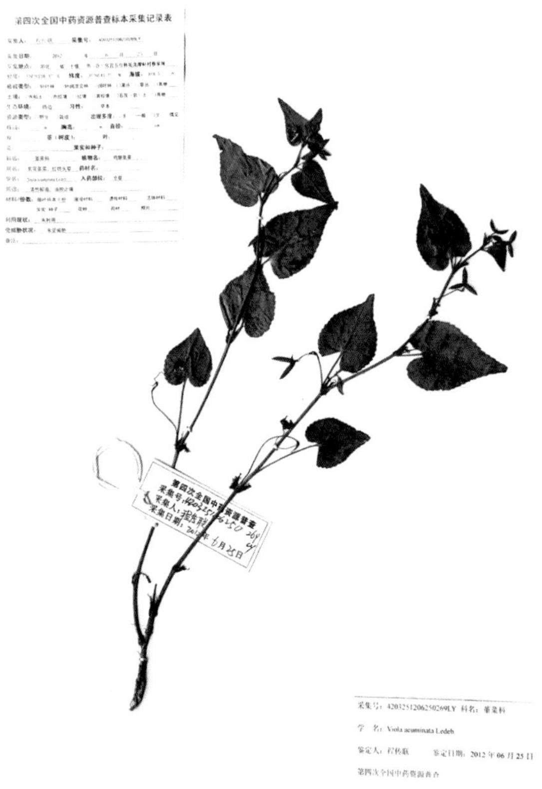

堇菜科 Violaceae 堇菜属 *Viola*

戟叶堇菜 *Viola betonicifolia* J. E. Smith

| 药材名 | 铧头草。

| 形态特征 | 多年生草本。无地上茎。根茎通常较粗短，长 5 ~ 10 mm，斜生或垂直，有数条粗长的淡褐色根。叶多数，均基生，莲座状；叶片狭披针形、长三角状戟形或三角状卵形，长 2 ~ 7.5 cm，宽 0.5 ~ 3 cm，先端尖，有时稍钝圆，基部截形或略呈浅心形，有时宽楔形，花期后叶增大，基部垂片开展并具明显的牙齿，边缘具疏而浅的波状齿，近基部齿较深，两面无毛或近无毛；叶柄较长，长 1.5 ~ 13 cm，上半部有狭而明显的翅，通常无毛，有时下部有细毛；托叶褐色，约 3/4 与叶柄合生，离生部分线状披针形或钻形，先端渐尖，全缘或疏生细齿。花白色或淡紫色，有深色条纹，长 1.4 ~ 1.7 cm；花梗细长，

与叶等长或超出于叶，通常无毛，有时仅下部有细毛，中部附近有 2 线形小苞片；萼片卵状披针形或狭卵形，长 5 ~ 6 mm，先端渐尖或稍尖，基部附属物较短，长 0.5 ~ 1 mm，末端圆，有时疏生钝齿，具狭膜质缘，具 3 脉；上方花瓣倒卵形，长 1 ~ 1.2 cm，侧方花瓣长圆状倒卵形，长 1 ~ 1.2 cm，里面基部密生或有时生较少量的须毛，下方花瓣通常稍短，连距长 1.3 ~ 1.5 cm；距管状，稍短而粗，长 2 ~ 6 mm，直径 2 ~ 3.5 mm，末端圆，直或稍向上弯；花药及药隔顶部附属物均长约 2 mm，下方 2 雄蕊具长 1 ~ 3 mm 的距；子房卵球形，长约 2 mm，无毛，花柱棍棒状，基部稍向前膝曲，上部逐渐增粗，柱头两侧及后方略增厚成狭缘边，前方具明显的短喙，喙端具柱头孔。蒴果椭圆形至长圆形，长 6 ~ 9 mm，无毛。花果期 4 ~ 9 月。

| 生境分布 | 生于田野路边、山坡草地、灌丛、林缘等处。湖北有分布。

| 采收加工 | 花盛开期采取全草，除去杂质，洗净，润软，切段，晒干。

| 功能主治 | 清热解毒，散瘀消肿。用于疮疡肿毒，喉痛，乳痈，肠痈，黄疸，目赤肿痛，跌打损伤，刀伤出血。

堇菜科 Violaceae 堇菜属 *Viola*

双花堇菜 *Viola biflora* L.

|药 材 名| 双花堇菜。

|形态特征| 多年生草本。根茎细或稍粗壮，垂直或斜生，具结节，有多数细根。地上茎较细弱，高 10 ~ 25 cm，2 或数条簇生，直立或斜升，具 3（~ 5）节，通常无毛或幼茎上被疏柔毛。基生叶 2 至数，具长 4 ~ 8 cm 的长柄，叶片肾形、宽卵形或近圆形，长 1 ~ 3 cm，宽 1 ~ 4.5 cm，先端钝圆，基部深心形或心形，边缘具钝齿，上面散生短毛，下面无毛，有时两面被柔毛；茎生叶具短柄，叶柄无毛至被短毛，叶片较小；托叶与叶柄离生，卵形或卵状披针形，长 3 ~ 6 mm，先端尖，全缘或疏生细齿。花黄色或淡黄色，在开花末期有时变淡白色；花梗细弱，长 1 ~ 6 cm，上部有 2 披针形小苞片；萼片线状披针形或披针形，

长 3 ~ 4 mm，先端急尖，基部附属物极短，具膜质缘，无毛或中下部具短缘毛；花瓣长圆状倒卵形，长 6 ~ 8 mm，具紫色脉纹，侧方花瓣里面无须毛，下方花瓣连距长约 1 cm；距短筒状，长 2 ~ 2.5 mm；下方雄蕊之距呈短角状；子房无毛，花柱棍棒状，基部微膝曲，上半部 2 深裂，裂片斜展，其间具明显的柱头孔。蒴果长圆状卵形，长 4 ~ 7 mm，无毛。花果期 5 ~ 9 月。

| **生境分布** | 生于海拔 2 500 ~ 3 100 m 的高山及亚高山地带草甸、灌丛、林缘或岩石缝隙间。湖北有分布。

| **采收加工** | 夏季采收全草，洗净，鲜用或晒干。

| **功能主治** | 活血散瘀，止血。用于跌打损伤，吐血，急性肺炎，肺出血。

堇菜科 Violaceae 堇菜属 *Viola*

南山堇菜 *Viola chaerophylloides* (Regel) W. Beck.

| 药 材 名 | 冲天伞。

| 形态特征 | 多年生草本。无地上茎，花期较矮小，高 4 ~ 20 cm，果期高 30 cm 以上。根茎直立，较短粗，长 3 ~ 10 mm，被残存的托叶所包围，下部有 3 ~ 6 较粗的淡黄色或白色的根。托叶膜质，宽披针形，近全缘或边缘疏有细齿；叶柄无毛，有狭翼或无翼；叶片掌状，通常为卵状披针形、披针形或条状披针形，有缺刻或不整齐的深锯齿，花期叶小，果期叶大，近无毛。基生叶 2 ~ 6，具长柄；叶片 3 全裂，裂片具明显的短柄，侧裂片 2 深裂，中央裂片 2 ~ 3 深裂，最终裂片的形状和大小变异幅度较大，卵状披针形、披针形、长圆形、线状披针形，边缘具不整齐的缺刻状齿或浅裂，有时深裂，先端钝或尖，

两面无毛或上面和下面沿叶脉有短柔毛；叶柄在花期长 3 ~ 9 cm，通常绿色，有时稍带淡紫色，无毛，有光泽，果期伸长，长 20 cm 以上；托叶膜质，1/2 以上与叶柄合生，宽披针形，先端渐尖，全缘或边缘具稀疏细齿和缘毛。花较大，直径 2 ~ 2.5 cm，白色、乳白色或淡紫色，有香味；花梗通常呈淡紫色，无毛，有光泽，花期与叶等长或高出于叶，中部以下有 2 小苞片；小苞片线形或线状披针形，具极稀疏而细的小齿；萼片长圆状卵形或狭卵形，长 10 ~ 14 mm，基部附属物发达，长 4.5 ~ 6 mm，末端具不整齐的缺刻或浅裂，无毛，具 3 脉和膜质缘；花瓣宽倒卵形，上方花瓣长 13 ~ 15 mm，宽约 9 mm，侧方花瓣长约 15 mm，宽约 7 mm，里面基部有细须毛，下方花瓣有紫色条纹，连距长 16 ~ 20 mm；距长而粗，长 5 ~ 7 mm，直或稍下弯；花药长 2.5 ~ 3 mm，下方雄蕊之距较细，长约 5 mm，直径约 1.5 mm；子房无毛，长约 2 mm，花柱长约 3 mm，基部稍膝曲，柱头两侧及后方有稍肥厚的缘边，中央部分微隆起，前方具明显的短喙，喙端具圆形柱头孔。蒴果大，长椭圆状，长 1 ~ 1.6 cm，无毛，先端尖；种子多数，卵状，长约 2.2 mm，直径约 1.5 mm。花果期 4 ~ 9 月。

| 生境分布 | 生于海拔 1 600 m 以下的山地阔叶林下或林缘、溪谷阴湿处、阳坡灌丛及草坡。湖北有分布。

| 采收加工 | 夏季采收全草，鲜用或晒干。

| 功能主治 | 清热止咳，解毒散瘀。用于风热咳嗽，疮痈肿毒，跌打肿痛，外伤出血，蛇咬伤。

堇菜科 Violaceae 堇菜属 *Viola*

球果堇菜 *Viola collina* Bess.

| 药 材 名 | 地核桃。

| 形态特征 | 多年生草本。果期高可达 20 cm。叶基生，莲座状；叶宽卵形或近圆形，长 1 ~ 3.5 cm，先端钝或锐尖，基部具弯缺，具锯齿，两面密生白色柔毛，果期长达 8 cm，基部心形叶柄具窄翅，被倒生柔毛，托叶膜质，披针形，基部与叶柄合生，疏生流苏状细齿。花淡紫色，芳香，长约 1.4 cm，具长梗，中部以上有 2 小苞片；萼片长圆状披针形或披针形，长 5 ~ 6 mm，具缘毛和腺体，基部附属物短而钝；花瓣基部微白色，上瓣及侧瓣先端钝圆，侧瓣内面有须毛或近无毛，下瓣距白色，较短；花柱上部疏生乳头状突起，顶部成钩状短喙，喙端具较细柱头孔。蒴果球形，密被白色柔毛，果柄通常下弯。花

果期 5 ～ 8 月。

| 生境分布 | 生于林下或林缘、灌丛、草坡、沟谷及路旁较阴湿处。湖北有分布。

| 采收加工 | **全草：** 夏、秋季间采收，洗净，鲜用或晒干。

| 功能主治 | 清热解毒，散瘀消肿。用于疮疡肿毒，肺痈，跌打损伤疼痛，刀伤出血，外感咳嗽。

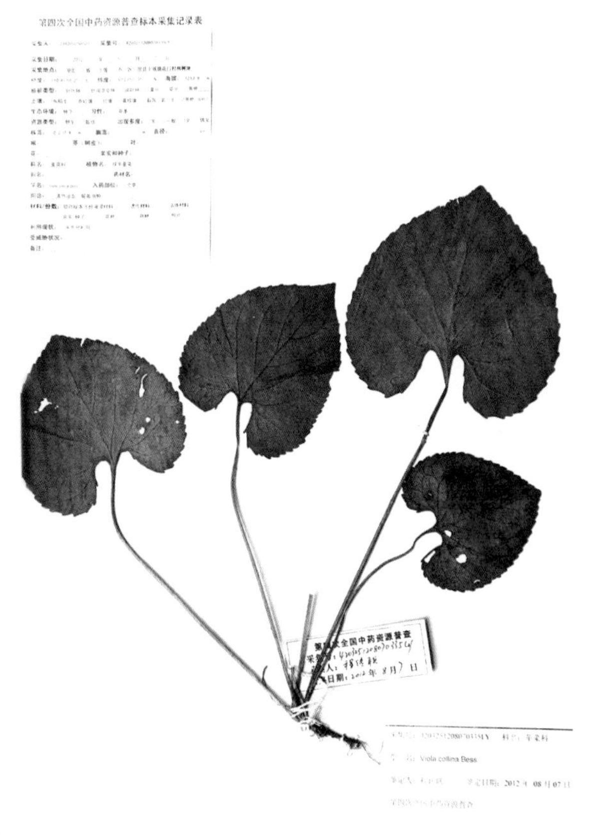

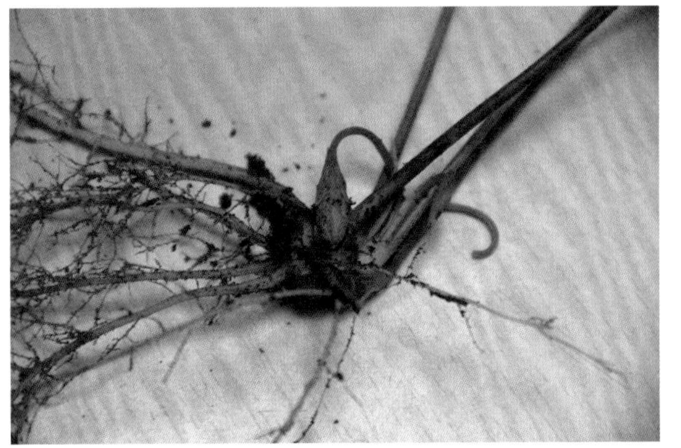

堇菜科 Violaceae 堇菜属 *Viola*

心叶堇菜 *Viola concordifolia* C. J. Wang

|药材名|

犁头草。

|形态特征|

多年生草本。无地上茎和匍匐枝。根茎粗短，节密生，直径 4 ~ 5 mm；支根多条，较粗壮而伸长。叶多数，基生；叶柄在花期通常与叶片近等长，在果期远较叶片长；托叶短，下部与叶柄合生，长约 1 cm，离生部分开展；叶片卵形、宽卵形或三角状卵形，稀肾状，长 3 ~ 8 cm，宽 3 ~ 8 cm，先端尖或稍钝，基部深心形或宽心形，边缘具多数圆钝齿，两面无毛或疏生短毛。花淡紫色；花梗不高出于叶片；近中部有 2 线状披针形小苞片；萼片宽披针形，先端渐尖，基部附属物长约 2 mm，末端钝或平截；上方与侧方花瓣倒卵形，下方花瓣长倒心形；距圆筒状，长 4 ~ 5 mm，直径约 2 mm。蒴果椭圆形，长约 1 cm。

|生境分布|

生于林缘、林下开阔草地间、山地草丛、溪谷旁。湖北有分布。

| **采收加工** | 4 ~ 5 月果实成熟时，采收全草，去掉泥土，鲜用或晒干。

| **功能主治** | 清热解毒，化瘀排脓，凉血清肝。用于痈疽肿毒，乳痈，肠痈下血，化脓性骨髓炎，黄疸，目赤肿痛，瘰疬，外伤出血，蛇咬伤。

堇菜科 Violaceae 堇菜属 *Viola*

深圆齿堇菜 *Viola davidii* Franch.

| 药 材 名 | 深圆齿堇菜。

| 形态特征 | 多年生细弱无毛草本。无地上茎或几无地上茎，高 4 ~ 9 cm，有时具匍匐枝。根茎细，几垂直，节密生。叶基生；叶片圆形或有时肾形，长、宽均 1 ~ 3 cm，先端圆钝，基部浅心形或截形，边缘具较深圆齿，两面无毛，上面深绿色，下面灰绿色；叶柄长短不等，长 2 ~ 5 cm，无毛；托叶褐色，离生或仅基部与叶柄合生，披针形，长约 0.5 mm，先端渐尖，边缘疏生细齿。花白色或有时淡紫色；花梗细，长 4 ~ 9 cm，上部有 2 线形小苞片；萼片披针形，长 3 ~ 5 mm，宽 1.5 ~ 2 mm，先端稍尖，基部附属物短，末端截形，边缘膜质；花瓣倒卵状长圆形，上方花瓣长 1 ~ 1.2 cm，宽约 4 mm，侧方花瓣

与上方花瓣近等大，里面无须毛，下方花瓣较短，连距长约 9 mm，有紫色脉纹；距较短，长约 2 mm，囊状；花药长约 1.5 mm，药隔先端附属物长约 1 mm，下方雄蕊之距钝角状，长约1 mm；子房球形，有褐色腺点，花柱棍棒状，基部膝曲，柱头两侧及后方有狭缘边，前方具短喙。蒴果椭圆形，长约 7 mm，无毛，常具褐色腺点。花期 3 ~ 6 月，果期 5 ~ 8 月。

| 生境分布 | 生于海拔 1 550 ~ 2 000 m 的林下湿地、草丛中或溪边岩石上的青苔上。分布于湖北鹤峰、利川、恩施、巴东。

| 采收加工 | 春、秋季采收，除去杂质，晒干。

| 功能主治 | 清热解毒，散瘀消肿。用于风火眼肿，跌打损伤，无名肿毒，刀伤等。

堇菜科 Violaceae 堇菜属 *Viola*

大叶堇菜 *Viola diamantiaca* Nakai

| 药 材 名 | 寸节七。

| 形态特征 | 多年生草本。无地上茎，有细长的匍匐枝。根茎稍粗，斜生或横走，节较密，有多数细长的褐色根。基生叶1，稀2或3自根茎的先端发出；叶片绿色，质较薄，心形或卵状心形，长7～9 cm，宽5～7 cm，先端具尾状渐尖，基部浅或深心形，边缘具钝齿，齿端有明显的腺体，上面绿色，无毛，下面苍绿色，脉上被细毛；叶柄细，长20 cm或更长，有翅，通常上部被细毛，下部无毛；托叶离生，淡绿色，干后近膜质，披针形或狭卵状披针形，长约1 cm，先端渐尖，边缘疏生细齿。花大，淡紫堇色或苍白色，具长梗；花梗单一，细弱，中部稍上处有2较小的披针形小苞片；萼片卵状披针形，无毛，基部附属物短；侧瓣长1.5～1.7 cm，里面无须毛，下瓣连距长1.8～2 cm，距较短粗，

长约 4 mm，末端钝。蒴果表面具紫红色斑点，长约 1.3 cm。花果期 5 ~ 8 月。

| 生境分布 | 生于山地阔叶林下或林缘腐殖质土层较浅而有一定湿度的岩石上。湖北有分布。

| 采收加工 | **全草：**夏末采收，洗净，鲜用或阴干。

| 功能主治 | 清热解毒，止血。用于疮疖肿毒，睑腺炎，毒蛇咬伤，外伤出血，肺结核。

堇菜科 Violaceae 堇菜属 *Viola*

七星莲 *Viola diffusa* Ging.

| 药 材 名 | 地白草。

| 形态特征 | 一年生草本。全体被糙毛或白色柔毛，或近无毛，花期生出地上匍匐枝。匍匐枝先端具莲座状叶丛，通常生不定根。根茎短，具多条白色细根及纤维状根。基生叶多数，丛生呈莲座状，或于匍匐枝上互生；叶片卵形或卵状长圆形，长 1.5 ~ 3.5 cm，宽 1 ~ 2 cm，先端钝或稍尖，基部宽楔形或截形，稀浅心形，明显下延于叶柄，边缘具钝齿及缘毛，幼叶两面密被白色柔毛，后渐变稀疏，但叶脉上及两侧边缘仍被较密的毛；叶柄长 2 ~ 4.5 cm，具明显的翅，通常有毛；托叶基部与叶柄合生，2/3 离生，线状披针形，长 4 ~ 12 mm，先端渐尖，边缘具稀疏的细齿或疏生流苏状齿。花较小，淡紫色或浅黄

色，具长梗，生于基生叶或匍匐枝叶丛的叶腋间；花梗纤细，长 1.5 ~ 8.5 cm，无毛或被疏柔毛，中部有 1 对线形苞片；萼片披针形，长 4 ~ 5.5 mm，先端尖，基部附属物短，末端圆或具稀疏细齿，边缘疏生睫毛；侧方花瓣倒卵形或长圆状倒卵形，长 6 ~ 8 mm，无须毛，下方花瓣连距长约 6 mm，较其他花瓣显著短；距极短，长仅 1.5 mm，稍露出萼片附属物之外；下方 2 雄蕊背部的距短而宽，呈三角形；子房无毛，花柱棍棒状，基部稍膝曲，上部渐增粗，柱头两侧及后方具肥厚的缘边，中央部分稍隆起，前方具短喙。蒴果长圆形，直径约 3 mm，长约 1 cm，无毛，先端常具宿存的花柱。花期 3 ~ 5 月，果期 5 ~ 8 月。

| 生境分布 | 生于海拔 2 000 m 以下的山地林下、林缘、草坡、溪谷旁、岩石缝隙中。湖北有分布。

| 资源情况 | 产于长江流域各地，民间用药，有栽培。

| 采收加工 | 夏、秋季采挖全草，洗净，除去杂质，晒干或鲜用。

| 功能主治 | 清热解毒，散瘀消肿，止咳。用于疮疡肿毒，结膜炎，肺热咳嗽，百日咳，黄疸性肝炎，带状疱疹，烫火伤，跌打损伤，骨折，毒蛇咬伤。

堇菜科 Violaceae 堇菜属 *Viola*

长梗紫花堇菜 *Viola faurieana* W. Beck.

| 药 材 名 |

长梗紫花堇菜。

| 形态特征 |

多年生草本。开始无地上茎，后来逐渐生出地上茎。根多条，较粗壮，木质化，密生多数细根；根茎通常横生，直径 2 ~ 3 mm，密生结节。地上茎花期高 10 ~ 13 cm，无毛，通常横卧或斜升，上部常具簇生状叶片。基生叶深绿色，近革质，叶片卵状心形、宽卵形或近肾形，长 1 ~ 2.5 cm，宽 1.2 ~ 2 cm，果期则增大，先端通常钝或稍尖，基部宽心形或截形，边缘具浅圆齿，两面均无毛，下面有褐色腺点；叶柄长 1.5 ~ 2.5 cm；托叶深绿色，宽披针形，或披针形，长 1 ~ 1.2 cm，边缘密生长流苏状细齿；茎生叶片与基生叶者相似，茎最上部的叶片较小，近肾形，具短柄，托叶狭披针形，边缘具较稀的流苏状齿。花淡紫色或粉白色，长 1.6 ~ 2 cm，直径约 1.5 cm，花梗自基生叶或茎生叶叶腋抽出，远较叶为长，长 10 cm 以上，细而挺直，无毛，近上部有 2 对生的线形小苞片；萼片披针形或宽披针形，长 7 ~ 9 mm，先端渐尖，基部附属物较短，末端平截，无毛；花瓣长圆状倒卵形，侧方花瓣长 7 ~ 8 mm，无毛，

下方花瓣连距长 1.5 ~ 1.7 mm，距管状，长 6 ~ 7 mm，末端膨大呈圆形；下方 2 雄蕊之距呈细带状，长约 5 mm，直径 0.5 mm；子房卵球形，无毛，花柱细，呈棍棒状，基部微膝曲，先端圆，前方微凸出，具较粗的柱头孔。花期 4 ~ 5 月，果期 6 ~ 7 月。本种与原产于日本的 *Viola grayi* Franch. et Sav. 相似，但后者多生长在海边沙地，根茎发达呈木质化，分枝较长，花深紫色，通常生于茎上部叶的叶腋。

| 生境分布 | 生于海拔 200 ~ 1 600 m 的山坡林缘及草丛中。湖北有分布。

| 功能主治 | 清热解毒，散瘀消肿，凉血。用于跌打损伤，骨折。

堇菜科 Violaceae 堇菜属 *Viola*

阔萼堇菜 *Viola grandisepala* W. Back.

| 药 材 名 | 阔萼堇菜。

| 形态特征 | 多年生矮小草本。近无地上茎，高 7 ~ 10 cm。根茎连缩短的地上茎长约 2 cm，直径约 2 mm，其上密生节和叶，有时生匍匐茎。叶近基生，宽卵形或近圆形，长 1 ~ 3 cm，宽 1.5 ~ 3 cm，先端钝或圆形，基部深心形，边缘密生细的圆形浅锯齿，两面无毛但密生棕色斑点，或上面近叶缘部分散生白色毛；叶柄长 2 ~ 5 cm，柔软，无毛；托叶仅基部与叶柄合生，大部分离生，深褐色，外部的卵形，内部的宽披针形，长约 1.2 cm，先端渐尖，全缘。花白色，中等大；花梗长于叶，无毛，中部以上靠近花处有 2 褐色线形小苞片；萼片宽卵形至卵形，长约 5 mm，宽约 3 mm，具 3 脉，先端尖，基部具

极短的附属物，边缘密生纤毛，下面有棕色斑点；花瓣长圆状倒卵形，侧瓣无须毛，下方花瓣连距长约 1 cm，距短，稍超出于萼的附属物，长 1.5 ~ 2 mm；下方雄蕊花药长约 2 mm，药隔先端附属物长约 1 mm，背方的距短而宽，长仅 1.5 mm；子房宽卵形，花柱基部近直立，上部稍增粗，柱头向前方弯曲成较粗的喙，喙端具较粗的柱头孔。

| 生境分布 | 生于海拔 3 000 m 的山坡、路旁阴湿处。湖北有分布。

| 采收加工 | 夏、秋季采收，洗净，鲜用或晒干。

| 功能主治 | 清热解毒，散瘀消肿。用于咽喉肿痛，湿热黄疸，跌打损伤，蛇虫咬伤等。

堇菜科 Violaceae 堇菜属 *Viola*

紫花堇菜 *Viola grypoceras* A. Gray

| 药材名 | 地黄瓜。

| 形态特征 | 多年生草本。具发达主根。根茎短粗，垂直，节密生，褐色；地上茎数条，花期高 5 ~ 20 cm，果期高可达 30 cm，直立或斜升，通常无毛。基生叶叶片心形或宽心形，长 1 ~ 4 cm，宽 1 ~ 3.5 cm，先端钝或微尖，基部弯缺狭，边缘具钝锯齿，两面无毛或近无毛，密布褐色腺点；茎生叶三角状心形或狭卵状心形，长 1 ~ 6 cm，基部弯缺浅或宽三角形；基生叶叶柄长达 8 cm，茎生叶叶柄较短；托叶褐色，狭披针形，长 1 ~ 1.5 cm，宽 1 ~ 2 mm，先端渐尖，边缘具流苏状长齿，齿长 2 ~ 5 mm，比托叶宽度长约 2 倍。花淡紫色，无芳香；花梗自茎基部或茎生叶的叶腋抽出，长 6 ~ 11 cm，远超出于

叶，中部以上有 2 线形小苞片；萼片披针形，长约 7 mm，有褐色腺点，先端锐尖，基部附属物长约 2 mm，末端截形，具浅齿；花瓣倒卵状长圆形，有褐色腺点，边缘呈波状，侧瓣里面无须毛，下瓣连距长 1.5 ~ 2 cm；距长 6 ~ 7 mm，直径约 2 mm，通常向下弯，稀直伸；下方 2 雄蕊具长距，距近直立；子房无毛，花柱基部稍膝曲，向顶部逐渐增粗呈棒状，柱头无乳头状突起，向前弯曲成短喙；喙端具较宽柱头孔。蒴果椭圆形，长约 1 cm，密生褐色腺点，先端短尖。花期 4 ~ 5 月，果期 6 ~ 8 月。

| 生境分布 | 生于海拔 310 ~ 1 700 m 的林下、沟边、路旁草丛中或岩石边。分布于湖北来凤、宣恩、鹤峰、利川、恩施、巴东、兴山、神农架、通山，以及宜昌。

| 采收加工 | **全草**：夏、秋季采收，洗净，鲜用或晒干。

| 功能主治 | 清热解毒，散瘀消肿，凉血止血。用于疮痈肿毒，咽喉肿痛，乳痈，急性结膜炎，跌打伤痛，便血，刀伤出血，蛇咬伤。

堇菜科 Violaceae 堇菜属 *Viola*

如意草 *Viola hamiltoniana* D. Don

药材名

如意草。

形态特征

多年生草本。根茎横走，直径约 2 mm，褐色，密生多数纤维状根，向上发出多条地上茎或匍匐枝。地上茎通常数条丛生，高达 35 cm，淡绿色，节间较长；匍匐枝蔓生，长可达 40 cm，节间长，节上生不定根。基生叶叶片深绿色，三角状心形或卵状心形，长 1.5 ~ 3 cm，宽 2 ~ 5.5 cm，先端急尖，稀渐尖，基部通常宽心形，稀深心形，弯缺呈新月形，垂片大而开展，边缘具浅而内弯的疏锯齿，两面通常无毛或下面沿脉被疏柔毛；茎生叶及匍匐枝上的叶片及基生叶的叶片相似；基生叶具长柄，叶柄长 5 ~ 20 cm，上部具狭翅，茎生叶及匍匐枝上叶的叶柄较短；托叶披针形，长 5 ~ 10 mm，先端渐尖，通常全缘或具极稀疏的细齿和缘毛。花淡紫色或白色，皆自茎生叶或匍匐枝的叶腋抽出，具长梗，花梗中部以上具 2 线形小苞片；萼片卵状披针形，长约 4 mm，先端尖，基部附属物极短呈半圆形，具狭膜质边缘；花瓣狭倒卵形，长约 7.5 mm，侧方花瓣具暗紫色条纹，里面基部疏生短须毛，下方花瓣较

短，有明显的暗紫色条纹，基部具长约 2 mm 的短距；下方雄蕊之距粗而短，其长度与花药近相等，末端圆；子房无毛，花柱呈棍棒状，基部稍膝曲，向上渐增粗，柱头 2 裂，两侧裂片肥厚，向上直立，中央部分隆起呈鸡冠状，在前方裂片间的基部具向上撅起的短喙，喙端具圆形的柱头孔。蒴果长圆形，长 6 ~ 8 mm，直径约 3 mm，无毛，先端尖；种子卵状，淡黄色，长约 1.5 mm，直径约 1 mm，基部一侧具膜质翅。花果期较长。

| 生境分布 | 生于溪谷潮湿地、沼泽地、灌丛、林缘。湖北有分布。

| 采收加工 | **全草**：秋季采收，洗净，晒干。

| 功能主治 | 清热解毒，散瘀止血。用于疮疡肿毒，乳痈，跌打损伤，开放性骨折，外伤出血，蛇咬伤。

堇菜科 Violaceae 堇菜属 *Viola*

巫山堇菜 *Viola henryi* H. de Boiss.

| 药 材 名 | 巫山堇菜。

| 形态特征 | 多年生草本。高达 30 ~ 40 cm。根茎斜生或垂直，长达 7 cm，直径 2 ~ 4 mm，节间长 1 ~ 2 cm，密生多数细长的支根。地上茎单一或数条，直立，平滑无毛，基部无叶，中下部叶较稀疏，顶部叶密集。叶片卵形或卵状披针形，长 3.5 ~ 8 cm，宽 2 ~ 4 cm，基部浅心形或圆形，稍下延，先端长渐尖，边缘具向内弯曲的钝锯齿，上面绿色，两面散生短柔毛或近无毛；叶柄长 1 ~ 8 cm，茎中、下部叶的叶柄较长，通常稍长于叶片，或与叶片近等长，顶部叶的叶柄明显短于叶片；托叶绿色，卵形，长 5 ~ 7 mm，先端渐尖，边缘具流苏状齿。花淡紫堇色，生于顶部叶的叶腋；花梗细弱，远较叶为短，

上部具 2 近对生的钻状小苞片；萼片狭条形，长约 4 mm，宽约 0.7 mm，先端稍尖，边缘狭膜质，基部附属物极短，末端截形；花瓣长圆状倒卵形，上方花瓣长 10 ~ 12 mm，宽约 4 mm，侧方花瓣长约 11 mm，宽约 3 mm，里面基部无须毛，下方花瓣连距长约 9 mm；距浅囊状，长 2 ~ 3 mm，直径约 2.5 mm；花药长约 2 mm，药隔先端附属物长约 2 mm，下方雄蕊之距短角状，长约 2 mm，直径约 2 mm；子房卵球形，无毛，花柱棍棒状，基部向前方稍膝曲，柱头两侧及后方具稍肥厚的缘边，前方具近直立的短喙，喙端具圆形的柱头孔。花期 3 ~ 5 月。

| 生境分布 | 生于海拔 400 ~ 600 m 的山谷密林下阴湿处。湖北有分布。

| 功能主治 | 清热解毒，凉血消肿，散瘀。用于咽喉痛，腮腺炎，黄疸，目赤，疖疮痈肿，烫火伤，毒蛇咬伤。

堇菜科 Violaceae 堇菜属 *Viola*

长萼堇菜 *Viola inconspicus* Bl.

| 药 材 名 | 锌尖草。

| 形态特征 | 多年生草本。无地上茎。根茎垂直或斜生，较粗壮。叶基生，莲座状；叶柄长 2 ～ 7 cm；托叶 3/4 与叶柄合生，分离部分披针形；叶片三角形、三角状卵形或戟形，长 1.5 ～ 7 cm，宽 1 ～ 3.5 cm，基部宽，向上渐狭，先端渐尖或尖，基部宽心形，两侧垂片发达，稍延于叶柄成狭翅。花淡紫色，有暗色条纹；花梗细弱，通常与叶片等长或稍高出于叶；萼片卵状披针形或披针形，基部附属物伸长，长约 3 mm；花瓣长圆状倒卵形，长 7 ～ 9 mm，侧方花瓣里面基部有须毛，距管状，长 2.5 ～ 3 mm，直，末端钝；下方雄蕊背部的距角状；子房球形，花柱棍棒状，先端平，两侧具较宽的缘边，前方具明显

的短喙。蒴果长圆形，长 8 ~ 10 mm，无毛。花果期 3 ~ 11 月。

| 生境分布 | 生于林缘、山坡草地、田边及溪旁等处。湖北有分布。

| 采收加工 | 夏、秋季采集全草，洗净，除去杂质，鲜用或晒干。

| 功能主治 | 清热解毒，凉血消肿，利湿化瘀。用于疔疮痈肿，咽喉肿痛，乳痈，湿热黄疸，目赤，目翳，肠痈下血，跌打损伤，外伤出血，妇女产后瘀血腹痛，蛇虫咬伤。

堇菜科 Violaceae 堇菜属 *Viola*

白花堇菜 *Viola lactiflora* Nakai

| 药 材 名 | 白花堇菜。

| 形态特征 | 多年生草本，高 10 ~ 18 cm。无地上茎。根茎稍粗，上部具短而密的节，散生数条淡褐色长根。叶多数，均基生；叶片长三角形或长圆形，下部者长 2 ~ 3 cm，宽 1.5 ~ 2.5 cm，上部者长 4 ~ 5 cm，宽 1.5 ~ 2.5 cm；托叶明显，淡绿色或略呈褐色，近膜质，中部以上与叶柄合生，离生部分线状披针形。花白色，中等大，长 1.5 ~ 1.9 cm；花梗不超出或稍超出叶，在中部或中部以上有 2 线形小苞片；萼片披针形或宽披针形，长 5 ~ 7 mm；花瓣倒卵形，侧方花瓣内面有明显的须毛，下方花瓣较宽，先端无微缺，末端具明显的筒状距；距长 4 ~ 5 mm，直径约 3 mm，末端圆；花药长约 2 mm，下方 2 雄

蕊背部的距呈短角状；子房无毛，花柱棍棒状，前方具短喙，喙端有较细的柱头孔。蒴果椭圆形，长 6 ～ 9 mm，无毛，先端常有宿存的花柱；种子卵球形，长约 1.5 mm，呈淡褐色。

| 生境分布 | 生于岗地。湖北有分布。

| 功能主治 | 用于五劳七伤，全身疼痛。

堇菜科 Violaceae 堇菜属 *Viola*

犁头叶堇菜 *Viola magnifica* C. J. Wang et X. D. Wang

| 药 材 名 | 犁头叶堇菜。

| 形态特征 | 多年生草本。高约 28 cm，无地上茎。根茎粗壮，长 1 ~ 2.5 cm，直径可达 0.5 cm，向下发出多条圆柱状支根及纤维状细根。叶均基生，通常 5 ~ 7，叶片果期较大，三角形、三角状卵形或长卵形，长 7 ~ 15 cm，宽 4 ~ 8 cm，在基部处最宽，先端渐尖，基部宽心形或深心形，两侧垂片大而开展，边缘具粗锯齿，齿端钝而稍内曲，上面深绿色，两面无毛或下面沿脉疏生短毛；叶柄长可达 20 cm，上部有极窄的翅，无毛；托叶大形，1/2 ~ 2/3 与叶柄合生，分离部分线形或狭披针形，近全缘或疏生细齿。花未见。蒴果椭圆形，长 1.2 ~ 2 cm，直径约 5 mm，无毛；果柄长 4 ~ 15 cm，在近中部和

中部以下有 2 小苞片；小苞片线形或线状披针形，长 7 ～ 10 mm；宿存萼片狭卵形，长 4 ～ 7 mm，基部附属物长 3 ～ 5 mm，末端齿裂。果期 7 ～ 9 月。

| 生境分布 | 生于海拔 700 ～ 1 900 m 的山坡林下或林缘、谷地阴湿处。湖北有分布。

| 功能主治 | 清热解毒，凉血消肿。用于急性结膜炎，咽喉炎，急性黄疸性肝炎，乳腺炎，疮疖痈肿，化脓性骨髓炎，毒蛇咬伤。

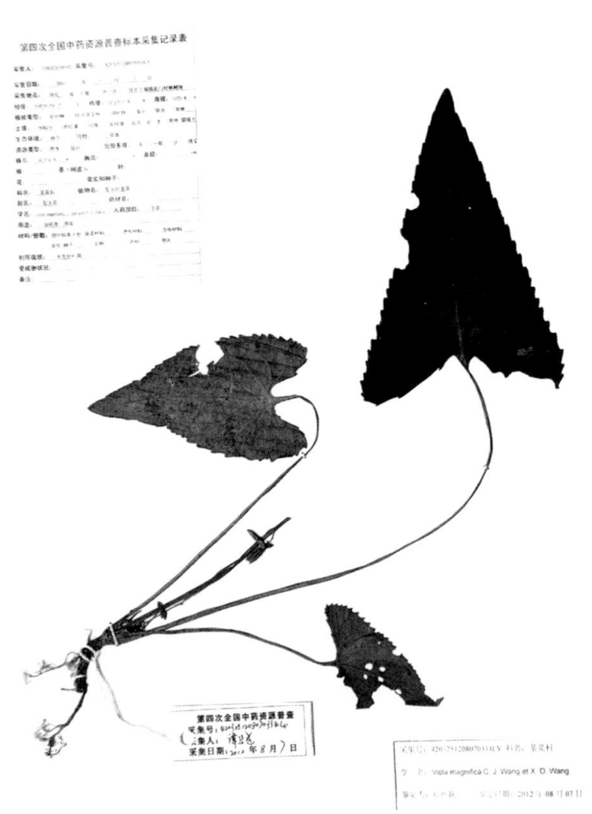

堇菜科 Violaceae 堇菜属 *Viola*

萱 *Viola moupinensis* Franch.

| 药 材 名 | 乌蔗连。

| 形态特征 | 多年生草本。无地上茎，有时具长达 30 cm 的上升的匍匐枝，枝端簇生数枚叶片。根茎粗 6 ~ 10 mm，长可达 15 cm，垂直或有时斜生，节间短而密，通常残存褐色托叶，密生细根。叶基生，叶片心形或肾状心形，长 2.5 ~ 5 cm，宽 3 ~ 4.5 cm，花后增大呈肾形，长约 9 cm，宽约 10 cm，先端急尖或渐尖，基部弯缺狭或宽三角形，两侧耳部花期常向内卷，边缘有具腺体的钝锯齿，两面无毛，有时下面仅沿叶脉稍被毛；叶柄有翅，长 4 ~ 10 cm，花后长达 25 cm；托叶离生，卵形，长 1 ~ 1.8 cm，淡褐色或上半部色较浅，先端渐尖，边缘疏生细锯齿或全缘。花较大，淡紫色或白色，具紫色条纹；

花梗长不超出于叶，中部有 2 线形小苞片；萼片披针形或狭卵形，先端稍尖，基部附属物短，末端截形疏生浅齿，具狭膜质缘；花瓣长圆状倒卵形，侧方花瓣里面近基部有须毛，下方花瓣连距长约 1.5 cm；距囊状，较粗，明显长于萼片的附属物；下方 2 雄蕊之距长约 1 mm，直径约 1.1 mm，末端钝；子房无毛，花柱基部稍向前膝曲，上部增粗，柱头平截，两侧及后方具肥厚的缘边，前方具平伸的短喙。蒴果椭圆形，长约 1.5 cm，无毛，有褐色腺点；种子大，倒卵状，长 2.5 mm，直径约 2 mm，先端圆，基部尖。花期 4 ~ 6 月，果期 5 ~ 7 月。

| 生境分布 | 生于海拔 850 ~ 2 100 m 的山坡、路旁、沟边或林下阴湿处及岩石上。分布于湖北鹤峰、宣恩、恩施、利川、巴东、兴山、神农架、五峰、长阳、竹溪、罗田、麻城，以及宜昌。

| 采收加工 | **全草或根茎：**夏、秋季采收，洗净，鲜用或晒干。

| 功能主治 | 清热解毒，活血止痛，止血。用于疮痈肿毒，乳房硬肿，麻疹热毒，头痛，牙痛，跌扑损伤，开放性骨折，咯血，刀伤出血。

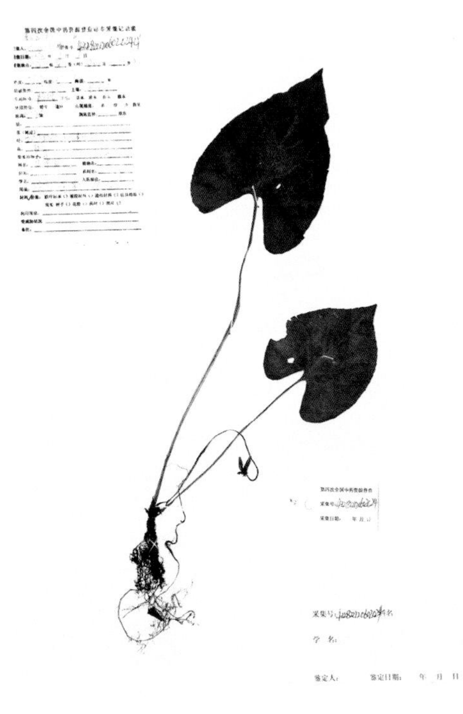

堇菜科 Violaceae 堇菜属 *Viola*

白花地丁 *Viola patrinii* DC. ex Ging.

|药材名|

白花地丁。

|形态特征|

多年生草本。无地上茎，高 7 ~ 20 cm。根茎短而稍粗，垂直，长 4 ~ 10 mm，深褐色或带黑色。根长而较粗，带黑色或深褐色，通常向下直伸或稍横生，常由根茎的一处发出。叶通常 3 ~ 5 或较多，均基生；叶片较薄，长圆形、椭圆形、狭卵形或长圆状披针形，长 1.5 ~ 6 cm，宽 0.6 ~ 2 cm，先端圆钝，基部截形、微心形或宽楔形，下延于叶柄，边缘两侧近平行，疏生波状浅圆齿或有时近全缘，两面无毛，或沿叶脉上有细短毛；叶柄细长，通常比叶片长 2 ~ 3 倍，长 2 ~ 12 cm，通常无毛或疏生细短毛，上部具明显的或狭或稍宽的翅；托叶绿色，约 2/3 与叶柄合生，离生部分线状披针形，先端渐尖，边缘疏生细齿或全缘。花中等大，白色，带淡紫色脉纹；花梗细弱，通常高出叶，或与叶近等长，无毛或疏生细短毛，在中部以下有 2 线形小苞片；萼片卵状披针形或披针形，先端稍尖或微钝，基部具短而钝的附属物（长约 1 mm）；上方花瓣倒卵形，长约 12 mm，基部变狭，侧方花瓣长圆状倒卵形，长约 12 mm，里面有细须毛，下方花瓣连距长约 13 cm；距短而粗，浅囊状，长与粗均约 3 mm 或稍短，末端圆；花药长约 2 mm，药隔顶部附属物长约 1.5 mm，下方 2 雄蕊背部的距短而粗，长约 2 mm，直径约 0.6 mm；子房狭卵形，无毛，花柱较细，棍棒状，基部稍膝曲，上部略增粗，柱头顶部平坦呈三角形，两侧具较狭的缘边，前方具斜升而明显的短喙，喙端具较细柱头孔。蒴果长约 1 cm，无毛。种子卵球形，黄褐色至暗褐色。花果期 5 ~ 9 月。

| 生境分布 | 生于海拔 1 000 m 左右的田野、路旁阴湿地。分布于湖北钟祥、麻城。

| 采收加工 | **全草：**2 ~ 7 月有花果时采收。

堇菜科 Violaceae 堇菜属 *Viola*

茜堇菜 *Viola phalacrocarpa* Maxim.

|药材名| 茜堇菜。

|形态特征| 多年生草本。无地上茎，高 6 ~ 17 cm，花期较低矮，果期显著增高。根茎短粗，被白色鳞片，垂直，长 3 ~ 10 mm，生 2 至数条根；根较粗而长，不分枝，黄褐色，长可达 18 cm；叶均基生，莲座状，叶片最下方者常呈圆形，其余叶片呈卵形或卵圆形，长 1.5 ~ 4.5 cm，宽 1.2 ~ 2.5 cm，果期长 6 ~ 7 cm，宽 5.5 ~ 6 cm，先端钝或稍尖，边缘具低而平的圆齿，基部稍呈心形但果期通常呈深心形，两面散生或密被（通常在花期的幼叶上）白色短毛，下面有时稍带淡紫色；叶柄长而细，长 4 ~ 13 cm，上部具明显的翅，幼时密被短毛，后渐稀疏；托叶外围者呈膜质，苍白色，无叶片，内部者淡绿色，1/2

以上与叶柄合生，离生部分披针形或狭披针形，先端长渐尖，边缘疏生短流苏状细齿。花紫红色，有深紫色条纹；花梗细弱，通常超出于叶或与叶近等长，被短毛，稀无毛，中部以上有 2 线形小苞片；萼片披针形或卵状披针形，连附属物长 6 ~ 7 mm，先端尖，具狭膜质缘，基部附属物长 1 ~ 2 mm，末端钝圆或截形，通常具不整齐的浅牙齿，密生或疏生短毛及缘毛；上方花瓣倒卵形，长 11 ~ 13 mm，宽 6 ~ 7 mm，先端常具波状凹缺，侧方花瓣长圆状倒卵形，长 11 ~ 13 mm，宽 5 ~ 6 mm，里面基部有明显的长须毛，下方花瓣连距长 1.7 ~ 2.2 mm，先端具微凹，距细管状，长 6 ~ 9 mm，直径 1 ~ 1.8 mm，直或稍向上弯，末端圆，有时疏生细毛；雄蕊 5，药隔先端附属物长约 1.5 mm，花药长约 2 mm，下方 2 雄蕊背方具细长之距，距长 6 ~ 7 mm，直径 0.3 ~ 0.4 mm；子房卵球形，密被短柔毛，花柱棍棒状，基部膝曲，向上部明显增粗，柱头两侧及背部明显增厚成直伸或平展的缘边，前方具较粗的短喙，柱头孔较粗。蒴果椭圆形，长 6 ~ 8 mm，幼果密被短粗毛，成熟时毛渐变稀疏；种子卵球形，红棕色，长约 1.5 mm，直径约 1 mm。花果期 4 月下旬至 9 月。

| 生境分布 | 生于向阳山坡草地、路埂、灌丛及林缘等处。湖北有分布。

| 功能主治 | 清热解毒。

堇菜科 Violaceae 堇菜属 *Viola*

匍匐堇菜 *Viola pilosa* Blume

| 药 材 名 | 冷毒草。

| 形态特征 | 多年生草本。无地上茎或具极短的地上茎。根茎垂直或斜生，长 3 ~ 5 cm，直径 1.5 ~ 4 mm，具明显的节间。匍匐枝纤细，延伸，无毛，有均匀散生的叶。叶互生，革质，椭圆形、长圆形或倒卵形，长 5 ~ 15 cm，宽 2 ~ 6 cm，先端钝尖、急尖或短渐尖，基部楔形，全缘，干时显铁青色或暗绿色，下面有光泽，具小斑点。总状聚伞花序腋生或顶生，密被锈色短柔毛；花小，金黄色或黄白色；萼片 5，外被褐色柔毛；花冠浅钟状，长 9 ~ 10 mm，5 深裂，裂片 2 裂，外被紧贴的橙色柔毛；雄蕊 5，着生在花冠管上，花药卵状三角形，先端锥尖；子房 1 室，胚珠 4。浆果珠形，具宿萼；种子 1，表面具

点状突起，侧下方有明显的附属物。花期 6 ~ 8 月，果期 8 ~ 10 月。

| **生境分布** | 生于海拔 800 ~ 3 000 m 的山地森林、草地、路旁。湖北有分布。

| **采收加工** | **全草**：春、夏季采收，洗净，鲜用。

| **功能主治** | 清热解毒，消肿止痛。用于疮疡肿毒，毒蛇咬伤，刀伤。

堇菜科 Violaceae 堇菜属 *Viola*

柔毛堇菜 *Viola principis* H. Boiss.

| 药 材 名 | 柔毛堇菜。

| 形态特征 | 多年生草本。全体被开展的白色柔毛。根茎较粗壮，长 2 ~ 4 cm，直径 3 ~ 7 mm。匍匐枝较长，延伸，有柔毛，有时似茎状。叶近基生或互生于匍匐枝上；叶片卵形或宽卵形，有时近圆形，长 2 ~ 6 cm，宽 2 ~ 4.5 cm，先端圆，稀具短尖，基部宽心形，有时较狭，边缘密生浅钝齿，下面尤其沿叶脉毛较密；叶柄长 5 ~ 13 cm，密被长柔毛，无翅；托叶大部分离生，褐色或带绿色，有暗色条纹，宽披针形，长 1.2 ~ 1.8 cm，宽 3 ~ 4 mm，先端渐尖，边缘具长流苏状齿。花白色；花梗通常高出于叶丛，密被开展的白色柔毛，中部以上有 2 对生的线形小苞片；萼片狭卵状披针形或披针形，长 7 ~ 9 mm，

先端渐尖，基部附属物短，长约 2 mm，末端钝，边缘及外面有柔毛，具 3 脉；花瓣长圆状倒卵形，长 1 ~ 1.5 cm，先端稍尖，侧方 2 花瓣里面基部稍有须毛，下方 1 花瓣较短连距长约 7 mm；距短而粗，呈囊状，长 2 ~ 2.5 mm，直径约 2 mm；下方 2 雄蕊具角状距，稍长于花药，末端尖；子房圆锥状，无毛，花柱棍棒状，基部稍膝曲，向上增粗，先端略平，两侧有明显的缘边，前方具短喙，喙端具向上开口的柱头孔。蒴果长圆形，长约 8 mm。花期 3 ~ 6 月，果期 6 ~ 9 月。

| 生境分布 | 生于山地林下、林缘、草地、溪谷、沟边或路旁。湖北有分布。

| 功能主治 | 清热解毒，祛瘀生新。

堇菜科 Violaceae 堇菜属 *Viola*

早开堇菜 *Viola prionantha* Bunge

| 药 材 名 |

早开堇菜。

| 形态特征 |

多年生草本。无地上茎，花期高 3 ~ 10 cm，果期高 20 cm。根茎垂直，短而较粗壮，长 4 ~ 20 mm，直径 9 mm，上端常有去年残叶围绕。根数条，带灰白色，粗而长，通常皆由根茎的下端发出，向下直伸，或有时近横生。叶多数，均基生；叶片在花期呈长圆状卵形、卵状披针形或狭卵形，长 1 ~ 4.5 cm，宽 6 ~ 20 mm，先端稍尖或钝，基部微心形、截形或宽楔形，稍下延，幼叶两侧通常向内卷折，边缘密生细圆齿，两面无毛，或被细毛，有时仅沿中脉有毛；果期叶片显著增大，长可达 10 cm，宽可达 4 cm，三角状卵形，最宽处靠近中部，基部通常宽心形；叶柄较粗壮，花期长 1 ~ 5 cm，果期长达 13 cm，上部有狭翅，无毛或被细柔毛；托叶苍白色或淡绿色，干后呈膜质，2/3 与叶柄合生，下部者宽 7 ~ 9 mm，离生部分线状披针形，长 7 ~ 13 mm，边缘疏生细齿。花大，紫堇色或淡紫色，喉部色淡并有紫色条纹，直径 1.2 ~ 1.6 cm，无香味；花梗较粗壮，具棱，超出于叶，在近中部处有 2 线

形小苞片；萼片披针形或卵状披针形，长 6 ~ 8 mm，先端尖，具白色狭膜质边缘，基部附属物长 1 ~ 2 mm，末端具不整齐牙齿或近全缘，无毛或具纤毛；上方花瓣倒卵形，长 8 ~ 11 mm，向上方反曲，侧方花瓣长圆状倒卵形，长 8 ~ 12 mm，里面基部通常有须毛或近无毛，下方花瓣连距长 14 ~ 21 mm，距长 5 ~ 9 mm，直径 1.5 ~ 2.5 mm，末端钝圆且微向上弯；药隔先端附属物长约 1.5 mm，花药长 1.5 ~ 2 mm，下方 2 雄蕊背方的距长约 4.5 mm，末端尖；子房长椭圆形，无毛，花柱棍棒状，基部明显膝曲，上部增粗，柱头顶部平或微凹，两侧及后方浑圆或具狭缘边，前方具不明显短喙，喙端具较狭的柱头孔。蒴果长椭圆形，长 5 ~ 12 mm，无毛，先端钝，常具宿存的花柱；种子多数，卵球形，长约 2 mm，直径约 1.5 mm，深褐色，常有棕色斑点。花果期 4 月中上旬至 9 月。

| 生境分布 | 生于海拔 300 ~ 2 200 m 的山坡、路边草丛中。主要生长在庭院、宅边、荒地以及山地果园中。分布于湖北巴东、兴山、神农架、竹溪，以及宜昌。

| 采收加工 | 夏、秋季采集全草，洗净，除去杂质，鲜用或晒干。

| 功能主治 | **全草：**清热解毒，除脓消炎。用于排脓，消炎，生肌。

堇菜科 Violaceae 堇菜属 *Viola*

浅圆齿堇菜 *Viola schneideri* W. Beck.

| 药 材 名 | 浅圆齿堇菜。

| 形态特征 | 多年生无毛草本。几无地上茎，高 7 ~ 10 cm。根茎斜生，具短而明显的节，密生细根。匍匐茎发达，长 10 ~ 15 cm，散生叶及花，节处生不定根，先端通常发育成一个新植株。叶近基生；叶片卵形或卵圆形，长 2 ~ 7 cm，宽 1.5 ~ 3.5 cm，先端圆，基部深心形，边缘每侧具 6 ~ 8 浅圆齿，两面无毛，上面淡绿色，下面常带红色，干后有褐色腺点；叶柄长短不等，长者可达 5 cm；托叶大部分离生，褐色，宽披针形，长 1 ~ 1.5 cm，先端长渐尖，边缘具流苏状疏齿，上面有棕色条纹。花白色或淡紫色；花梗超出于叶，或与叶近等长，中部以上有 2 线形小苞片；萼片披针形或卵状披针形，长 5 ~ 6 mm，

宽 1.5 ~ 2 mm，先端尖，基部附属物短、截形，有狭膜质缘；花瓣长圆状倒卵形，长 7 ~ 8 mm，侧方花瓣有须毛，下方花瓣较短，基部之距短，呈囊状，长 1.5 ~ 2 mm，直径约 2 mm；下方雄蕊背部的距短，呈长圆形，与花药近等长，长约 2 mm；子房长圆形，无毛，花柱棍棒状，基部近直立，向上稍增粗，柱头两侧具宽而明显的缘边，前方具向上而直伸的喙，喙短，粗，喙端具粗大的柱头孔。蒴果长圆形，长 5 ~ 7 mm，无毛。花期 4 ~ 6 月。

| 生境分布 | 生于山地林下、林缘、草坡、溪谷及路旁等处。湖北有分布。

| 功能主治 | **根：**接骨。用于骨折。

全草：用于目赤肿痛，疮痈肿毒。

堇菜科 Violaceae 堇菜属 *Viola*

深山堇菜 *Viola selkirkii* Pursh ex Gold

| 药 材 名 | 深山堇菜。

| 形态特征 | 多年生草本。无地上茎和匍匐枝，高 5 ~ 16 cm。根茎细，长 1 ~ 4 cm，有时可达 10 cm，具较长的节间和不明显的节，生多条白色细根。叶基生，通常较多，呈莲座状；叶片薄纸质，心形或卵状心形，长 1.5 ~ 5 cm，宽 1.3 ~ 3.5 cm，果期长约 6 cm，宽约 4 cm，先端稍急尖或圆钝，基部狭深心形，两侧垂边发达，边缘具钝齿，两面疏生白色短毛；叶柄长 2 ~ 7 cm，果期可达 13 cm，有狭翅，疏生白色短毛；托叶淡绿色，1/2 与叶柄合生，离生部分披针形，边缘疏生具腺体的细齿。花淡紫色，具长梗；花梗长 4 ~ 7 cm，稍超出或不超出于叶，无毛，通常在中部有 2 小苞片；小苞片线形，长 5 ~ 7 mm，

边缘疏生细齿；萼片卵状披针形，长 6 ~ 7 mm，先端急尖，具狭膜质缘，有 3 脉，基部附属物长圆形，长约 2 mm，末端具不整齐的缺刻状浅裂并疏生缘毛；花瓣倒卵形，侧方花瓣无须毛，下方花瓣连距长 1.5 ~ 2 cm；距较粗，长 5 ~ 7 mm，直径 2 ~ 3 mm，末端圆，直或稍向上弯；子房无毛，花柱棍棒状，基部稍向前膝曲，上部明显增粗，柱头顶部平坦，两侧具窄缘边，前方具明显短喙，喙端具向上柱头孔。蒴果较小，椭圆形，长 6 ~ 8 mm，无毛，先端钝；种子多数，卵球形，长约 2 mm，直径约 1.1 mm，淡褐色。花果期 5 ~ 7 月。

| 生境分布 | 生于海拔 1 700 m 以下的针阔叶混交林、落叶阔叶林、灌丛下腐殖层较厚的土壤上、溪谷、沟旁阴湿处。分布于湖北宣恩、巴东、兴山、神农架以及宜昌、荆门。

| 功能主治 | 清热解毒，消暑消肿。用于无名肿毒，暑热等。

堇菜科 Violaceae 堇菜属 *Viola*

庐山堇菜 *Viola stewardiana* W. Beck.

| 药 材 名 | 庐山堇菜。

| 形态特征 | 多年生草本。主根长；根茎粗壮，密生结节。茎地下部分横卧，强烈木质化，甚坚硬，常发出新植株；地上茎斜升，高 10 ~ 25 cm，通常数茎丛生，具纵棱，无毛。基生叶莲座状，叶片三角状卵形，长 1.5 ~ 3 cm，宽 1.5 ~ 2.5 cm，先端具短尖，基部宽楔形或截形，下延于叶柄，边缘具圆齿，齿端有腺体，两面有细小的褐色腺点，下面叶脉明显凸起，具长达 5.5 cm 的叶柄；茎生叶叶片长卵形、菱形或三角状卵形，长达 4.5 cm，宽 2 ~ 3 cm，先端具短尖或渐尖，基部楔形，叶柄下部者与叶片近等长，上部者短于叶片，具狭翅；托叶褐色，披针形或线状披针形，基部者长 1 ~ 1.2 cm，上部者长

仅 0.5 cm，先端长渐尖，边缘有长流苏。花淡紫色，生于茎上部叶的叶腋，具长梗；花梗与叶等长或略超出于叶，中部稍上处有 2 线形苞片；萼片狭卵形或长圆状披针形，长 3 ～ 3.5 mm，先端具短尖，基部附属物短，末端圆，全缘，无毛；花瓣先端具明显微缺，上方花瓣匙形，长约 8 mm，侧瓣长圆形，里面基部无须毛，下方花瓣倒长卵形，连距长约 1.4 cm，距长约 6 mm，向下弯，末端钝；下方 2 雄蕊无距；子房卵球形，无毛，花柱基部稍向前膝曲，向上方逐渐增粗，顶部无附属物，具钩状短喙，喙稍向上撅，先端具较大的柱头孔。蒴果近球形，散生褐色腺体，长约 6 mm，先端具短尖。花期 4 ～ 7 月，果期 5 ～ 9 月。

| **生境分布** | 生于海拔 600 ～ 1 500 m 的山坡草地、路边、杂木林下、山沟溪边或石缝中。湖北有分布。

| **功能主治** | 清热解毒，消肿止痛。

堇菜科 Violaceae 堇菜属 *Viola*

光叶堇菜 *Viola sumatrana* Miquel

| 药材名 | 光叶堇菜。

| 形态特征 | 多年生草本。无地上茎。根茎长 1 ~ 1.8 cm，直径 1.5 ~ 2.5 mm，有明显的节间，节上残留褐色托叶。匍匐枝纤细，长 15 ~ 20 cm，长者可达 40 cm，无毛，有不定根。叶基生或互生于匍匐枝上；叶片三角状卵形或长圆状卵形，长 2 ~ 5 cm，宽 1.5 ~ 3 cm，通常靠近叶基处最宽，先端长急尖，基部深心形，边缘密生浅锯齿，稀具浅圆齿，齿端具腺体，两面无毛或疏生白色短毛并有褐色腺点，上面深绿色或暗绿色，下面淡绿色；叶柄长短不等，长 2 ~ 9 cm，上端具狭翅；托叶深褐色，离生，线状披针形，长 7 ~ 15 mm，边缘具长流苏状齿。花淡紫色或紫色；花梗通常不超出于叶，中部或稍

上部有 2 线形小苞片；小苞片对生，稀互生，长 3 ~ 8 mm；萼片线状披针形，长 5 ~ 6 mm，先端尖，基部附属物甚短，长仅 0.5 mm，末端平截，具 3 脉，有锈色腺点，边缘膜质；花瓣长圆状卵形，长 8 ~ 10 mm，宽约 3 mm，侧瓣里面无须毛，下方花瓣较短，连距长约 7 mm；距短，呈囊状，长约 1.5 mm，粗约 2 mm；下方 2 雄蕊的距短而宽，呈短角状，通常与花药近等长；子房卵球形，花柱棍棒状，基部稍膝曲，向上逐渐增粗，柱头两侧增厚成直展而明显的缘边，前方具直立的短喙，喙端具较细的柱头孔。蒴果较小，近球形，长 5 ~ 7 mm，有褐色锈点；种子小，球形，直径约 0.5 mm。花期在春、夏季，果实于夏、秋季成熟。

| 生境分布 | 生于海拔 2 000 m 以下的荫蔽林下、林缘、溪畔、沟边岩石缝隙中。湖北有分布。

| 功能主治 | 清热解毒，散瘀消肿，凉血。用于咽喉肿痛，目赤肿痛，黄疸，疔疮痈肿，毒蛇咬伤，烫火伤，乳痈。

| 附　　注 | 本种拉丁学名已修订，*Viola hossei* W. Beck. 为异名。

堇菜科 Violaceae 堇菜属 *Viola*

三色堇 *Viola tricolor* L.

| 药 材 名 | 三色堇。

| 形态特征 | 一至二年生或多年生草本。高 10 ~ 40 cm。地上茎较粗，直立或稍倾斜，有棱，单一或多分枝。基生叶叶片长卵形或披针形，具长柄；茎生叶叶片卵形、长圆状圆形或长圆状披针形，先端圆或钝，基部圆，边缘具稀疏的圆齿或钝锯齿，上部叶叶柄较长，下部叶叶柄较短；托叶大型，叶状，羽状深裂，长 1 ~ 4 cm。花大，直径 3.5 ~ 6 cm，每个茎上有 3 ~ 10，通常每花有紫色、白色、黄色 3；花梗稍粗，单生于叶腋，上部具 2 对生的小苞片；小苞片极小，卵状三角形；萼片绿色，长圆状披针形，长 1.2 ~ 2.2 cm，宽 3 ~ 5 mm，先端尖，边缘狭膜质，基部附属物发达，长 3 ~ 6 mm，边缘不整齐；上方花瓣深紫堇色，侧方及下方花瓣均为 3 色，有紫色条纹，侧方花瓣里

面基部密被须毛，下方花瓣距较细，长 5 ～ 8 mm；子房无毛，花柱短，基部明显膝曲，柱头膨大，呈球状，前方具较大的柱头孔。蒴果椭圆形，长 8 ～ 12 mm。无毛。花期 4 ～ 7 月，果期 5 ～ 8 月。

| **生境分布** | 喜凉爽环境，耐寒，畏夏季高温。宜在肥沃而排水良好的砂壤土栽种。湖北沙市及武汉等有栽培。

| **采收加工** | 5 ～ 7 月果实成熟时，采收全草，去掉泥土，晒干。

| **功能主治** | 清热解毒，止咳。用于疮疡肿毒，小儿湿疹，小儿瘰疬，咳嗽。

堇菜科 Violaceae 堇菜属 *Viola*

斑叶堇菜 *Viola variegata* Fisch ex Link

| 药材名 | 斑叶堇菜。

| 形态特征 | 多年生草本。无地上茎，高 3 ~ 12 cm。根茎通常较短而细，长 4 ~ 15 mm，节密生，具数条淡褐色或近白色长根。叶均基生，呈莲座状，叶片圆形或圆卵形，长 1.2 ~ 5 cm，宽 1 ~ 4.5 cm，先端圆形或钝，基部明显呈心形，边缘具平而圆的钝齿，上面暗绿色或绿色，沿叶脉有明显的白色斑纹，下面通常稍带紫红色，两面通常密被短粗毛，有时毛较稀疏或近无毛；叶柄长短不一，长 1 ~ 7 cm，上部有极狭的翅或无翅，被短粗毛或近无毛；托叶淡绿色或苍白色，近膜质，2/3 与叶柄合生，离生部分披针形，先端渐尖，边缘疏生流苏状腺齿。花红紫色或暗紫色，下部通常色较淡，长 1.2 ~ 2.2 cm；

花梗长短不等，超出于叶或较叶稍短，通常带紫红色，有短毛或近无毛，在中部有 2 线形的小苞片；萼片通常带紫色，长圆状披针形或卵状披针形，长 5 ~ 6 mm，先端尖，具狭膜质边缘并被缘毛，具 3 脉，基部附属物较短，长 1 ~ 1.5 mm，末端截形或疏生浅齿，上面被粗短毛或无毛；花瓣倒卵形，长 7 ~ 14 mm，侧方花瓣里面基部有须毛，下方花瓣基部白色并有堇色条纹，连距长 1.2 ~ 2.2 cm；距筒状，长 3 ~ 8 mm，粗或较细，末端钝，直或稍向上弯；雄蕊的花药及药隔先端附属物均各长约 2 mm，下方 2 雄蕊的距细而长，长可达 4 mm，直径约 0.3 mm；子房近球形，通常有粗短毛，或近无毛，花柱棍棒状，基部稍膝曲，向上渐增粗，柱头两侧及后方明显增厚成直伸的缘边，前方有明显的短喙，喙端具向上开口的柱头孔。蒴果椭圆形，长约 7 mm，无毛或疏生短毛；幼果球形通常被短粗毛；种子淡褐色，小形，长约 1.5 mm，附属物短。花期 4 月下旬至 8 月，果期 6 ~ 9 月。

| **生境分布** | 生长在海拔 500 ~ 1 950 m 的林下岩石边或灌丛中、阴处岩石缝隙中。分布于湖北巴东、神农架、丹江口。

| **采收加工** | **全草**：夏、秋季采收，洗净，鲜用或晒干。

| **功能主治** | 清热解毒，凉血止血。用于痈疮肿毒，创伤出血。

| **附　　注** | 本种在果期或干标本上，叶下面的紫红色常褪为绿色，应注意识别。

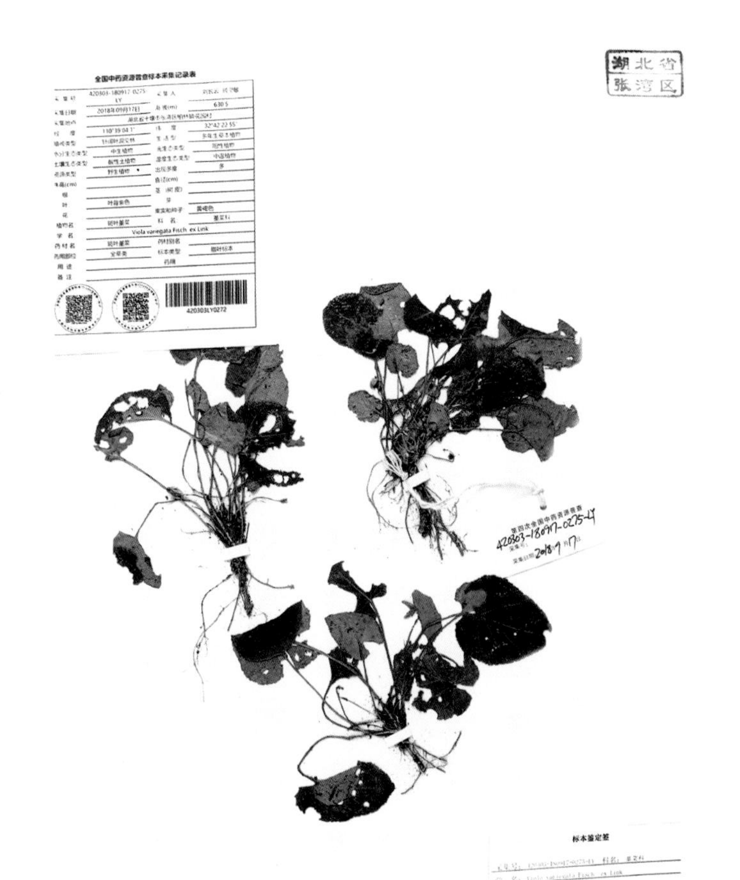

堇菜科 Violaceae 堇菜属 *Viola*

堇菜 *Viola verecunda* A. Gray

| 药 材 名 | 消毒草。

| 形态特征 | 多年生草本。高 5 ~ 20 cm。根茎短粗，斜生或垂直，密生多条须根。地上茎常数条丛生，稀单一，直立或斜生，平滑无毛。基生叶叶片宽心形、卵状心形或肾形，长 1.5 ~ 3 cm，宽 1.5 ~ 3.5 cm，先端圆或微尖，基部宽心形，两侧垂片平展，边缘具向内弯曲的浅波状圆齿。花小，淡紫色或白色，生于茎生叶的叶腋，有细弱的花梗；萼片 5，卵状披针形；花瓣 5。蒴果长圆形或椭圆形，长约 8 mm，先端尖，无毛；种子卵球形，淡黄色。花果期 5 ~ 10 月。

| 生境分布 | 生于湿草地、山坡草丛、灌丛、林缘、田野、旷野、路边、田埂或宅旁。湖北有分布。

| 采收加工 | **全草**：7 ~ 8 月采收，洗净，晒干或鲜用。

| 功能主治 | 清热解毒，止咳，止血。用于肺热咳嗽，乳蛾，结膜炎，疔疮肿毒，蝮蛇咬伤，外伤出血。

堇菜科 Violaceae 堇菜属 *Viola*

紫花地丁 *Viola yedoensis* Makino

| 药 材 名 | 紫花地丁。

| 形态特征 | 多年生草本。无地上茎，高 4 ~ 14 cm，果期高 20 cm 以上。根茎短，垂直，淡褐色，长 4 ~ 13 mm，直径 2 ~ 7 mm，节密生，有数条淡褐色或近白色的细根。叶多数，基生，莲座状；叶片下部者通常较小，呈三角状卵形或狭卵形，上部者较长，呈长圆形、狭卵状披针形或长圆状卵形，长 1.5 ~ 4 cm，宽 0.5 ~ 1 cm，先端圆钝，基部截形或楔形，稀微心形，边缘具较平的圆齿，两面无毛或被细短毛，有时仅下面沿叶脉被短毛，果期叶片增大，长 10 cm 以上，宽 4 cm；叶柄在花期通常长于叶片 1 ~ 2 倍，上部具极狭的翅，果期长 10 cm 以上，上部具较宽之翅，无毛或被细短毛；托叶膜质，苍

白色或淡绿色，长 1.5 ~ 2.5 cm，2/3 ~ 4/5 与叶柄合生，离生部分线状披针形，边缘疏生具腺体的流苏状细齿或近全缘。花中等大，紫堇色或淡紫色，稀呈白色，喉部色较淡并带有紫色条纹；花梗通常多数，细弱，与叶片等长或高出于叶片，无毛或有短毛，中部附近有 2 线形小苞片；萼片卵状披针形或披针形，长 5 ~ 7 mm，先端渐尖，基部附属物短，长 1 ~ 1.5 mm，末端圆或截形，边缘具膜质白边，无毛或有短毛；花瓣倒卵形或长圆状倒卵形，侧方花瓣长 1 ~ 1.2 cm，里面无毛或有须毛，下方花瓣连距长 1.3 ~ 2 cm，里面有紫色脉纹；距细管状，长 4 ~ 8 mm，末端圆；花药长约 2 mm，药隔顶部的附属物长约 1.5 mm，下方 2 雄蕊背部的距细管状，长 4 ~ 6 mm，末端稍细；子房卵形，无毛，花柱棍棒状，比子房稍长，基部稍膝曲，柱头三角形，两侧及后方稍增厚成微隆起的缘边，顶部略平，前方具短喙。蒴果长圆形，长 5 ~ 12 mm，无毛；种子卵球形，长 1.8 mm，淡黄色。花果期 4 月中下旬至 9 月。

| 生境分布 | 生于田间、荒地、山坡草丛、林缘或灌丛中。分布于湖北鄂城，以及宜昌、武汉。

| 采收加工 | 5 ~ 6 月间果实成熟时采收全草，洗净，晒干。

| 功能主治 | 清热解毒，凉血消肿。用于疔疮痈疽，丹毒，痄腮，乳痈，肠痈，瘰疬，湿热泻痢，黄疸，目赤肿痛，毒蛇咬伤。

大风子科 Flacourtiaceae 山羊角树属 *Carrierea*

山羊角树 *Carrierea calycina* Franch.

| 药 材 名 | 红木子。

| 形态特征 | 落叶乔木。高 12 ~ 16 m。树皮黑褐色，不规则开裂，不剥落。幼枝粗壮，紫灰色或灰绿色，有白色皮孔和叶痕，无毛；冬芽圆锥形，芽鳞有毛。树冠扁圆形。叶薄革质，长圆形，长 9 ~ 14 cm，宽 4 ~ 6 cm，先端突尖，基部圆形、心状或宽楔形，边缘有稀疏锯齿，齿尖有腺体，上面深绿色，无毛，或沿脉有疏绒毛，下面淡绿色，沿脉有疏绒毛，叶脉两面明显，中脉在下面凹入，基出脉 3，侧脉 4 ~ 5 对；叶柄长 3 ~ 7 cm，上面有浅槽，下面圆形，幼时有毛，老时则无毛。花杂性，白色，圆锥花序顶生，稀腋生，有密的绒毛；花梗长 1 ~ 2 cm；有叶状苞片 2，长圆形，对生；萼片 4 ~ 6，卵形，长 1.5 ~ 1.8 cm；雌花比雄花小，直径 0.6 ~ 1.2 cm，有退化

雄蕊；子房上位，椭圆形，长约 2 cm，有棕色绒毛，侧膜胎座 3 ～ 4，胚珠多数，花柱 3 ～ 4；雄花比雌花大，苞片较小；雄蕊多数，花丝丝状，长约 1.8 cm，无毛，花药 2 室，有退化雌蕊。蓇果木质，羊角状，有喙，长 4 ～ 5 cm，直径 1 ～ 1.5 cm，有棕色绒毛；果柄粗壮，有关节，长 2 ～ 3 cm；种子多数，扁平，四周有膜质翅。花期 5 ～ 6 月，果期 7 ～ 10 月。

| 生境分布 | 生于海拔 1 300 ～ 1 600 m 的山林中和林缘。分布于湖北利川、兴山。

| 采收加工 | 10 月果实成熟时采收蓇果，取出种子，晒干。

| 功能主治 | 息风，定眩。用于头晕，目眩。

大风子科 Flacourtiaceae 山桐子属 *Idesia*

山桐子 *Idesia polycarpa* Maxim.

| 药材名 |

山桐子。

| 形态特征 |

落叶乔木。高 8 ～ 21 m。树皮淡灰色，不裂。小枝圆柱形，细而脆，黄棕色，有明显的皮孔，冬日呈侧枝长于顶枝状态，枝条平展，近轮生，树冠长圆形，当年生枝条紫绿色，有淡黄色的长毛；冬芽有淡褐色毛，有 4 ～ 6 锥状鳞片。叶薄革质或厚纸质，卵形、心状卵形或宽心形，长 13 ～ 16 cm，稀达 20 cm，宽 12 ～ 15 cm，先端渐尖或尾状，基部通常心形，边缘有粗的齿，齿尖有腺体，上面深绿色，光滑无毛，下面有白粉，沿脉有疏柔毛，脉腋有丛毛，基部脉腋更多，通常 5 基出脉，第 2 对脉斜升到叶片的 3/5 处；叶柄长 6 ～ 12 cm 或更长，圆柱状，无毛，下部有 2 ～ 4 紫色、扁平腺体，基部稍膨大。花单性，雌雄异株或杂性，黄绿色，有芳香，花瓣缺，排列成顶生下垂的圆锥花序，花序梗有疏柔毛，长 10 ～ 20 cm，稀达 30 ～ 80 cm；雄花比雌花稍大，直径约 1.2 cm；萼片 3 ～ 6，通常 6，覆瓦状排列，长卵形，长约 6 mm，宽约 3 mm，有密毛；花丝丝状，被软毛，花药椭圆形，基部着生，

侧裂，有退化子房；雌花比雄花稍小，直径约 9 mm；萼片 3 ~ 6，通常 6，卵形，长约 4 mm，宽约 2.5 mm，外面有密毛，内面有疏毛；子房上位，圆球形，无毛，花柱 5 或 6，向外平展，柱头倒卵圆形，退化雄蕊多数，花丝短或缺。浆果成熟期紫红色，扁圆形，高（长）3 ~ 5 mm，直径 5 ~ 7 mm，宽过于长，果柄细小，长 0.6 ~ 2 cm；种子红棕色，圆形。花期 4 ~ 5 月，果熟期 10 ~ 11 月。

| **生境分布** | 生于低山区的山坡、山洼等落叶林和针阔叶混交林中。分布于湖北咸丰、宣恩、鹤峰、利川、恩施、建始、巴东、长阳、房县、通山，以及宜昌。

| **功能主治** | 生新解毒。用于骨折，狂犬咬伤，骨结核。

大风子科 Flacourtiaceae 柞木属 *Xylosma*

柞木 *Xylosma congesta* (Lour.) Merr.

| 药 材 名 | 柞木皮、柞木叶、柞木枝、柞木根。

| 形态特征 | 常绿灌木或小乔木。高 2 ~ 10 m。枝干常疏生长刺，尤以小枝为多。叶革质，互生，具柄，长 3 ~ 10 mm；叶片广卵形、卵形至卵状椭圆形，长 3 ~ 8 cm，宽 2 ~ 5 cm，先端渐尖，基部圆形或阔楔形，两面无毛，边缘有锯齿；侧脉 4 ~ 6 对。花雌雄异株，总状花序腋生，长 1 ~ 2 cm，有柔毛；萼片 4 ~ 6，卵圆形；无花瓣；雄花有多数雄蕊，花盘由多数腺体组成，位于雄蕊外围；雌花花盘圆盘状，边缘略成浅波状，子房 1 室，有 2 侧膜胎座；花柱短，柱头 2 浅裂。浆果球形，直径 3 ~ 4 mm，成熟时黑色，先端有宿存花柱。种子 2（~ 3）。花期夏季。

| 生境分布 | 生于平原、丘陵、山坡、路旁、村落附近或山麓疏林中。分布于湖北来凤、建始、巴东、崇阳、阳新、黄梅，以及武汉。

| 采收加工 | **皮：**夏、秋季剥取树皮，晒干。

叶：全年均可采，晒干。

枝：全年均可采，锯下树枝，切段，晒干。

根：秋季采挖根，洗净，切片，晒干，亦可鲜用。

| 功能主治 | **皮：**清热利湿，催产。用于湿热黄疸，痢疾，瘰疬，梅疮溃烂，鼠瘘，难产，胎死不下。

叶：清热燥湿，解毒，散瘀消肿。用于婴幼儿泄泻，痢疾，痈疖肿毒，跌打骨折，扭伤脱臼，胎死不下。

枝：催产。用于难产，胎死腹中。

根：解毒，利湿，散瘀，催产。用于黄疸，痢疾，水肿，肺结核咯血，瘰疬，跌打肿痛，难产，胎死不下。

旌节花科 Stachyuraceae 旌节花属 *Stachyurus*

中国旌节花 *Stachyurus chinensis* Franch.

| 药 材 名 | 小通草。

| 形态特征 | 落叶灌木。高 2 ~ 4 m。树皮光滑，紫褐色或深褐色。小枝粗壮，圆柱形，具淡色椭圆形皮孔。叶于花后发出，互生，纸质至膜质，卵形、长圆状卵形至长圆状椭圆形，长 5 ~ 12 cm，宽 3 ~ 7 cm，先端渐尖至短尾状渐尖，基部钝圆至近心形，边缘为圆齿状锯齿，侧脉 5 ~ 6 对，在两面均凸起，细脉网状，上面亮绿色，无毛，下面灰绿色，无毛或仅沿主脉和侧脉疏被短柔毛，后很快柔毛脱落；叶柄长 1 ~ 2 cm，通常暗紫色。穗状花序腋生，先叶开放，长 5 ~ 10 cm，无梗；花黄色，长约 7 mm，近无梗或有短梗；苞片 1，三角状卵形，先端急尖，长约 3 mm；小苞片 2，卵形，长约 2 cm；

萼片 4，黄绿色，卵形，长约 3.5 mm，先端钝；花瓣 4，卵形，长约 6.5 mm，先端圆形；雄蕊 8，与花瓣等长，花药长圆形，纵裂，2 室；子房瓶状，连花柱长约 6 mm，被微柔毛，柱头头状，不裂。果实圆球形，直径 6 ~ 7 cm，无毛，近无梗，基部具花被的残留物；花粉粒球形或近球形，赤道面观为近圆形或圆形，极面观为三裂圆形或近圆形，具三孔沟。花期 3 ~ 4 月，果期 5 ~ 7 月。

| **生境分布** | 生于海拔 500 ~ 2500 m 的山谷、溪边、杂木林下及灌丛中。湖北有分布。

| **采收加工** | 秋季割取地上茎，将茎截成段，趁鲜取出髓部，理直，晒干。

| **功能主治** | 清热，利尿，下乳。用于小便不利，淋证，乳汁不下。

旌节花科 Stachyuraceae 旌节花属 *Stachyurus*

西域旌节花 *Stachyurus himalaicus* Hook. f. et Thoms.

| 药 材 名 | 小通草。

| 形态特征 | 落叶灌木或小乔木。高 3 ~ 5 m。树皮平滑，棕色或深棕色。小枝褐色，具浅色皮孔。叶片坚纸质至薄革质，披针形至长圆状披针形，长 8 ~ 13 cm，宽 3.5 ~ 5.5 cm，先端渐尖至长渐尖，基部钝圆，边缘具细而密的锐锯齿，齿尖骨质并加粗，侧脉 5 ~ 7 对，在两面均凸起，细脉网状；叶柄紫红色，长 0.5 ~ 1.5 cm。穗状花序腋生，长 5 ~ 13 cm，无总梗，通常下垂，基部无叶；花黄色，长约 6 mm，几无梗；苞片 1，三角形，长约 2 mm；小苞片 2，宽卵形，先端急尖，基部连合；萼片 4，宽卵形，长约 3 mm，先端钝；花瓣 4，倒卵形，长约 5 mm，宽约 3.5 mm；雄蕊 8，长 4 ~ 5 cm，通常短于花瓣，

花药黄色，2 室，纵裂；子房卵状长圆形，连花柱长约 6 mm，柱头头状。果实近球形，直径 7 ~ 8 cm，无柄或近无柄，具宿存花柱，花粉粒球形或长球形，极面观为三角形或三角状圆形，赤道面观为圆形，具 3 孔沟。花期 3 ~ 4 月，果期 5 ~ 8 月。

| 生境分布 | 生于海拔 400 ~ 3 000 m 的山坡阔叶林下或灌丛中。湖北有分布。

| 采收加工 | **茎髓：**秋季将嫩枝砍下，剪去过细或过粗的枝，用细木棍将茎髓捅出，再用手拉平，晒干。

| 功能主治 | 利尿，催乳，清湿热。用于小便黄赤，热病烦躁，小便不利，乳少，水肿，淋病等。

旌节花科 Stachyuraceae 旌节花属 *Stachyurus*

矩圆叶旌节花 *Stachyurus oblongifolius* F. T. Wang & T. Tang

| 药 材 名 | 小通草。

| 形态特征 | 灌木。高 2 ~ 3 m，直立，稀匍匐，棕褐色，光滑无毛。叶互生，革质，长圆状椭圆形，长 4 ~ 8 cm，宽 1.5 ~ 4 cm，先端急尖，长渐尖或钝圆，基部圆形，边缘具疏生尖锯齿，齿端坚硬，叶缘略反卷，两面无毛，上面淡绿色，下面带红色，中脉在上面明显，在下面凸起，侧脉 5 ~ 6 对，从中脉分出弯向边缘和细脉联结成网状，两面均明显；叶柄长 5 ~ 15 mm。总状花序腋生，长 2.5 ~ 4.5 cm；苞片无毛，卵状短披针形，长 2.5 mm；小苞片无毛，卵状三角形；萼片 4，无毛，形状不一，下面一对卵形中凹，略具短缘毛，长 2 mm，上面一对矩形，缘毛不明显，长 2 mm；花瓣 4，无毛，倒卵形，末端圆形，微分爪

和片两部，长 5 mm，宽 3 mm；雄蕊 8，长短不等，长 2.5 ~ 3 mm，比雌蕊为短；雌蕊不伸出瓣外，子房上位，卵状椭圆形，花柱不明显，柱头头状，4 浅裂。果实为圆形浆果状，直径 5 mm，先端具短喙，果柄短。花期 3 ~ 4 月，果期 6 ~ 7 月。

| 生境分布 | 生于 600 ~ 1 000 m 的溪沟、路边、岩缝或山坡灌丛中。分布于湖北兴山及宜昌。

| 功能主治 | 清热，利水，通乳。用于热病烦渴，急性膀胱炎，小便不利，乳汁不通等。

西番莲科 Passifloraceae 西番莲属 *Passiflora*

杯叶西番莲 *Passiflora cupiformis* Mast.

|药 材 名| 对叉疔药。

|形态特征| 藤本。长达 6 m。茎渐变无毛。叶坚纸质，长 6 ~ 12（~ 15）cm，宽 4 ~ 10（~ 11）cm，先端截形至 2 裂，基部圆形至心形，上面无毛，下面被稀疏粗伏毛并具有 6 ~ 25 腺体，裂片长 3 ~ 8 cm，先端圆形或近钝尖；叶柄长 3 ~ 7 cm，被疏毛，从基部往上 1/8 ~ 1/4 处具 2 盘状腺体。花序近无梗，有 5 至数花，被棕色毛；花梗长 2 ~ 3 cm；花白色，直径 1.5 ~ 2 cm；萼片 5，长 8 ~ 10 mm，外面先端通常具 1 腺体（有时缺）或长达 1 mm 的角状附属器，被毛；花瓣长 7 ~ 8.5 mm；外副花冠裂片 2 轮，丝状，外轮长 8 ~ 9 mm，内轮长 2 ~ 3 mm；内副花冠褶状，高约 1.5 mm；具花盘，高约

0.25 mm；雌雄蕊柄长 3 ～ 5 mm；雄蕊 5，花丝分离，长 4.5 ～ 6 mm，花药长圆形，长 2.5 mm；子房近卵球形，无梗，长约 2 mm，无毛；花柱 3，分离，长约 4 mm。浆果球形，直径 1 ～ 1.6 cm，熟时紫色，无毛；种子多数，三角状椭圆形，长约 5 mm，扁平，深棕色。花期 4 月，果期 9 月。

| 生境分布 | 生于海拔 1 700 ～ 2 000 m 的山坡、路边草丛和沟谷灌丛中。分布于湖北（巴东、利川）等地。

| 采收加工 | 秋季采挖全株，洗去泥土，鲜用或切碎，晒干。

| 功能主治 | 祛风除湿，活血止痛，养心安神。用于风湿性心脏病，尿血，白浊，半身不遂，疔疮，外伤出血，痧胀腹痛。

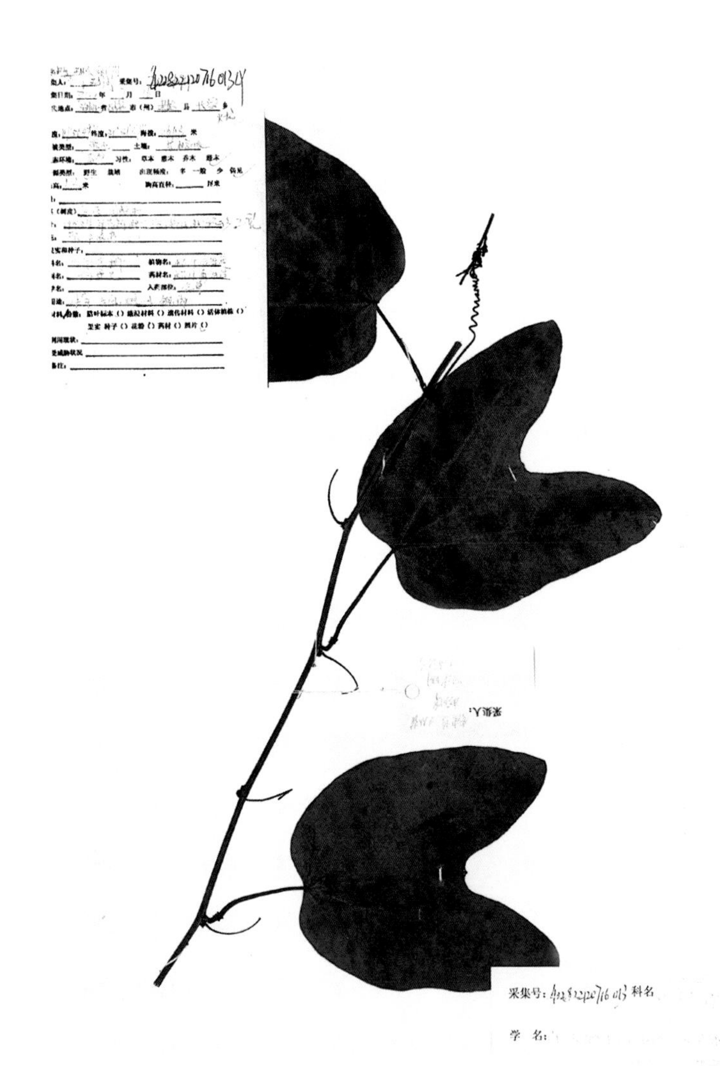

西番莲科 Passifloraceae 西番莲属 *Passiflora*

鸡蛋果 *Passiflora edulis* Sims

| 药材名 | 鸡蛋果。

| 形态特征 | 草质藤本。长约 6 m。茎具细条纹，无毛。叶纸质，长 6 ~ 13 cm，宽 8 ~ 13 cm，基部楔形或心形，掌状 3 深裂，中间裂片卵形，两侧裂片卵状长圆形，裂片边缘有内弯腺尖细锯齿，近裂片缺弯的基部有 1 ~ 2 杯状小腺体，无毛。聚伞花序退化仅存 1 花，与卷须对生；花芳香，直径约 4 cm；花梗长 4 ~ 4.5 cm；苞片绿色，宽卵形或菱形，长 1 ~ 1.2 cm，边缘有不规则细锯齿；萼片 5，外面绿色，内面绿白色，长 2.5 ~ 3 cm，外面先端具 1 角状附属器；花瓣 5，与萼片等长；外副花冠裂片 4 ~ 5 轮，外 2 轮裂片丝状，约与花瓣近等长，基部淡绿色，中部紫色，顶部白色，内 3 轮裂片窄三角形，长约 2 mm；

内副花冠非褶状，先端全缘或为不规则撕裂状，高 1 ~ 1.2 mm；花盘膜质，高约 4 mm；雌雄蕊柄长 1 ~ 1.2 cm；雄蕊 5，花丝分离，基部合生，长 5 ~ 6 mm，扁平；花药长圆形，长 5 ~ 6 mm，淡黄绿色；子房倒卵状球形，长约 8 mm，被短柔毛；花柱 3，扁棒状，柱头肾形。浆果卵球形，直径 3 ~ 4 cm，无毛，熟时紫色；种子多数，卵形，长 5 ~ 6 mm。花期 6 月，果期 11 月。

| 生境分布 | 有时逸生于海拔 180 ~ 1 900 m 的山谷。湖北有分布。

| 采收加工 | 8 ~ 11 月果皮成熟时，分批采收，鲜用或晒干。

| 功能主治 | 清肺润燥，镇痛，安神。用于咳嗽，咽干，声嘶，大便秘结，失眠，痛经，关节痛，痢疾。

秋海棠科 Begoniaceae 秋海棠属 *Begonia*

美丽秋海棠 *Begonia algaia* L. B. Smith et D. C. Wasshausen

| 药 材 名 | 美丽秋海棠。

| 形态特征 | 多年生柔弱草本。根茎长 4 ~ 11 cm，直径 5 ~ 8 mm，红褐色，粗糙，节密，生出多数长短不等的纤维状之根。茎短缩。基生叶具长柄；叶片宽卵形至长圆形，长 10 ~ 20 cm，宽 9 ~ 19（~ 21）cm，先端尾状长渐尖或长渐尖，基部心形至深心形略偏斜，全边具疏而大小不等的三角形浅齿，齿尖带短芒，通常 6（~ 8）中裂或略多，中间 3 裂片再中裂，裂片披针形至卵状披针形，基部楔形，下部两侧裂片通常再浅裂，裂片三角状卵形，先端短渐尖，上面深绿色，散生粗柔毛，下面淡绿色，沿脉被短疏柔毛，掌状 6（~ 8）脉，至分裂处以上呈羽状脉；叶柄长 13 ~ 26 cm，柔弱，有棱，被锈褐色

卷曲长毛，向先端逐渐加密；托叶早落。花葶高 17 ~ 27 cm，疏被锈褐色卷曲毛；花通常带白的玫瑰色，4，呈二歧聚伞状；苞片长圆状卵形，长 4 ~ 5 mm，先端急尖；雄花花梗长 4 ~ 4.5 cm，无毛，花被片 4，外面 2 花被片，宽卵形，长 2 ~ 2.7 cm，近等宽或稍宽，先端圆，外面中部散生长柔毛，内面 2 花被片倒卵状长圆形，长 2 ~ 2.6 cm，宽约 1 cm，先端钝，无毛；雄蕊多数，花丝长 1.8 ~ 2.2 cm，基部合生，花药广椭圆形，长 1.7 ~ 2.2 mm，药隔突出，先端钝。雌花花梗长 4 ~ 5 cm，无毛；花被片 5，不等大，外面的宽卵形，长约 2.5 cm，宽约 2.2 cm，先端钝，内面倒卵形，长约 2 cm，宽约 7 mm，先端钝；子房长圆形，长约 10 mm，直径约 5 mm，无毛，2 室，每室胎座具 2 裂片，花柱 2，长 8 ~ 9 mm，近中部 2 裂，柱头外向螺旋状扭曲，并带刺状乳突。蒴果下垂；柄长约 5 cm，无毛；卵球形，长约 1.2 cm，直径约 9 mm，具 3 极不相等之翅，大的近直三角形，长约 13 cm，宽 8 ~ 11 mm，先端圆，有纵纹，无毛，小的半圆形，长 3 ~ 5 mm，上部圆，无毛；种子极多数，小，长圆形，淡褐色，平滑。花期 6 月开始，果期 8 月。

| 生境分布 | 生于海拔 320 ~ 800 m 的山谷水沟边阴湿处、山地灌丛中石壁上和河畔或阴山坡林下。湖北有分布。

| 功能主治 | 消肿解毒。用于跌打损伤，腰肌劳损，蛇虫咬伤。

秋海棠科 Begoniaceae 秋海棠属 *Begonia*

南川秋海棠 *Begonia dielsiana* E. Pritz.

| 药 材 名 | 南川秋海棠。

| 形态特征 | 多年生草本。根茎粗壮，圆柱形，直径 12 ~ 18 mm，节密，周围生出多数不等纤维状之根。叶 1 ~ 2，均基生，具长柄；叶片两侧不相等，长圆状宽卵形，长 9 ~ 17 cm，宽 17 ~ 15 cm，先端渐尖，基部宽的深心形，两侧不相等，窄侧宽 3 ~ 5 cm，呈耳状，宽侧下延长 3.5 ~ 7 cm，宽 3 ~ 5 cm，呈长圆耳状，边缘 5 ~ 10 浅裂，裂片三角形或宽三角形，先端急尖至渐尖，具浅而疏锐齿，齿尖凸起或不明显钝齿，上面深绿色，下面淡绿色，两面无毛；叶柄长 16 ~ 50 cm，粗壮，有纵棱，无毛；托叶早落。花葶高 9 ~ 24 cm，无毛，花 2 ~ 4，白色或带粉色，呈聚伞状；花梗长 2 ~ 2.5 cm，无

毛；苞片早落；雄花花被片 4，外面 2 花被片大，近圆形或宽卵形，长 2.2 ~ 2.5 cm，宽约 2 cm，先端圆或钝，内面 2 花被片长圆形，长约 2 cm，宽约 1 cm，先端圆；雄蕊多数，整体呈球状，花丝长 2.5 ~ 3 mm，花药倒卵状长圆形，长约 1.8 mm，先端微凹，基部渐窄；雌花花被片 2；子房倒卵状球形，直径约 8 mm，具不等 3 翅；花柱基部合生，粗厚，上部有分枝，柱头向外增厚，呈螺旋状或环状扭曲，并具多数刺状乳头。果实未见。花期 7 月开始。

| 生境分布 | 生于海拔 1 000 ~ 1 250 m 的山谷沟边阴湿处或岩石上。湖北有分布。

| 功能主治 | 凉血止血，散瘀，调经。用于吐血，衄血，咯血，崩漏，带下，月经不调，痢疾。

秋海棠科 Begoniaceae 秋海棠属 *Begonia*

紫背天葵 *Begonia fimbristipula* Hance

| 药 材 名 | 红天葵。

| 形态特征 | 多年生无茎草本。根茎球状，直径 7 ~ 8 mm，具多数纤维状之根。叶均基生，具长柄；叶片两侧略不相等，宽卵形，长 6 ~ 13 cm，宽 4.8 ~ 8.5 cm，先端急尖或渐尖状急尖，基部略偏斜，心形至深心形，边缘有大小不等三角形重锯齿，有时呈缺刻状，齿尖有长可达 0.8 mm 的芒，上面散生短毛，下面淡绿色，沿脉被毛，但沿主脉的毛较长，常有不明显白色小斑点，掌状 7（~ 8）脉，叶柄长 4 ~ 11.5 cm，被卷曲长毛；托叶小，卵状披针形，长 5 ~ 7 mm，宽 2 ~ 4 mm，先端急尖，带刺芒，边撕裂状。花葶高 6 ~ 18 cm，无毛；花粉红色，数朵，2 ~ 3 回二歧聚伞状花序，首次分枝长 2.5 ~ 4 cm，二次分

枝长 7 ~ 13 mm，通常均无毛或近无毛；下部苞片早落，小苞片膜质，长圆形，长 3 ~ 4 mm，宽 1.5 ~ 2.5 mm，先端钝或急尖，无毛；雄花花梗长 1.5 ~ 2 cm，无毛；花被片 4，红色，外面 2 花被片宽卵形，长 11 ~ 13 mm，宽 9 ~ 10 mm，先端钝至圆，外面无毛，内面 2 花被片倒卵状长圆形，长 11 ~ 12.5 mm，宽 4 ~ 5 mm，先端圆，基部楔形；雄蕊多数，花丝长 1 ~ 1.3 mm，花药长圆形或倒卵状长圆形，长约 1 mm，先端微凹或钝；雌花花梗长 1 ~ 1.5 cm，无毛，花被片 3，外面 2 花被片宽卵形至近圆形，长 6 ~ 11 mm，近等宽，内面的倒卵形，长 6.5 ~ 9.2 mm，宽 3 ~ 4.2 mm，基部楔形，子房长圆形，长 5 ~ 6 mm，直径 3 ~ 4 mm，无毛，3 室，每室胎座具 2 裂片，具不等 3 翅；花柱 3，长 2.8 ~ 3 mm，近离生或 1/2 合成，无毛，柱头增厚，外向扭曲呈环状。蒴果下垂，果柄长 1.5 ~ 2 mm，无毛，倒卵状长圆形，长约 1.1 mm，直径 7 ~ 8 mm，无毛，具有不等 3 翅，大的翅近舌状，长 1.1 ~ 1.4 cm，宽约 1 cm，上方的边平，下方的边弧形，其余 2 翅窄，长约 3 mm，上方的边平，下方的边斜；种子极多数，小，淡褐色，光滑。花期 5 月，果期 6 月开始。

| 生境分布 | 生于海拔 700 ~ 1 120 m 的地山顶疏林下石上、悬崖石缝中、山顶林下潮湿岩石上和山坡林下。湖北有分布。

| 采收加工 | **块茎**：春、夏季挖取，洗净，晒干或鲜用。

全草：夏、秋季采收，洗净，晒干。

| 功能主治 | **全草**：解毒，止咳，活血，消肿。

秋海棠科 Begoniaceae 秋海棠属 *Begonia*

秋海棠 *Begonia grandis* Dryand.

| 药 材 名 | 秋海棠。

| 形态特征 | 多年生草本。根茎近球形，直径 8 ~ 20 mm，具密集而交织的细长纤维状之根。茎直立，有分枝，高 40 ~ 60 cm，有纵棱，近无毛。基生叶未见；茎生叶互生，具长柄；叶片两侧不相等，轮廓宽卵形至卵形，长 10 ~ 18 cm，宽 7 ~ 14 cm，先端渐尖至长渐尖，基部心形，偏斜，窄侧宽 1.6 ~ 4 cm，宽侧向下延伸长达 3 ~ 6.5 cm，宽 4 ~ 8 cm，边缘具不等大的三角形浅齿，齿尖带短芒，并常呈波状或宽三角形的极浅齿，在宽侧出现较多，上面褐绿色，常有红晕，幼时散生硬毛，硬毛逐渐脱落，老时近无毛，下面色淡，带红晕或紫红色，沿脉散生硬毛或近无毛，掌状 7（~ 9）脉，带紫红色，窄

侧常 2（～3），宽侧 3～4（～5），近中部分枝，呈羽状脉；叶柄长 4～13.5 cm，有棱，近无毛；托叶膜质，长圆形至披针形，长约 10 mm，宽 2～4 mm，先端渐尖，早落。花葶高 7.1～9 cm，有纵棱，无毛；花粉红色，较多数，（2～）3～4 回二歧聚伞状，花序梗长 4.5～7 cm，基部常有 1 小叶，二次分枝长 2～3.5 cm，三次分枝长 1.2～2 cm，有纵棱，均无毛；苞片长圆形，长 5～6 mm，宽 2～3 mm，先端钝，早落；雄花花梗长约 8 mm，无毛，花被片 4，外面 2 宽卵形或近圆形，长 1.1～1.3 cm，宽 7～10 mm，先端圆，内面 2 倒卵形至倒卵长圆形，长 7～9 mm，宽 3～5 mm，先端圆或钝，基部楔形，无毛；雄蕊多数，基部合生长达（1～）2～3 mm，整个呈球形，花药倒卵状球形，长约 0.9 mm，先端微凹；雌花花梗长约 2.5 cm，无毛，花被片 3，外面 2 花被片近圆形或扁圆形，长约 12 mm，宽和长几相等，先端圆，内面 1，倒卵形，长约 8 mm，宽约 6 mm，先端圆；子房长圆形，长约 10 mm，直径约 5 mm，无毛，3 室，中轴胎座，每室胎座具 2 裂片，具不等 3 翅或 2 短翅退化成檐状，花柱 3，1/2 部分合生、微合生或离生，柱头常 2 裂、头状或肾状，外向膨大呈螺旋状扭曲，或“U”形并带刺状乳头。蒴果下垂，果柄长 3.5 cm，细弱，无毛；轮廓长圆形，长 10～12 mm，直径约 7 mm，无毛，具不等 3 翅，大的斜长圆形或三角状长圆形，长约 1.8 cm，上方的边平，下方的边从下向上斜，另 2 翅极窄，呈窄三角形，长 3～5 mm，上方的边平，下方的边斜，或 2 窄翅呈窄檐状或完全消失，均无毛或几无毛；种子极多数，小，长圆形，淡褐色，光滑。花期 7 月开始，果期 8 月开始。

秋海棠科 Begoniaceae 秋海棠属 *Begonia*

中华秋海棠 *Begonia grandis* Dryand. subsp. *sinensis* (A. Candolle) Irmscher

| 药 材 名 | 红白二丸、红白二丸果。

| 形态特征 | 多年生草本。高 20 ~ 40 cm。有双球形块茎，但有较多须根。茎圆柱形，直立，淡褐色，不分枝。叶互生；叶柄长 4 ~ 15 cm，从下到上变短；叶片薄纸质，宽卵形，长 3 ~ 12 cm，宽 3.5 ~ 9 cm，先端渐尖，常呈尾状，基部心形，偏斜，叶背淡绿色，叶缘有锯齿。聚伞花序顶生或腋生，花较小而稀疏，粉红色，雄花被片 4，外轮 2，卵圆形，内轮 2，雄蕊多数，基部合生成长约 2 mm 的柄，花药纵裂；雌蕊被片 5，外轮 2，内轮 3，花柱 3，基部合生，柱头半月形，有乳头状突起。蒴果有 3 翅，一翅较大，三角形。花果期夏、秋季间。

| 生境分布 | 生于阴湿的岩石上。湖北有分布。

| 采收加工 | **红白二丸：**夏季开花前采挖根茎，除去须根，洗净，晒干或鲜用。

红白二丸果：夏季采收，鲜用。

| 功能主治 | **红白二丸：**活血调经，止血止痢，镇痛。用于崩漏，月经不调，赤白带下，外伤出血，痢疾，胃痛，腹痛，腰痛，疝气痛，痛经，跌打瘀痛。

红白二丸果：用于蛇咬伤，解毒。

秋海棠科 Begoniaceae 秋海棠属 *Begonia*

独牛 *Begonia henryi* Hemsl.

| 药 材 名 | 岩酸。

| 形态特征 | 多年生无茎草本。根茎球形，直径 8 ~ 10 mm，有残存褐色的鳞片，周围长出多数长短不等纤维状之根。叶均基生，通常 1（ ~ 2），具长柄；叶片两侧不相等或微不相等，三角状卵形或宽卵形，稀近圆形，长 3.5 ~ 6 cm，宽 4 ~ 7.5 cm，先端急尖或短渐尖，基部偏斜或稍偏斜，呈深心形，向外开展，窄侧呈圆形，宽侧略伸长，呈宽圆耳状，边缘有大小不等三角形单或重之圆齿，上面深绿色或褐绿色，散生淡褐色柔毛，下面色淡，散生褐色柔毛，沿脉较密或常有卷曲之毛，掌状 5 ~ 7 脉，下面较明显；叶柄长、短变化较大，长 6 ~ 13 cm，被褐色卷曲长毛；托叶膜质，卵状披针形，边有睫毛，

早落。花葶高 7.5 ~ 12 cm，细弱，疏被细毛或近无毛；花粉红色，通常 2 或 4，呈 2 ~ 3 回二歧聚伞状，分枝长 5 ~ 9 mm，花梗长约 10 mm，被疏柔毛；苞片膜质，长圆形或椭圆形，长约 5 mm，宽约 4 mm，先端急尖，边有齿；雄花花被片 2，扁圆形或宽卵形，长 8 ~ 12 mm，宽 10 ~ 13 mm，先端圆，基部微心形，雄蕊多数，花丝离生，长 1.2 ~ 1.5 cm，花药倒卵形，长约 1.2 mm，先端微凹；雌花花被片 2，扁圆形，长 6 ~ 8 mm，宽 7 ~ 8 mm，先端圆，基部微心形；子房倒卵状长圆形，长可达 1.5 cm，直径约 4 mm，无毛，3 室，有中轴胎座，每室胎座具 1 裂片，具有不等 3 翅，花柱 3，柱头 2 裂，裂片膨大呈头状，并带刺状乳头。蒴果下垂，果柄柔弱，长 1.3 ~ 1.7 cm，无毛；长圆形，长约 11 mm，直径约 5 mm，无毛；3 翅不等大，大的呈斜三角形，长 5 ~ 7 mm，上方的边平，下方的边斜，另 2 翅较小，窄三角形，上方的边平，下方的边斜；种子极多数，小，长圆形，淡褐色，平滑。花期 9 ~ 10 月，果期 10 月开始。

| 生境分布 | 生于海拔 850 ~ 2 600 m 的山坡阴处岩石上、石灰岩山坡岩石隙缝中、山坡路边阴湿处和林下。湖北有分布。

| 采收加工 | **块茎**：秋后采挖，洗净，晒干或鲜用。

| 功能主治 | 活血消肿，止血，解毒利湿。用于跌打损伤，骨折，关节肿痛，狂犬咬伤，咯血，尿血，红崩，带下，淋证。

秋海棠科 Begoniaceae 秋海棠属 *Begonia*

裂叶秋海棠 *Begonia palmata* D. Don

| 药 材 名 | 红孩儿。

| 形态特征 | 多年生具茎草本。高 20 ~ 50 cm。根茎伸长，长圆柱状，匍匐，直径 5 ~ 8 mm，节膨大，节间长 8 ~ 20 mm，节处有残存的褐色鳞片和细长的纤维状根。茎直立，有明显沟纹，被褐色交织绵状绒毛，老时脱落减少。基生叶未见。茎生叶互生，具柄；叶片两侧不相等，斜卵形或偏圆形，长 12 ~ 20 cm，宽 10 ~ 16 cm，先端渐尖至长渐尖，基部微心形至心形，边缘有疏且极浅的三角形齿，齿尖常有短芒，掌状 3 ~ 7 浅裂、中裂至深裂，裂片形状和长短均变化较大，窄三角形至宽三角形，通常又再浅裂，上面深绿色，散生短小硬毛，下面淡绿色，亦被短小之毛，毛沿脉较密，有时有绒毛状毛，掌状脉

5 ～ 7，在下面明显；叶柄长 5 ～ 10 cm，被褐色长毛，近先端较密；托叶膜质，披针形，长约 1.5 cm，先端有刺尖头，边有短缘毛。花玫瑰色、白色至粉红色，4 至数朵，呈 2 ～ 3 回二歧聚伞状花序，一次分枝长 5 ～ 11 cm，二次分枝长（1 ～）1.5 ～ 3.5 cm，均有明显沟纹，密被褐色交织绒毛；苞片大，外面被褐色绒毛。雄花：花梗长 1 ～ 2 cm，被褐色毛；花被片 4，外轮 2 花被片宽卵形至宽椭圆形，长 1.5 ～ 1.7 cm，宽约 8mm，先端圆，外面被柔毛，内轮 2 花被片宽椭圆形，长约 8 mm，宽约 6 mm，先端圆；雄蕊多数，花丝离生，长约 1.5 mm，整体呈球状，花药倒卵球形，长约 1mm，先端微凹。雌花：花被片 4 ～ 5，外面的宽卵形，长 8 ～ 10 mm，外面被柔毛，向内逐渐变小；子房长圆状倒卵形，长 6 ～ 7 mm，直径约 5 mm，外面被褐色的毛，花柱基部合生，柱头 2 裂，向外螺旋状扭曲，呈环形。蒴果下垂，倒卵球形，长约 1.5 cm，直径约 8 mm，近无毛，具不等 3 翅，大的长圆形或斜三角形，长 1.1 ～ 2 cm，有明显纵纹，无毛，其余 2 翅窄；柄长 2.5 ～ 3.2 cm，疏被毛或近无毛；种子极多数，小，长圆形，淡褐色，光滑。花期 8 月，果期 9 月开始。

| 生境分布 | 生于海拔 100 ～ 1 700 m 的河边阴处湿地、山谷阴处岩石上及岩石边潮湿地、密林中岩壁上、山坡常绿阔叶林下、石山林下石壁上、林中潮湿的石上。湖北有分布。

| 采收加工 | **全草：**夏、秋季采挖，洗净，晒干。

| 功能主治 | 清热解毒，散瘀消肿。用于肺热咳嗽，疔疮痈肿，痛经，闭经，风湿热痹，跌打肿痛，蛇咬伤。

秋海棠科 Begoniaceae 秋海棠属 *Begonia*

掌裂叶秋海棠 *Begonia pedatifida* H. Lév.

| 药 材 名 | 水八角。

| 形态特征 | 草本。根茎粗，长圆柱状，扭曲，直径 6 ~ 9 mm，节密，有残存褐色的鳞片和纤维状之根。叶自根茎抽出，偶在花葶中部有 1 小叶，具长柄；叶片扁圆形至宽卵形，长 10 ~ 17 cm，基部截形至心形，（4 ~ ）5 ~ 6 深裂，几达基部，中间 3 裂片再中裂，偶深裂，裂片均披针形，稀三角状披针形，先端渐尖，两侧裂片再浅裂，披针形至三角形，先端急尖至渐尖，边缘有浅而疏三角形之齿，上面深绿色，散生短硬毛，下面淡绿色，沿脉有短硬毛，掌状 6 ~ 7 脉；叶柄长 12 ~ 20（ ~ 30）cm，密被或疏被褐色卷曲长毛；托叶膜质，卵形，长约 10 mm，宽约 8 mm，先端钝，早落。花葶高

7 ~ 15 cm，疏被或密被长毛，偶在中部有 1 小叶，和基生叶近似，但很小；花白色或带粉红色，4 ~ 8，呈二歧聚伞状，首次分枝长约 1 cm，被毛或近无毛；苞片早落；雄花花梗长 1 ~ 2 cm，被毛或近无毛，花被片 4，外面 2 花被片宽卵形，长 1.8 ~ 2.5 cm，宽 1.2 ~ 1.8 cm，先端钝或圆，外面有疏毛，内面 2 花被片长圆形，长 14 ~ 16 mm，宽 7 ~ 8 mm，先端钝或圆，无毛；雄蕊多数，花丝长 1.5 ~ 2 mm，花药倒卵状长圆形，长 1 ~ 1.2 mm，先端凹或微钝；雌花花梗长 1 ~ 2.5 cm，被毛或近无毛；花被片 5，不等大，外面的宽卵形，长 18 ~ 20 mm，宽 10 ~ 20 mm，先端钝，内面的小，长圆形，长 9 ~ 10 mm，宽 5 ~ 6 mm；子房倒卵状球形，长约 8 mm，直径 4 ~ 6 mm，外面无毛，2 室，每室胎座具 2 裂片，具不等 3 翅；花柱 2，约 1/2 处分枝，柱头外向增厚，扭曲呈环状，并带刺状乳突。蒴果下垂，倒卵球形，长约 1.5 cm，直径约 1 cm，无毛，具不等 3 翅，大的翅三角形或斜舌状，长约 1.2 cm，宽约 1 cm，上方的边斜，先端圆钝，其余 2 翅短，三角形，长 4 ~ 5 mm，先端钝，均无毛；果柄长 2 ~ 2.5 cm，无毛；种子极多数，小，长圆形，淡褐色，光滑。花期 6 ~ 7 月，果期 10 月开始。

｜生境分布｜ 生于海拔 350 ~ 1 700 m 的林下潮湿处、常绿林山坡沟谷、阴湿林下石壁上、山坡阴处密林下或林缘。湖北有分布。

｜采收加工｜ **根茎：** 9 ~ 10 月采挖，除去茎叶、根须及泥沙，洗净，切片，晒干或鲜用。

｜功能主治｜ 活血止血，利湿消肿，止痛，解毒。用于吐血，尿血，崩漏，外伤出血，水肿，胃痛，风湿痹痛，跌打损伤，疮痈肿毒，蛇咬伤。

秋海棠科 Begoniaceae 秋海棠属 *Begonia*

四季秋海棠 *Begonia semperflorens* Link et Otto

| 药 材 名 | 四季海棠。

| 形态特征 | 肉质草本。高 15 ~ 30 cm。根纤维状。茎直立，肉质，无毛，基部多分枝，多叶。叶卵形或宽卵形，长 5 ~ 8 cm，基部略偏斜，边缘有锯齿和睫毛，两面光亮，绿色，但主脉通常微红。花淡红或带白色，数朵聚生于腋生的总花梗上；花单性，雌雄同花；雄花较大，直径 1 ~ 2 cm，有花被片 4，内面 2 花被片稍小；雌花稍小，有花被片 5。蒴果绿色，并有带红色的 3 翅，其中一翅稍大。花期全年。

| 生境分布 | 湖北有分布。

| 采收加工 | **花、叶：**全年均可采，多为鲜用。

| 功能主治 | 活血化瘀，止血，清热。用于跌打损伤，吐血，咯血，痢疾，月经不调，带下，淋浊，喉痛，疮疖等。

秋海棠科 Begoniaceae 秋海棠属 *Begonia*

长柄秋海棠 *Begonia smithiana* Yu ex Irmsch.

| 药 材 名 | 长柄秋海棠。

| 形态特征 | 多年生草本。无茎或具极短缩之茎。根茎斜出或直立，呈念珠状，直径 5 ~ 10 mm，节密，生出多数粗细、长短均不等的纤维状根。叶多基生，极少数自短缩茎抽出，具长柄；叶片均同形，两侧极不相等，卵形至宽卵形，稀长圆卵形，长（3.5 ~ ）5 ~ 9（ ~ 12）cm，宽 3 ~ 5（ ~ 8）cm，先端尾尖或渐尖，基部极偏斜，呈斜心形，窄侧宽 1.8 ~ 3 cm，呈圆形，宽侧宽 2.5 ~ 4.5 cm，呈宽大耳状，边缘有齿并不规则浅裂，裂片三角形至宽三角形，长 1 ~ 2 cm，先端急尖，稀渐尖，上面带紫红色，散生短硬毛，下面亦常带紫红色，色淡，脉常带紫红色，沿主脉、侧脉和小脉被或疏被短硬毛，掌状

脉 6 ~ 7，中部以上呈羽状脉；叶柄变异较大，长 9 ~ 25 cm，常带红色，散生卷曲毛，近先端毛密；托叶卵形，长 3.5 ~ 5 mm，宽 2 ~ 3 mm，先端渐尖，近无毛。花葶高 12 ~ 20（~ 30）cm，近无毛；花粉红色，少数，呈二歧聚伞状。雄花：花梗长 12 ~ 20 mm，无毛；花被片 4，外面 2 花被片，宽卵形，长 10 ~ 12 mm，宽 8 ~ 11 mm，先端钝或圆，全缘，外面中间部分被刺毛，内面 2 花被片，长圆卵形，长 6 ~ 8 mm，宽 3 ~ 4 mm，先端钝，全缘，无毛；雄蕊多数，花丝长 1 ~ 1.5 mm，基部合生，花药倒卵形，长约 1 mm。雌花：花梗长 12 ~ 15 mm，无毛；花被片 3（~ 4），外面的宽卵形，长 8 ~ 13 mm，宽 7 ~ 10 mm，外面微被毛，内面的窄椭圆形至长圆状倒卵形，长 4 ~ 5 mm，宽 2 ~ 3 mm，先端钝；子房偏倒卵球形，长 6 ~ 7 mm，直径 4 ~ 5 mm，散生卷曲毛，2 室，每室胎座具 2 裂片，具 3 不等翅，花柱 2，在上部 1/2 处分枝，柱头向外增厚并螺旋状扭曲，并带刺状乳突。蒴果下垂，倒卵状球形，被毛，具 3 不等翅，大的近三角形，长约 15 mm，有纵棱，先端钝，其余 2 翅窄，均无毛；种子极多数，小，长圆形，浅褐色，平滑。花期 8 月，果期 9 月。

| 生境分布 | 生于海拔 700 ~ 1 320 m 水沟阴处岩石上、山谷密林下、山脚湿地灌丛中、水旁沟底岩石上。湖北有分布。

| 采收加工 | **根茎：**夏、秋季间采收，洗净，鲜用或晒干。

| 功能主治 | 散瘀，止血，解毒。用于跌打损伤，筋骨疼痛，崩漏，毒蛇咬伤。

秋海棠科 Begoniaceae 秋海棠属 *Begonia*

一点血 *Begonia wilsonii* Gagnep.

| 药 材 名 | 一点血。

| 形态特征 | 多年生无茎草本。根茎横走，粗壮，呈念珠状，长 2 ~ 5 cm，直径 8 ~ 12（~ 15）mm，表面凹凸不整，节间长 6 ~ 8 mm，周围长出多数细长的纤维状根。叶全部基生，通常 1（~ 2），具长柄；叶片两侧略不相等至明显不相等，菱形至宽卵形，稀长卵形，长 12 ~ 20 cm，宽 8 ~ 18 cm，先端长尾尖，基部心形，微偏斜至甚偏斜，窄侧呈圆形，宽侧下延，长 1 ~ 2 cm，呈宽圆耳状，边缘常 3 ~ 7（~ 9）浅裂，裂片三角形，并有大小不等的三角形齿，齿尖常有短芒，上面深绿色，下面淡绿色，有时两面均带暗紫色，两面近无毛，掌状脉 6 ~ 7，窄侧 2 ~ 3，宽侧 3 ~ 4，脉均直达叶缘；叶柄长 11 ~ 19（~ 25）cm，

近无毛；托叶卵状披针形，早落。花葶高 4 ~ 12 cm，柔弱，无毛；花 5 ~ 10，粉红色，排成 2 ~ 3 回二歧聚伞状，花序梗长 8 ~ 35（~ 50）mm，无毛；花梗柔弱，长 1 ~ 1.8（~ 2.2）cm，无毛；苞片和小苞片均膜质，卵状披针形，长约 5 mm，宽约 2 mm，先端渐尖。雄花：花被片 4，外轮 2 花被片，卵形至宽卵形，长 1 ~ 1.4 cm，宽 8 ~ 10 mm，先端圆，基部近圆形，外面无毛，内轮 2 花被片，长圆状倒卵形，长约 8 mm，宽约 4 mm，先端圆，基部楔形；雄蕊 8 ~ 10，花丝长 2 ~ 3 mm，离生，花药倒卵状长圆形，长约 2 mm，先端圆或微凹。雌花：花被片 3，外轮 2 花被片，宽长圆形或近圆形，长约 10 mm，宽约 9 mm，先端圆，内轮 1 花被片椭圆形，长 5 ~ 6 mm，宽约 2 mm，先端钝，基部楔形；子房纺锤形，无毛，3 室，有中轴胎座，每室胎座具 1 裂片；花柱 3，基部或 1/2 的部分合生，柱头 3 裂，先端向外膨大成头状或环状并带刺状乳突。蒴果下垂，果柄长 1 ~ 1.5 cm，无毛，纺锤形，长 1 ~ 1.2 cm，直径 3 ~ 5 mm，无毛，无翅，具 3 棱；种子极多数，小，长圆形，淡褐色。花期 8 月，果期 9 月开始。

| 生境分布 | 生于海拔 700 ~ 1 950 m 的山坡密林下、沟边石壁上或山坡阴处岩石上。湖北有分布。

| 采收加工 | **根茎：**秋后挖取，洗净，切片，鲜用或晒干。

| 功能主治 | 养血止血，散瘀止痛。用于病后虚弱，劳伤，血虚闭经，崩漏，带下，吐血，咯血，衄血，外伤出血，跌打肿痛。

仙人掌科 Cactaceae 仙人掌属 *Opuntia*

梨果仙人掌 *Opuntia ficus-indica* (L.) Mill.

|**药 材 名**| 梨果仙人掌。

|**形态特征**| 肉质灌木或小乔木。高 1.5 ~ 5 m，有时基部具圆柱状主干。分枝多数，淡绿色至灰绿色，无光泽，宽椭圆形、倒卵状椭圆形至长圆形，长（20 ~ ）25 ~ 60 cm，宽 7 ~ 20 cm，厚达 2 ~ 2.5 cm，先端圆形，全缘，基部圆形至宽楔形，表面平坦，无毛，具多数小窠；小窠圆形至椭圆形，长 2 ~ 4 mm，略呈垫状，具早落的短绵毛和少数倒刺刚毛，通常无刺，有时具 1 ~ 6 开展的白色刺；刺针状，基部略背腹扁，稍弯曲，长 0.3 ~ 3.2 cm，宽 0.2 ~ 1 mm；短绵毛淡灰褐色，早落；倒刺刚毛黄色，易脱落。叶锥形，长 3 ~ 4 mm，绿色，早落。花辐状，直径 7 ~ 8（ ~ 10）cm；花托长圆形至长圆状倒卵形，长

4 ~ 5.3 cm，先端截形并凹陷，直径 1.6 ~ 2.1 cm，绿色，具多数垫状小窠，小窠密被短绵毛和黄色的倒刺刚毛，无刺或具少数刚毛状细刺；萼状花被片深黄色或橙黄色，具橙黄色或橙红色中肋，宽卵圆形或倒卵形，长 0.6 ~ 2 cm，宽 0.6 ~ 1.5 cm，先端圆形或截形，有时具骤尖头，全缘或有小牙齿；瓣状花被片深黄色、橙黄色或橙红色，倒卵形至长圆状倒卵形，长 2.5 ~ 3.5 cm，宽 1.5 ~ 2 cm，先端截形至圆形，有时具小尖头或微凹，全缘或啮蚀状；花丝长约 6 mm，淡黄色；花药黄色，长 1.2 ~ 1.5 mm；花柱长 15 mm，直径 2.5 mm，淡绿色至黄白色；柱头（6 ~ ）7 ~ 10，长 3 ~ 4 mm，黄白色。浆果椭圆状球形至梨形，长 5 ~ 10 cm，直径 4 ~ 9 cm，先端凹陷，表面平滑无毛，橙黄色（有些品种呈紫红色、白色或黄色，或兼有黄色或淡红色条纹），每侧有 25 ~ 35 小窠，小窠有少数倒刺刚毛，无刺或有少数细刺；种子多数，肾状椭圆形，长 4 ~ 5 mm，宽 3 ~ 4 mm，厚 1.5 ~ 2 mm，边缘较薄，无毛，淡黄褐色。花期 5 ~ 6 月。

| **生境分布** | 生于海拔 600 ~ 2 900 m 的干热河谷。湖北有分布。

| **采收加工** | **根、茎：**全年均可采，洗净，去皮、刺，鲜用或烘干。

| **功能主治** | 清肺止咳，凉血解毒。用于肺热咳嗽，肺痨咯血，痢疾，痔血，乳痈，痄腮，痈疮肿毒，烫火伤，白秃疮，疥癣，蛇虫咬伤。

仙人掌科 Cactaceae 仙人掌属 *Opuntia*

仙人掌 *Opuntia stricta* (Haw.) Haw. var. *dillenii* (Ker-Gawl.) Benson

| 药 材 名 | 仙人掌、仙掌子、神仙掌花、玉芙蓉。

| 形态特征 | 丛生肉质灌木，高（1 ~ ）1.5 ~ 3 m。上部分枝宽倒卵形、倒卵状椭圆形或近圆形，长 10 ~ 35（ ~ 40）cm，宽 7.5 ~ 20（ ~ 25）cm，厚 1.2 ~ 2 cm，先端圆形，边缘通常呈不规则波状，基部楔形或渐狭；小窠疏生，每小窠具（1 ~ ）3 ~ 10（ ~ 20）刺，密生短绵毛和倒刺刚毛，刺黄色，有淡褐色横纹，钻形，多少开展并内弯，基部扁，坚硬；叶钻形，长 4 ~ 6 mm，早落。花辐状；花托倒卵形，先端截形并凹陷，基部渐狭，疏生凸出的小窠；萼状花被片宽倒卵形至狭倒卵形，先端急尖或圆形，具绿色中肋，瓣状花被片倒卵形或匙状倒卵形，先端圆形、截形或微凹，全缘或浅啮蚀状；花丝淡黄色；

花药黄色；花柱长 11 ~ 18 mm；柱头 5。浆果倒卵球形，先端凹陷，基部多少狭缩成柄状；种子多数，扁圆形。花期 6 ~ 10（~ 12）月。

| 生境分布 | 栽培于海拔 25 ~ 800 m 的向阳、干燥的山坡、石上、路旁或村庄。湖北有分布。

| 采收加工 | **仙人掌：** 栽培 1 年后随用随采。

仙掌子： 果实成熟时采收，洗净，鲜用。

神仙掌花： 春、夏季花开时采收，置通风处晾干。

玉芙蓉： 4 ~ 8 月，当仙人掌汁液充盈时，选择生长茂盛的仙人掌树，割破外皮，使其浆液外溢，待浆液凝结后收集，捏成团状，风干或晒干。

| 功能主治 | **仙人掌：** 行气活血，凉血止血，解毒消肿。用于胃痛，癥瘕痞块，痢疾，喉痛，肺热咳嗽，肺痨咯血，吐血，痔血，疮疡疔疖，乳痈，痄腮，癣疾，蛇虫咬伤，烫伤，冻伤。

仙掌子： 益胃生津，除烦止渴。用于胃阴不足，烦热口渴。

神仙掌花： 凉血止血。用于吐血。

玉芙蓉： 清热凉血，养心安神。用于痔血，便血，疔肿，烫伤，怔忡，小儿急惊风。

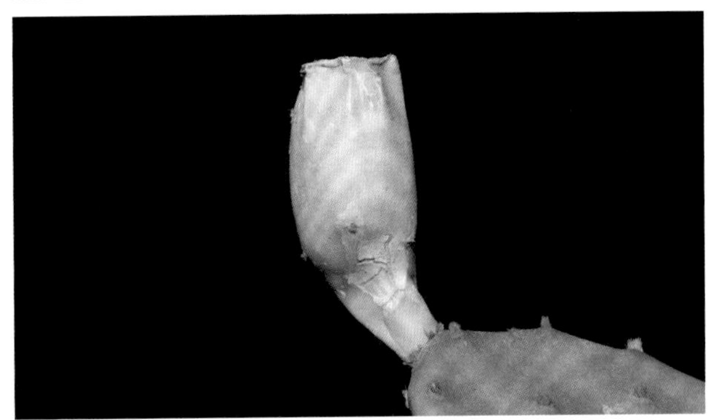

仙人掌科 Cactaceae 仙人指兰属 *Schlumbergera*

蟹爪兰 *Schlumbergera truncata* (Haw.) Moran

|药 材 名| 蟹爪兰。

|形态特征| 附生肉质植物，常呈灌木状。无叶。茎无刺，多分枝，常悬垂，老茎木质化，稍圆柱形，幼茎及分枝均扁平；每一节间矩圆形至倒卵形，长 3 ~ 6 cm，宽 1.5 ~ 2.5 cm，鲜绿色，有时稍带紫色，先端截形，两侧各有 2 ~ 4 粗锯齿，两面中央均有 1 肥厚中肋；窝孔内有时具少许短刺毛。花单生于枝顶，玫瑰红色，长 6 ~ 9 cm，两侧对称；花萼 1 轮，基部短筒状，先端分离；花冠数轮，下部长筒状，上部分离，越向内则筒越长；雄蕊多数，2 轮，伸出，向上拱弯；花柱长于雄蕊，深红色，柱头 7 裂。浆果梨形，红色，直径约 1 cm。

|生境分布| 常栽培于公园。湖北有分布。

| **采收加工** | **地上部分：**全年均可采收，洗净，鲜用。

| **功能主治** | 解毒消肿。用于疮疡肿毒，腮腺炎。

瑞香科 Thymelaeaceae 瑞香属 *Daphne*

尖瓣瑞香 *Daphne acutiloba* Rehd.

| 药材名 | 滇瑞香。

| 形态特征 | 常绿灌木。高 0.5 ~ 2 m。树皮黄褐色，干燥后具皱纹。密分枝，幼枝贴生淡黄色绒毛，老枝无毛，紫红色和棕红色。叶互生，革质，长圆状披针形至椭圆状倒披针形或披针形，长 4 ~ 10 cm，宽 1.2 ~ 3.6 cm，先端渐尖或钝，稀下陷，基部常下延成楔形，上面深绿色，有光泽，下面淡绿色，两面均无毛，中脉在上面凹下，在下面隆起，侧脉 7 ~ 12 对，在下面较上面显著；叶柄长 2 ~ 8 mm，

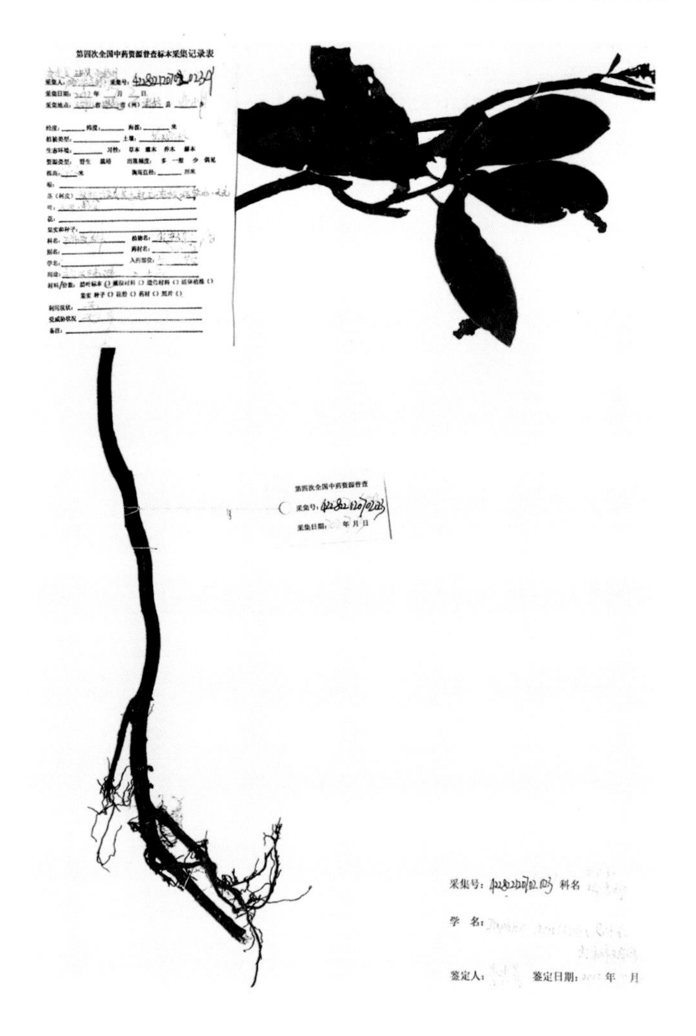

无毛。花白色，芳香，5 ~ 7 花组成顶生头状花序；苞片卵形或长圆状披针形，长 6 mm，宽 1 mm，先端钝尖，稀尾尖，外面密被淡黄色细柔毛，早落，叶状苞片数枚，长圆状披针形，长 3 ~ 3.5 cm，宽 0.5 ~ 1 cm，无毛，通常宿存；花梗短，长 0.5 ~ 2 mm，被淡黄色丝状毛；萼筒圆筒状，长 9 ~ 12 mm，无毛，裂片 4，长卵形，长 5 ~ 6 mm，先端渐尖，稀急尖；雄蕊 8，2 轮，下轮着生于萼筒的中部以上，上轮着生于萼筒的喉部，部分花药伸出喉部之外，花药长圆形，花丝长约 0.5 mm；花盘环状，边缘整齐，长约 1 mm；子房绿色，椭圆形，无毛，长 3 ~ 4 mm，花柱白色，柱头头状，膨大，表面具乳突。果实肉质，椭圆形，幼时绿色，成熟后红色，具 1 种子；种子长 5 mm，种皮暗红色，微具光泽。花期 4 ~ 5 月，果期 7 ~ 9 月。

| 生境分布 | 生于海拔 1 400 ~ 3 000 m 的丛林中。湖北有分布。

| 采收加工 | **全株**：秋季采挖，洗净，晒干。

| 功能主治 | 祛风除湿，活络行气止痛。用于风湿痹痛，跌打损伤，胃痛。

瑞香科 Thymelaeaceae 瑞香属 *Daphne*

滇瑞香 *Daphne feddei* H. Lév.

|药 材 名| 滇瑞香。

|形态特征| 常绿直立灌木。高 0.6 ~ 2 m。幼枝灰黄色，散生暗灰色短绒毛，老枝棕色，无毛；冬芽近圆形，疏或密被丝状粗绒毛。叶互生，密生于新枝上，纸质，倒披针形或长圆状披针形至倒卵状披针形，长 5 ~ 12 cm，宽 1.4 ~ 3.5 cm，先端急尖或渐尖，稀钝形，基部楔形，全缘，上面暗绿色，下面淡绿色，两面无毛，中脉在上面凹下，在下面隆起，侧脉 11 ~ 16 对，近边缘通常分叉而网结，在上面微凹下或隆起，不甚明显，在下面显著隆起，网状脉在下面稍明显；叶柄短，长 1 ~ 3 mm，具狭翅。花白色，芳香，8 ~ 12 花组成顶生的头状花序；苞片早落，披针形或长圆形，在边缘和先端具丝状绒毛；花序梗短，长约 3 mm，花梗长约 1 mm，均被淡黄色丝状柔毛；萼

筒筒状，长 8 ~ 12 mm，直径 1.5 ~ 2.5 mm，密被短柔毛，不久部分柔毛脱落，裂片 4，卵形或卵状披针形，长 4.5 ~ 5.5 mm，宽 2.5 mm，先端钝形，外面通常无毛或沿中脉具稀少的短柔毛；雄蕊 8，2 轮，下轮着生于萼筒的中部，上轮着生于萼筒的喉部，花药 1/2 伸出于外，花丝纤细，长 0.5 mm，花药长圆形，长 1.3 mm；花盘杯状，边缘流苏状；子房卵形或锥形，先端钝尖，花柱粗短，柱头头状，表面多细粒状突起。果实橙红色，圆球形，直径约 4.5 mm。花期 2 ~ 4 月，果期 5 ~ 6 月。

| **生境分布** | 生于海拔 1 400 ~ 3 000 m 的丛林中。湖北有分布。

| **采收加工** | **全株**：秋季采挖，洗净，晒干。

| **功能主治** | 祛风除湿，活络行气止痛。用于风湿痹痛，跌打损伤，胃痛。

瑞香科 Thymelaeaceae 瑞香属 *Daphne*

芫花 *Daphne genkwa* Sieb. et Zucc.

| **药材名** | 芫花。

| **形态特征** | 落叶灌木。高 0.3 ~ 1 m。多分枝。树皮褐色，无毛。小枝圆柱形，细瘦，干燥后多具皱纹，幼枝黄绿色或紫褐色，密被淡黄色丝状柔毛；老枝紫褐色或紫红色，无毛。叶对生，稀互生，纸质，卵形或卵状披针形至椭圆状长圆形，长 3 ~ 4 cm，宽 1 ~ 2 cm，先端急尖或短渐尖，基部宽楔形或钝圆，全缘，上面绿色，干燥后黑褐色，下面淡绿色，干燥后黄褐色，幼时密被绢状黄色柔毛，老时则仅叶脉基部散生绢状黄色柔毛，侧脉 5 ~ 7 对，在下面较上面显著；叶柄短或几无，长约 2 mm，具灰色柔毛。花比叶先开放，紫色或淡紫蓝色，无香味，常 3 ~ 6 簇生于叶腋或侧生，花梗短，具灰黄色柔毛；萼筒细瘦，

筒状，长 6 ~ 10 mm，外面具丝状柔毛，裂片 4，卵形或长圆形，长 5 ~ 6 mm，宽 4 mm，先端圆形，外面疏生短柔毛；雄蕊 8，2 轮，分别着生于萼筒的上部和中部，花丝短，长约 0.5 mm，花药黄色，卵状椭圆形，长约 1 mm，伸出喉部，先端钝尖；花盘环状，不发达；子房长倒卵形，长 2 mm，密被淡黄色柔毛，花柱短或无，柱头头状，橘红色。果实肉质，白色，椭圆形，长约 4 mm，包藏于宿存的萼筒的下部，具 1 种子。花期 3 ~ 5 月，果期 6 ~ 7 月。

| 生境分布 | 生于海拔 300 ~ 1 000 m 处。湖北有分布。

| 采收加工 | **花蕾**：春季花未开放前采摘，拣去杂质，晒干或烘干。

| 功能主治 | 利水逐饮，祛痰止咳，解毒杀虫。用于水肿，臌胀，痰饮胸水，喘咳，痈疖疮癣。

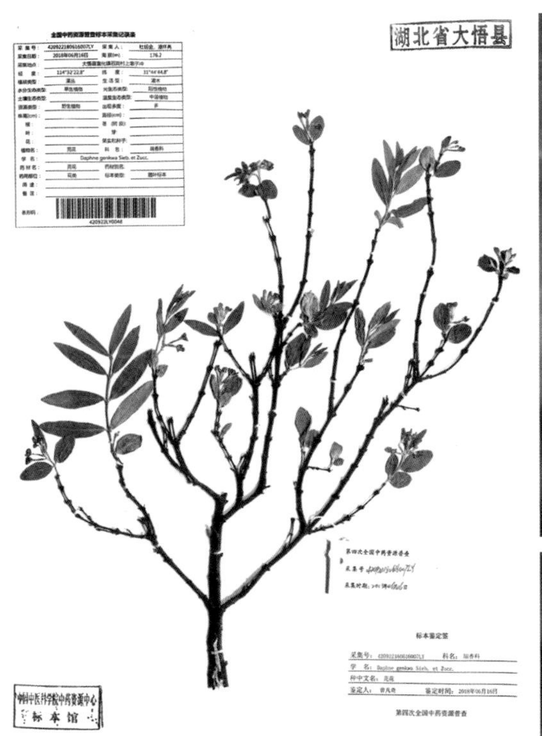

瑞香科 Thymelaeaceae 瑞香属 *Daphne*

黄瑞香 *Daphne giraldii* Nitsche

| 药 材 名 | 祖师麻。

| 形态特征 | 落叶直立灌木。高 45 ~ 70 cm。枝圆柱形，无毛，幼时橙黄色，有时上段紫褐色，老时灰褐色，叶迹明显，近圆形，稍隆起。叶互生，常密生于小枝上部，膜质，倒披针形，长 3 ~ 6 cm，稀更长，宽 0.7 ~ 1.2 cm，先端钝形或微突尖，基部狭楔形，全缘，上面绿色，下面带白霜，干燥后灰绿色，两面无毛，中脉在上面微凹下，在下面隆起，侧脉 8 ~ 10 对，在下面较上面显著；叶柄极短或无。花黄色，微芳香，常 3 ~ 8 组成顶生的头状花序；花序梗极短或无，花梗短，长不到 1 mm；无苞片；萼筒圆筒状，长 6 ~ 8 mm，直径 2 mm，无毛，裂片 4，卵状三角形，覆瓦状排列，相对的 2 裂片较大或另 1 对较小，

长 3 ～ 4 mm，先端开展，急尖或渐尖，无毛；雄蕊 8，2 轮，均着生于萼筒中部以上，花丝长约 0.5 mm，花药长圆形，黄色，长约 1.2 mm；花盘不发达，浅盘状，全缘；子房椭圆形，无毛，无花柱，柱头头状。果实卵形或近圆形，成熟时红色，长 5 ～ 6 mm，直径 3 ～ 4 mm。花期 6 月，果期 7 ～ 8 月。

| **生境分布** | 生于海拔 1 600 ～ 2 600 m 的山地林缘或疏林中。湖北有分布。

| **采收加工** | **茎皮、根皮**：秋季采收，洗净，剥取茎皮和根皮，切碎，晒干。

| **功能主治** | 祛风通络，散瘀止痛。用于风湿痹痛，四肢麻木，头痛，胃痛，腰痛，跌打损伤。

瑞香科 Thymelaeaceae 瑞香属 *Daphne*

小娃娃皮 *Daphne gracilis* E. Pritz.

| 药材名 | 祖师麻。

| 形态特征 | 常绿平卧灌木。高 0.3 ~ 1 m；枝纤细，上升，当年生枝被淡黄色细柔毛，多年生枝无毛，灰褐色至棕褐色；芽卵形，密被灰黄色绒毛。叶互生，亚革质或纸质，倒卵形至倒卵状披针形或长圆状披针形，长 2 ~ 8 cm，宽 0.6 ~ 1.6 cm，先端钝形，稀急尖，基部楔形，边缘全缘，稍反卷，上面亮绿色，下面淡绿色，两面幼时被黄色丝状短柔毛，成熟后几无毛，中脉在上面下陷，下面隆起，侧脉 6 ~ 10 对，在上面通常不甚明显，下面稍隆起；叶柄短，长 1 ~ 3 cm。花黄色，3 ~ 7 朵组成顶生的近头状花序或簇生，几无花梗，密被黄绿色的粗柔毛；叶状苞片早落，宽卵形，外面密被黄绿色丝状毛，内面几

无毛，顶端钝圆形，基部楔形；花筒狭圆筒状，不弯斜，长 8 ~ 9 cm，宽 1.5 ~ 2 cm，散生黄色丝状柔毛，裂片通常为 5，卵形或卵状长圆形，长 4 ~ 5 cm，宽 2 ~ 2.5 cm，先端圆形，边缘通常啮蚀状，外面散生淡黄色丝状柔毛；雄蕊 10，2 轮，均着生于花萼筒的中部以下，花丝极短，花药黄色，长圆形，长约 1 cm；花盘一侧发达，鳞片状，深 2 裂，裂片宽截形；子房卵形，长 2 ~ 2.5 cm，无毛，花柱极短，柱头圆球形，黄色。果实圆锥形，淡白色，为花萼筒所包围。花期 4 ~ 5 月，果期 6 ~ 8 月。

| 生境分布 | 生于海拔 1 000 ~ 1 300 m 的灌木林中。分布于湖北西部。

| 采收加工 | **茎皮、根皮：**秋季采挖，洗净，剥取茎皮和根皮，切碎，晒干。

| 功能主治 | 祛风通络，散瘀止痛。用于风湿痹痛，四肢麻木，头痛，胃痛，腰痛，跌打损伤。

瑞香科 Thymelaeaceae 瑞香属 *Daphne*

毛瑞香 *Daphne kiusiana* Miq. var. *atrocaulis* (Rehd.) F. Maekawa

| 药 材 名 | 铁牛皮。

| 形态特征 | 常绿灌木。高 0.3 ~ 1 m。枝条紫棕色，无毛。叶近革质，椭圆形至倒披针形，长 4 ~ 12 cm，宽 1.5 ~ 3.5 cm，两端渐狭，无毛。花白色，常 5 ~ 13 花集成顶生头状花序，无总梗；苞片早落；花被筒状，长约 11 mm，外被黄色绢毛，裂片 4，卵形，长约 5 mm；雄蕊 8，2 轮，着生于花被筒中部以上；花盘外被淡黄色短柔毛；子房长圆状，无毛。核果卵状椭圆形，红色。花期 3 ~ 5 月，果期 4 ~ 6 月。

| 生境分布 | 生于山坡岩石缝隙间。湖北有分布。

| 采收加工 | **茎、根：**夏、秋季采挖，洗净，鲜用或切片晒干。

| **功能主治** | 祛风除湿，活血止痛，解毒。用于风湿痹痛，劳伤腰痛，跌打损伤，咽喉肿痛，牙痛，疮毒。

瑞香科 Thymelaeaceae 瑞香属 *Daphne*

瑞香 *Daphne odora* Thunb.

| 药 材 名 | 瑞香花。

| 形态特征 | 常绿直立灌木。枝粗壮，通常二叉分枝，小枝近圆柱形，紫红色或紫褐色，无毛。叶互生，纸质，长圆形或倒卵状椭圆形，长 7 ~ 13 cm，宽 2.5 ~ 5 cm，先端钝尖，基部楔形，全缘，上面绿色，下面淡绿色，两面无毛，侧脉 7 ~ 13 对，与中脉在两面均明显隆起；叶柄粗壮，长 4 ~ 10 mm，散生极少的微柔毛或无毛。花外面淡紫红色，内面肉红色，无毛，数至 12 花组成顶生头状花序；苞片披针形或卵状披针形，长 5 ~ 8 mm，宽 2 ~ 3 mm，无毛，脉纹显著隆起；萼筒管状，长 6 ~ 10 mm，无毛，裂片 4，心状卵形或卵状披针形，基部心脏形，与萼筒等长或比萼筒长；雄蕊 8，2 轮，下轮雄蕊着生于萼筒中部以上，

上轮雄蕊花药的 1/2 伸出萼筒的喉部，花丝长 0.7 mm，花药长圆形，长 2 mm；子房长圆形，无毛，先端钝形，花柱短，柱头头状。果实红色。花期 3 ~ 5 月，果期 7 ~ 8 月。

| **生境分布** | 现多栽培于庭园。湖北有分布。

| **采收加工** | **花**：冬末春初采收，鲜用或晒干。

叶：夏季采收，鲜用或晒干。

根：夏季采挖，洗净，切片，晒干。

| **功能主治** | **花**：活血止痛，解毒散结。用于头痛，牙痛，咽喉肿痛，风湿痛，乳痈，乳房肿硬。

叶：解毒，消肿止痛。用于疮疡，乳痈，痛风。

根：解毒，活血止痛。用于咽喉肿痛，胃痛，跌打损伤，毒蛇咬伤。

瑞香科 Thymelaeaceae 瑞香属 *Daphne*

白瑞香 *Daphne papyracea* Wall. ex Steud.

| 药 材 名 | 软皮树。

| 形态特征 | 常绿灌木。高 1 ~ 1.5 m。树皮灰色。小枝圆柱形，纤细，灰褐色至灰黑色，稀淡褐色，当年生枝被黄褐色粗绒毛，以后绒毛脱落几无毛；腋芽较小，卵圆形，褐色，微被柔毛。叶互生，密集于小枝先端，膜质或纸质，长椭圆形至长圆形或长圆状披针形至倒披针形，长 6 ~ 16 cm，宽 1.5 ~ 4 cm，先端钝形或长渐尖至尾状渐尖，尖头钝或急尖，有时微凹下或微具白色短柔毛，基部楔形，全缘，有时微反卷，上面绿色，下面淡绿色，两面无毛，中脉在上面凹下，在下面隆起，侧脉 6 ~ 15 对，纤细，不规则上升，下面稍隆起；叶柄长 4 ~ 15 mm，上面具沟，基部略膨大，几无毛。花白色，多花

簇生于小枝先端成头状花序；苞片绿色，早落，卵状披针形或卵状长圆形，长 7 ~ 15 mm，宽 3 ~ 4 mm，先端尾尖或渐尖，外面散生淡黄色丝状毛，边缘具淡白色长纤毛；花序梗与花梗均长 2 mm，密被黄绿色丝状毛；萼筒漏斗状，长 10 ~ 12 mm，喉部宽 2.6 mm，外面具淡黄色丝状柔毛，裂片 4，卵状披针形至卵状长圆形，长 5 ~ 7 mm，宽 2 ~ 4 mm，先端渐尖或钝，外面中部至先端散生白色短柔毛；雄蕊 8，2 轮，下轮着生于萼筒中部，上轮着生于萼筒的喉部，花丝短，花药 1/3 伸出于喉部以外，花药长圆形，长 1.5 ~ 2 mm；花盘杯状，长 0.8 mm，边缘微波状；子房圆柱形，高 2 ~ 4 mm，具长 1 mm 的子房梗，先端截形，无毛，花柱粗短，长 0.75 mm，柱头头状，直径约 1 mm，具乳突。果实为浆果，成熟时红色，卵形或倒梨形，长 0.8 ~ 1 cm，直径 0.6 ~ 0.8 mm；种子圆球形，直径 5 ~ 6 mm。花期 11 月至翌年 1 月，果期翌年 4 ~ 5 月。

| 生境分布 | 生于海拔 700 ~ 2 000 m 的密林下、灌丛中或山地。湖北有分布。

| 采收加工 | **全株或根皮、茎皮**：夏、秋采挖，分别剥取根皮、茎皮，洗净，晒干。
花：冬季采收，晒干。

| 功能主治 | 祛风止痛，活血调经。用于风湿痹痛，跌打损伤，月经不调，痛经，疔疮疖肿。

瑞香科 Thymelaeaceae 瑞香属 *Daphne*

唐古特瑞香 *Daphne tangutica* Maxim.

| 药 材 名 | 祖师麻。

| 形态特征 | 常绿灌木。高 0.5 ~ 2.5 m。不规则多分枝；枝肉质，较粗壮，幼枝灰黄色，分枝短，较密，几无毛或散生黄褐色粗柔毛，老枝淡灰色或灰黄色，微具光泽，叶迹较小。叶互生，革质或亚革质，披针形至长圆状披针形或倒披针形，长 2 ~ 8 cm，宽 0.5 ~ 1.7 cm，先端钝形，尖头通常钝形；稀凹下，幼时具一束白色柔毛，基部下延于叶柄，楔形，全缘，反卷，上面深绿色，下面淡绿色，干燥后茶褐色，有时上面具皱纹，两面无毛或幼时下面微被淡白色细柔毛，中脉在上面凹下，下面稍隆起，侧脉不甚显著或下面稍明显；叶柄短或几无叶柄，长约 1 mm，无毛。花外面紫色或紫红色，内面白色，头状

花序生于小枝先端；苞片早落，卵形或卵状披针形，长 5 ~ 6 mm，宽 3 ~ 4 mm，先端钝尖，具 1 束白色柔毛，边缘具白色丝状纤毛，其余两面无毛；花序梗长 2 ~ 3 mm，有黄色细柔毛，花梗极短或几无花梗，具淡黄色柔毛；萼筒圆筒形，长 9 ~ 13 mm，宽 2 mm，无毛，具显著的纵棱，裂片 4，卵形或卵状椭圆形，长 5 ~ 8 mm，宽 4 ~ 5 mm，开展，先端钝形，脉纹显著；雄蕊 8，2 轮，下轮着生于萼筒的中部稍上面，上轮着生于萼筒的喉部稍下面，花丝极短，花药橙黄色，长圆形，长 1 ~ 1.2 mm，略伸出于喉部；花盘环状，小，长不到 1 mm，边缘为不规则浅裂；子房长圆状倒卵形，长 2 ~ 3 mm，无毛，花柱粗短。果实卵形或近球形，无毛，长 6 ~ 8 mm，直径 6 ~ 7 mm，幼时绿色，成熟时红色，干燥后紫黑色；种子卵形。花期 4 ~ 5 月，果期 5 ~ 7 月。

| 生境分布 | 生于海拔 1 000 ~ 3 100 m 的润湿林中。湖北有分布。

| 采收加工 | **茎皮、根皮：**秋季采挖，洗净，剥取茎皮和根皮，切碎，晒干。

| 功能主治 | 祛风通络，散瘀止痛。用于风湿痹痛，四肢麻木，头痛，胃痛，腰痛，跌打损伤。

瑞香科 Thymelaeaceae 瑞香属 *Daphne*

野梦花 *Daphne tangutica* Maxim. var. *wilsonii* (Rehd.) H. F. Zhou ex C. Y. Chang

| 药 材 名 | 祖师麻。

| 形态特征 | 本种与唐古特瑞香的区别在于本种幼枝淡紫红色或淡灰褐色，叶片倒卵状披针形或长圆状披针形，长 3.5 ~ 10 cm，宽 1 ~ 2.2 cm，先端渐尖或锐尖，不凹下，边缘不反卷，浆果近圆形。

| 生境分布 | 生于海拔 300 ~ 1 400 m 的林边或疏林中较阴湿处。湖北有分布。

| 采收加工 | 同“唐古特瑞香”。

| 功能主治 | 同“唐古特瑞香”。

瑞香科 Thymelaeaceae 草瑞香属 *Diarthron*

草瑞香 *Diarthron linifolium* Turcz.

| 药 材 名 |

粟麻。

| 形态特征 |

一年生草本。高 10 ~ 40 cm。多分枝，扫帚状，小枝纤细，圆柱形，淡绿色，无毛。茎下部淡紫色。叶互生，散生于小枝上，草质，线形至线状披针形或狭披针形，先端钝圆形，基部楔形或钝形，全缘，微反卷，两面无毛，中脉在下面显著，纤细；叶柄极短或无。花绿色，成顶生总状花序；萼筒细小，筒状，裂片 4，卵状椭圆形，渐尖；雄蕊 4，稀 5，1 轮，着生于萼筒中部以上，不伸出，花药极小；子房具柄，椭圆形，无毛，花柱纤细，柱头棒状略膨大。果实卵形或圆锥状，黑色，为横断的宿存萼筒所包围，果实上部的萼筒宿存，基部具关节；果皮膜质，无毛。花期 5 ~ 7 月，果期 6 ~ 8 月。

| 生境分布 |

生于砂质荒地。湖北有分布。

| 采收加工 |

根皮：秋季至春初采挖根，剥取内皮，晒干。

茎皮：夏、秋季采收茎，剥取茎皮，鲜用或切段晒干。

| 功能主治 |

活血止痛。用于风湿痛。

瑞香科 Thymelaeaceae 结香属 *Edgeworthia*

结香 *Edgeworthia chrysantha* Lindl.

| 药材名 |

梦花。

| 形态特征 |

灌木。高 0.7 ~ 1.5 m，小枝粗壮，褐色，常作 3 叉分枝，幼枝常被短柔毛，韧皮极坚韧，叶痕大，直径约 5 mm。叶在花前凋落，长圆形、披针形至倒披针形，先端短尖，基部楔形或渐狭，长 8 ~ 20 cm，宽 2.5 ~ 5.5 cm，两面均被银灰色绢状毛，下面较多，侧脉纤细，弧形，每边 10 ~ 13，被柔毛。头状花序顶生或侧生，具花 30 ~ 50 花，成绒球状，外围以 10 花左右被长毛而早落的总苞；花序梗长 1 ~ 2 cm，被灰白色长硬毛；花芳香，无梗；花萼长 1.3 ~ 2 cm，宽 4 ~ 5 mm，外面密被白色丝状毛，内面无毛，黄色，先端 4 裂，裂片卵形，长约 3.5 mm，宽约 3 mm；雄蕊 8，2 列，上列 4 雄蕊与花萼裂片对生，下列 4 雄蕊与花萼裂片互生，花丝短，花药近卵形，长约 2 mm；子房卵形，长约 4 mm，直径约为 2 mm，先端被丝状毛，花柱线形，长约 2 mm，无毛，柱头棒状，长约 3 mm，具乳突，花盘浅杯状，膜质，边缘不整齐。果实椭圆形，绿色，长约 8 mm，直径约 3.5 mm，先端被毛。花期冬末春初，果期春、夏季间。

| 生境分布 | 生于海拔 500 ~ 1 400 m 的山坡路边。分布于湖北咸丰、宣恩、鹤峰、利川、巴东、五峰、兴山、神农架、罗田。

| 采收加工 | **花蕾：**冬末或初春花未开放时采摘花序，晒干。

| 功能主治 | **梦花：**滋养肝肾，明目消翳。用于夜盲症，翳障，目赤流泪，羞明怕光，小儿疳眼，头痛，失音，夜梦遗精。

梦花根：祛风活络，滋养肝肾。用于风湿痹痛，跌打损伤，梦遗，早泄，白浊，虚淋，血崩，带下。

瑞香科 Thymelaeaceae 狼毒属 *Stellera*

狼毒 *Stellera chamaejasme* L.

| 药 材 名 | 狼毒。

| 形态特征 | 多年生草本。高 20 ~ 50 cm。根茎木质，粗壮，圆柱形，不分枝或分枝，表面棕色，内面淡黄色。茎直立，丛生，不分枝，纤细，绿色，有时带紫色，无毛，草质，基部木质化，有时具棕色鳞片。叶散生，稀对生或近轮生，薄纸质，披针形或长圆状披针形，稀长圆形，长 12 ~ 28 mm，宽 3 ~ 10 mm，先端渐尖或急尖，稀钝形，基部圆形至钝形或楔形，上面绿色，下面淡绿色至灰绿色，全缘，不反卷或微反卷，中脉在上面扁平，在下面隆起，侧脉 4 ~ 6 对，第 2 对直伸直达叶片的 2/3，两面均明显；叶柄短，长约 1.1 mm，基部具关节，上面扁平或微具浅沟。花白色或黄色至带紫色，芳香，多花的头状花序，顶生，圆球形；具绿色叶状总苞片；无花梗；花萼筒细瘦，

长 9 ~ 11 mm，具明显纵脉，基部略膨大，无毛，裂片 5，卵状长圆形，长 2 ~ 4 mm，宽约 2 mm，先端圆形，稀截形，常具紫红色的网状脉纹；雄蕊 10，2 轮，下轮雄蕊着生于花萼筒的中部以上，上轮雄蕊着生于花萼筒的喉部，花药微伸出，花丝极短，花药黄色，线状椭圆形，长约 1.5 mm；花盘一侧发达，线形，长约 1.8 mm，宽约 0.2 mm，先端微 2 裂；子房椭圆形，几无柄，长约 2 mm，直径 1.2 mm，上部被淡黄色丝状柔毛，花柱短，柱头头状，先端微被黄色柔毛。果实圆锥形，长 5 mm，直径约 2 mm，上部或顶部有灰白色柔毛，为宿存的花萼筒所包围；种皮膜质，淡紫色。花期 4 ~ 6 月，果期 7 ~ 9 月。

| 生境分布 | 生于海拔 2 600 ~ 3 100 m 的干燥而向阳的高山草坡、草坪或河滩台地。湖北有分布。

| 功能主治 | 祛痰，消积，止痛。用于疥癣。

瑞香科 Thymelaeaceae 荛花属 *Wikstroemia*

岩杉树 *Wikstroemia angustifolia* Hemsl.

| 药 材 名 | 岩杉树。

| 形态特征 | 灌木。高 0.3 ~ 1 m。除花序略被毛外，植株各部均无毛。直立。小枝纤细，有棱角，节间短。叶革质，对生或近对生，常为窄长圆状匙形，长 0.8 ~ 2.5 cm，宽 2 ~ 3 mm，先端钝圆常具细尖头，基部略钝，边缘常反卷，无毛，脉不明显；叶柄短，与叶片基部截然分开。总状花序（或为小而简单的圆锥花序）无花序梗，花梗极短，花萼近肉质，白黄色或有时变红色，花萼筒圆柱形，长约 9 mm，具 8 纵脉，先端 4 裂，裂片长圆状卵形，长约 3 mm，具网纹；雄蕊 8，2 列，上列 4 雄蕊着生于萼筒喉部，花药略伸出，下列 4 雄蕊着生于萼筒的中部，花盘鳞片 1，侧生，深 3 裂；子房倒卵形，具子房梗，

先端被柔毛，花柱短，柱头头状。浆果红色。花期夏末秋初。

| 生境分布 | 生于海拔 150 ~ 200 m 的河谷岩石上。湖北有分布。

| 功能主治 | 泻水饮，破积聚。用于留饮，咳逆上气，水肿，癥瘕痃癖。

瑞香科 Thymelaeaceae 荛花属 *Wikstroemia*

荛花 *Wikstroemia canescens* (Wall.) Meisn.

| 药 材 名 |

荛花。

| 形态特征 |

灌木。高 1.6 ~ 2 m，多分枝。当年生枝灰褐色，被绒毛，越年生枝紫黑色；芽近圆形，被白色绒毛。叶互生，披针形，长 2.5 ~ 5.5 cm，宽 0.8 ~ 2.5 cm，先端尖，基部圆或宽楔形，上面绿色，被平贴丝状柔毛，下面稍苍白色，被弯卷的长柔毛，侧脉明显，每边 4 ~ 7，网脉在下面明显。叶柄长 1.5 ~ 2.5 mm。头状花序具 4 ~ 10 花，顶生或在上部腋生，花序梗长 1 ~ 2 cm，有时具 2 叶状小苞片，花后逐渐延伸成短总状花序，花梗具关节，长约 2 mm，花后宿存；花黄色，长约 1.5 cm，外面被与叶下面相似的灰色长柔毛，先端 4 裂，裂片长圆形，端钝，长约 2 mm，宽约 1 mm，内面具 8 明显的脉纹；雄蕊 8，2 列，在花萼管中部以上着生，花药长约 1.5 mm，花丝极短；子房棒状，长约 5 mm，直径约 1 mm，具子房梗，全部被毛，花柱短，全部为柔毛所盖覆，柱头头状，具乳突，花盘鳞片 1 ~ 4，如为 1 鳞片时则较宽大，边缘有缺刻，如为 4 鳞片时则大小长短均不相等。果干燥。花期秋季。

| 生境分布 | 生于海拔 2 800 m 的山坡灌丛中。分布于湖北。

| 采收加工 | **花蕾**：5 ～ 6 月花未开时采收，晾干。

| 功能主治 | **花蕾**：泻水逐饮，消坚破积。用于痰饮，咳逆上气，水肿，喉中肿痛，癥瘕痃癖，痰滞胀满，瘀血等。

根：舒筋活络，散结消肿。用于跌打损伤，筋骨疼痛，腮腺炎，乳腺炎，淋巴结炎。

瑞香科 Thymelaeaceae 荛花属 *Wikstroemia*

小黄构 *Wikstroemia micrantha* Hemsl.

| **药材名** | 香构。

| **形态特征** | 灌木。高 0.5 ~ 3 m。除花萼有时被极疏柔毛外，其余部位无毛。小枝纤弱，圆柱形，幼时绿色，后渐变为褐色。叶坚纸质，通常对生或近对生，长圆形、椭圆状长圆形或窄长圆形，少有为倒披针状长圆形或匙形，长 0.5 ~ 4 cm，宽 0.3 ~ 1.7 cm，先端钝或具细尖头，基部通常圆形，边缘向下面反卷，叶上面绿色，下面灰绿色，侧脉 6 ~ 11 对，在下面明显且在边缘网结；叶柄长 1 ~ 2 mm。总状花序单生，簇生或为顶生的小圆锥花序，长 0.5 ~ 4 cm，无毛或被疏散的短柔毛；花黄色，疏被柔毛；花萼近肉质，长 4 ~ 6 mm，先端 4 裂，裂片广卵形；雄蕊 8，2 列，花药线形，花盘鳞片小，近长方

形，先端不整齐或为分离的 2 ～ 3 线形鳞片；子房倒卵形，先端被柔毛，花柱短，柱头头状。果实卵圆形，黑紫色。花果期秋冬。

| 生境分布 | 常见于海拔 250 ～ 1 000 m 的山谷、路旁、河边及灌丛中。湖北有分布。

| 采收加工 | **茎皮、根：** 全年均可采收，洗净，切片，晒干。

| 功能主治 | 止咳化痰。用于风火牙痛，风火头痛，哮喘，百日咳。

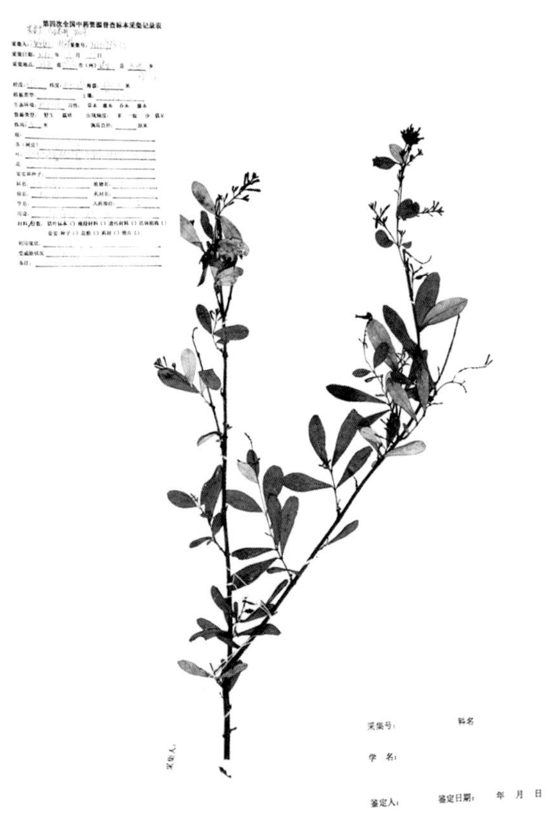

瑞香科 Thymelaeaceae 荛花属 *Wikstroemia*

北江荛花 *Wikstroemia monnula* Hance

| 药 材 名 | 北江荛花。

| 形态特征 | 灌木。高 0.5 ~ 0.8 m。枝暗绿色，无毛，小枝被短柔毛。叶对生或近对生，纸质或坚纸质，卵状椭圆形至椭圆形或椭圆状披针形，长 1 ~ 3.5 cm，宽 0.5 ~ 1.5 cm，先端尖，基部宽楔形或近圆形，上面干时暗褐色，无毛，下面色稍淡，在脉上被疏柔毛，侧脉纤细，每边 4 ~ 5；叶柄短，长 1 ~ 1.5 mm。总状花序顶生，有 8 ~ 12 花；花细瘦，黄色带紫色或淡红色，花萼外面被白色柔毛，长 0.9 ~ 1.1 cm，先端 4 裂，裂片先端微钝；雄蕊 8，2 列，上列 4 雄蕊在花萼筒喉部着生，下列 4 雄蕊在花萼筒中部着生；子房具柄，先端密被柔毛；花柱短，柱头球形，顶基压扁，花盘鳞片 1 ~ 2，线状长圆形或长方形，先端啮蚀状。果实干燥，卵圆形，基部为宿存花萼所包被。

花期 4 ～ 8 月。

| 生境分布 | 生于海拔 650 ～ 1 100 m 的山坡、灌丛中或路旁。湖北有分布。

| 功能主治 | 泻水饮，破积聚。用于留饮，咳逆上气，水肿，癥瘕痃癖。

瑞香科 Thymelaeaceae 荛花属 *Wikstroemia*

细轴荛花 *Wikstroemia nutans* Champ. ex Benth.

| 药 材 名 | 细轴荛花。

| 形态特征 | 灌木。高 1 ~ 2 m 或更高。树皮暗褐色。小枝圆柱形，红褐色，无毛。叶对生，膜质至纸质，卵形、卵状椭圆形至卵状披针形，长 3 ~ 6（~ 8.5）cm，宽 1.5 ~ 2.5（~ 4）cm，先端渐尖，基部楔形或近圆形，上面绿色，下面淡绿白色，两面均无毛，侧脉每边 6 ~ 12，极纤细；叶柄长约 2 mm，无毛。花黄绿色，4 ~ 8 花组成顶生近头状的总状花序，花序梗纤细，俯垂，无毛，长 1 ~ 2 cm，萼筒长 1.3 ~ 1.6 cm，无毛，4 裂，裂片椭圆形，长约 3 mm；雄蕊 8，2 列，上列雄蕊着生在萼筒的喉部，下列雄蕊着生在花萼筒中部以上，花药线形，长约 1.5 mm，花丝短，长约 0.5 mm；子房具柄，倒卵形，长约 1.5 mm，先端被毛，花柱极短，柱头头状，花盘鳞片 2，每枚

的中间有 1 隔膜。果实椭圆形，长约 7 mm，成熟时深红色。花期春季至初夏，果期夏、秋季。

| **生境分布** | 生于疏林或灌丛中。湖北有分布。

| **功能主治** | 软坚散结，活血，止痛。用于瘰疬初起，跌打损伤。

胡颓子科 Elaeagnaceae 胡颓子属 *Elaeagnus*

佘山羊奶子 *Elaeagnus argyi* H. Lév.

| 药 材 名 | 佘山羊奶子。

| 形态特征 | 落叶或常绿直立灌木。高 2 ~ 3 m，通常具刺。小枝近 90° 的角开展，幼枝淡黄绿色，密被淡黄白色鳞片，稀被红棕色鳞片，老枝灰黑色；芽棕红色。叶大小不等，发于春、秋两季，薄纸质或膜质，发于春季的为小型叶，椭圆形或矩圆形，长 1 ~ 4 cm，宽 0.8 ~ 2 cm，先端圆形或钝形，基部钝形，下面有时具星状绒毛，发于秋季的为大型叶，矩圆状倒卵形至阔椭圆形，长 6 ~ 10 cm，宽 3 ~ 5 cm，两端钝形，全缘，稀皱卷，上面幼时具灰白色鳞毛，成熟后无毛，淡绿色，下面幼时具白色星状柔毛或鳞毛，成熟后常脱落，被白色鳞片，侧脉 8 ~ 10 对，上面凹下，近边缘分叉而互相连接；叶柄黄褐色，

长 5 ～ 7 mm。花淡黄色或泥黄色，质厚，被银白色和淡黄色鳞片，下垂或开展，常 5 ～ 7 花簇生新枝基部成伞形总状花序，花枝花后发育成枝叶；花梗纤细，长约 3 mm；萼筒漏斗状圆筒形，长 5.5 ～ 6 mm，在裂片下面扩大，在子房上收缩，裂片卵形或卵状三角形，长约 2 mm，先端钝形或急尖，内面疏生短细柔毛，包围子房的萼管椭圆形，长约 2 mm；雄蕊的花丝极短，花药椭圆形，长约 1.2 mm；花柱直立，无毛。果实倒卵状矩圆形，长 13 ～ 15 mm，直径约 6 mm，幼时被银白色鳞片，成熟时红色；果柄纤细，长 8 ～ 10 mm。花期 1 ～ 3 月，果期 4 ～ 5 月。

| 生境分布 | 生于海拔 100 ～ 300 m 的林下、路旁、屋旁。庭园常有栽培。湖北有分布。

| 采收加工 | 夏、秋季采挖根，切片，晒干。

| 功能主治 | 祛痰止咳，利湿退黄，解毒。用于咳喘，黄疸性肝炎，风湿痹痛，痈疖。

胡颓子科 Elaeagnaceae 胡颓子属 *Elaeagnus*

长叶胡颓子 *Elaeagnus bockii* Diels

| 药 材 名 | 马鹊树。

| 形态特征 | 常绿直立灌木，高 1 ~ 3 m。通常具粗壮的刺；小枝开展成 45° 的角，幼枝密被锈色或褐色鳞片，老枝鳞片脱落，带黑色。叶纸质或近革质，窄椭圆形或窄矩圆形，稀椭圆形，长 4 ~ 9 cm，宽 1 ~ 3.5 cm，两端渐尖或微钝形，边缘略反卷，上面幼时被褐色鳞片，成熟后鳞片脱落，深绿色，干燥后淡绿色或褐色，下面银白色，密被银白色鳞片并散生少数褐色鳞片，侧脉 5 ~ 7 对，与中脉开展成 30° ~ 45° 的角，在上面略明显，在下面不甚显著；叶柄褐色，长 5 ~ 8 mm。花白色，密被鳞片，常 5 ~ 7 花簇生于叶腋短小枝上成伞形总状花序，每花基部具一易脱落的褐色小苞片；花梗长 3 ~ 5 mm，淡褐白

色；萼筒在花蕾时呈四棱形，开放后圆筒形或漏斗状圆筒形，长 5 ~ 7 mm，稀 8 ~ 10 mm，裂片卵状三角形，长 2.5 ~ 3 mm，先端钝渐尖，内面疏生白色星状短柔毛；雄蕊 4，花丝极短，长 0.6 mm，花药矩圆形，长 1.3 mm；花柱直立，先端弯曲，达裂片的 2/3，密被淡白色星状柔毛。果实短矩圆形，长 9 ~ 10 mm，直径为长的一半，幼时密被银白色鳞片且具少数褐色鳞片，成熟时红色，果肉较薄；果柄长 4 ~ 6 mm。花期 10 ~ 11 月，果期翌年 4 月。

| 生境分布 | 生于海拔 600 ~ 2 100 m 的向阳山坡、路旁灌丛中。分布于湖北保康。

| 采收加工 | **根：**全年均可采挖，洗净，切片，晒干。

枝叶：随采随用。

果实：果实成熟时采收。

| 功能主治 | **根：**用于哮喘，牙痛。

枝叶：顺气，化痰。用于痔疮。

胡颓子科 Elaeagnaceae 胡颓子属 *Elaeagnus*

毛木半夏 *Elaeagnus courtoisii* Belval

| 药材名 | 毛木半夏。

| 形态特征 | 落叶直立灌木。高 1 ~ 3 m。无刺。幼枝扁三角形，密被淡黄色星状长绒毛，老枝无毛，黑色，具光泽。叶纸质，先端骤渐尖或钝，基部斜圆形或楔形，全缘，上面幼时密生黄白色星状长柔毛，成熟后除凹下的中脉上有柔毛外，其余无毛，干燥后深褐色，下面被灰黄色星状柔毛或银白色鳞片，密被锈色或银白色鳞片并散生白色星状柔毛。果柄在花后伸长，先端膨大而稍扁，基部细小，被白色鳞片和黄色星状绒毛。花期 2 ~ 3 月，果期 4 ~ 5 月。

| 生境分布 | 生于海拔 300 ~ 1 100 m 的向阳空旷地区。湖北有分布。

| 功能主治 | **根**：平喘，活血，止痢。用于哮喘，痢疾，跌打损伤。

胡颓子科 Elaeagnaceae 胡颓子属 *Elaeagnus*

长柄胡颓子 *Elaeagnus delavayi* Lecomte

| 药 材 名 | 长柄胡颓子。

| 形态特征 | 灌木。常绿，直立。无刺。幼枝具紧密的锈色或棕色鳞片。叶柄长 1.2 ~ 1.5 cm，密被红棕色鳞片；叶片背面灰绿色，椭圆形或长圆状披针形，长 5 ~ 8.5 cm，宽 1.6 ~ 3.3 cm，薄革质或纸质，背面具银色鳞片，侧脉 6 ~ 8 对，在两面略明显，基部楔形，全缘，先端圆形或钝。花通常 5 ~ 7 腋生；花梗长（5 ~ ）6 ~ 8（ ~ 10） mm。花白色，外面密被银色鳞片；萼筒管状，微具 4 肋，长 6 ~ 7 mm，显著缢缩在子房上，裂片三角形，长 2.5 ~ 3 mm，内面上部被鳞片状鳞毛，下部密被星状毛，先端渐尖；花丝短，长约 0.5 mm；花药长圆形，长约 1 mm；花柱稍弯，密被白色星状长柔毛，柱头内折，

长约 1.3 mm。花期 9 ~ 12 月，果期翌年 2 ~ 5 月。

| **生境分布** | 生于海拔 1 300 ~ 3 100 m 的向阳山地疏林中或灌丛中。湖北有分布。

| **功能主治** | **果实**：用于胸痛，气滞血瘀，心悸气短，心神不定。

胡颓子科 Elaeagnaceae 胡颓子属 *Elaeagnus*

巴东胡颓子 *Elaeagnus difficilis* Serv.

| 药 材 名 | 巴东胡颓子。

| 形态特征 | 常绿直立或蔓状灌木。高 2 ~ 3 m。无刺或具短刺。幼枝褐锈色，密被鳞片，老枝鳞片脱落，灰黑色或深灰褐色。叶纸质，椭圆形或椭圆状披针形，长 7 ~ 13.5 cm，宽 3 ~ 6 cm，先端渐尖，基部圆形或楔形，全缘，稀微波状，上面幼时散生锈色鳞片，成熟后鳞片脱落，绿色，干燥后呈褐绿色或褐色，下面灰褐色或淡绿褐色，密被锈色和淡黄色鳞片，侧脉 6 ~ 9 对，在两面明显；叶柄粗壮，红褐色，长 8 ~ 12 mm。花深褐色，密被鳞片，数花生于叶腋短小枝上成伞形总状花序，花枝锈色，长 2 ~ 4 mm，花梗长 2 ~ 3 mm；萼筒钟形或圆筒状钟形，长 5 mm，在子房上骤收缩，裂片宽三角

形，长 2 ~ 3.5 mm，先端急尖或钝，内面略具星状柔毛；雄蕊的花丝极短，花药长椭圆形，长 1.2 mm，达裂片的 2/3；花柱弯曲，无毛。果实长椭圆形，长 14 ~ 17 mm，直径 7 ~ 9 mm，被锈色鳞片，成熟时橘红色；果柄长 2 ~ 3 mm。花期 11 月至翌年 3 月，果期翌年 4 ~ 5 月。

| 生境分布 | 生于海拔 600 ~ 1 800 m 的向阳山坡灌丛中或林中。湖北有分布。

| 功能主治 | 祛寒除湿，收敛止泻。用于小便失禁，外感风寒。

胡颓子科 Elaeagnaceae 胡颓子属 *Elaeagnus*

蔓胡颓子 *Elaeagnus glabra* Thunb.

| 药 材 名 | 蔓胡颓子。

| 形态特征 | 常绿蔓生或攀缘灌木。高达 6 m。无刺，稀具刺；幼枝密被锈色鳞片。单叶互生；叶柄长 5 ~ 8 mm；叶片革质或薄革质，卵形或卵状椭圆形，长 4 ~ 12 cm，宽 2.5 ~ 5 cm，先端渐尖，基部圆形，全缘，上面绿色，光亮，下面灰绿色，被褐色鳞片，常 3 ~ 7 花密生于叶腋短小枝上成伞形总状花序；萼筒漏斗形，长 4.5 ~ 5.5 mm，裂片长 2.5 ~ 3 mm；雄蕊的花丝不超过 1 mm；花柱细长，无毛，先端弯曲。果实长圆形，稍有汁，长 14 ~ 19 mm，被锈色鳞片，成熟时红色。花期 9 ~ 11 月，果期翌年 4 ~ 5 月。

| 生境分布 | 生于海拔 1 000 m 以下的向阳林中或林缘。湖北有分布。

| 采收加工 | **果实：**果实成熟时采摘，鲜用或晒干。

枝叶：全年均可采摘，鲜用或晒干。

根或根皮：全年均可采挖，洗净，切片，晒干。

| 功能主治 | **果实：**收敛止泻，止痢。用于肠炎，腹泻，痢疾。

枝叶：止咳平喘。用于咳嗽气短。

根或根皮：清热利湿，通淋止血，散瘀止痛。用于痢疾，腹泻，黄疸性肝炎，热淋，石淋，胃痛，吐血，痔血，血崩，风湿痹痛，跌打肿痛。

胡颓子科 Elaeagnaceae 胡颓子属 *Elaeagnus*

宜昌胡颓子 *Elaeagnus henryi* Warb. ex Diels

| 药 材 名 |

红鸡踢香、红鸡踢香根。

| 形态特征 |

常绿直立或蔓状灌木。高 3 ~ 5 m。具粗短硬刺。枝密被褐锈色鳞片。叶革质或厚革质，宽椭圆形或倒卵状椭圆形，长 6 ~ 15 cm，宽 3 ~ 5 cm，先端骤渐尖，基部圆钝，表面深绿色，背面银灰色，密被鳞片，侧脉 5 ~ 7 对；叶柄长 8 ~ 16 mm。花银白色，质厚；花梗长 2 ~ 3 mm；花被筒管状或微呈漏斗状，长 6 ~ 8 mm，上部 4 裂，裂片三角形，长 1.5 ~ 3 mm，内面有白色星状毛；雄蕊 4；花柱无毛。果实矩圆形，长 18 mm，被银色和褐色鳞片，成熟时红色。

| 生境分布 |

生于海拔 450 ~ 2 300 m 的疏林或灌丛中。分布于湖北来凤、咸丰、鹤峰、恩施、巴东、房县，以及宜昌。

| 采收加工 |

红鸡踢香：全年均可采收，鲜用或晒干。

红鸡踢香根：全年均可采挖，洗净，切片，晒干。

| 功能主治 | **红鸡踢香**：散瘀消肿，接骨止痛，平喘止咳。用于跌打肿痛，骨折，风湿骨痛，哮喘。

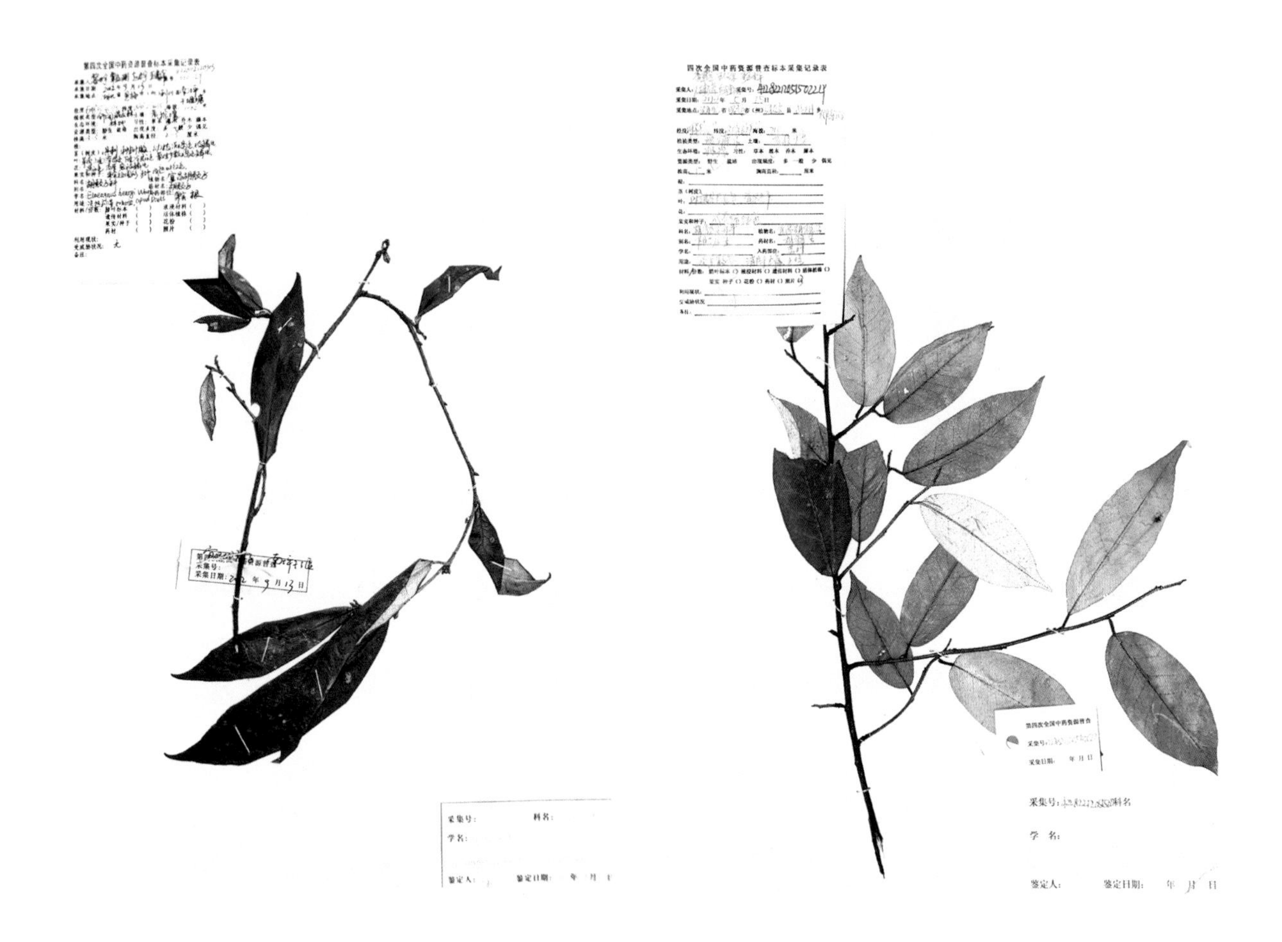

胡颓子科 Elaeagnaceae 胡颓子属 *Elaeagnus*

披针叶胡颓子 *Elaeagnus lanceolata* Warb. ex Diels

| 药材名 | 盐匏藤。

| 形态特征 | 常绿直立或蔓状灌木。高 4 m。无刺或老枝上具粗而短的刺。幼枝淡黄白色或淡褐色，密被银白色和淡黄褐色鳞片，老枝灰色或灰黑色，圆柱形；芽锈色。叶革质，披针形或椭圆状披针形至长椭圆形，长 5 ~ 14 cm，宽 1.5 ~ 3.6 cm，先端渐尖，基部圆形，稀阔楔形，全缘，反卷，上面幼时被褐色鳞片，成熟后鳞片脱落，具光泽，干燥后褐色，下面银白色，密被银白色鳞片和鳞毛，散生少数褐色鳞片，侧脉 8 ~ 12 对，与中脉开展成 45° 的角，在上面显著，在下面不甚明显；叶柄长 5 ~ 7 mm，黄褐色。花淡黄白色，下垂，密被银白色鳞片，散生少数褐色鳞片和鳞毛，常 3 ~ 5 花簇生叶腋短小

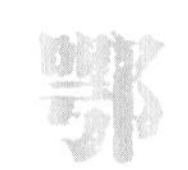

枝上成伞形总状花序；花梗纤细，锈色，长 3 ~ 5 mm；萼筒圆筒形，长 5 ~ 6 mm，在子房上骤收缩，裂片宽三角形，长 2.5 ~ 3 mm，先端渐尖，内面疏生白色星状柔毛，包围子房的萼管椭圆形，长 2 mm，被褐色鳞片；雄蕊的花丝极短或几无，花药椭圆形，长 1.5 mm，淡黄色；花柱直立，几无毛或疏生极少数星状柔毛，柱头长 2 ~ 3 mm，达裂片的 2/3。果实椭圆形，长 12 ~ 15 mm，直径 5 ~ 6 mm，密被褐色或银白色鳞片，成熟时红黄色；果柄长 3 ~ 6 mm。花期 8 ~ 10 月，果期翌年 4 ~ 5 月。

| 生境分布 | 生于海拔 600 ~ 2 500 m 的山地林中或林缘。湖北有分布。

| 采收加工 | **根：**全年均可采收，洗净，切片，晒干。

果实：4 ~ 5 月果实成熟时采收。

叶：晒干或鲜用。

| 功能主治 | **根、叶：**活血通络，疏风止咳，温肾缩尿。用于跌打骨折，劳伤，风寒咳嗽，小便失禁。

果实：涩肠止利。用于肠炎，痢疾。

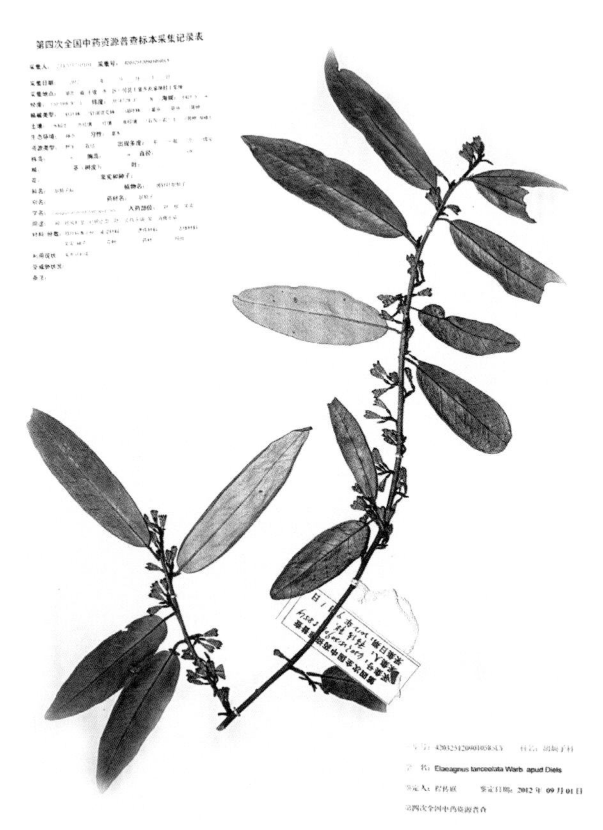

胡颓子科 Elaeagnaceae 胡颓子属 *Elaeagnus*

银果牛奶子 *Elaeagnus magna* Rehd.

| 药 材 名 | 银果牛奶子。

| 形态特征 | 灌木。幼枝淡黄白色，被银白色鳞片，老枝鳞片脱落，灰黑色；芽黄色或黄褐色，锥形，具 4 鳞片，内面具星状柔毛。叶纸质或膜质，倒卵状矩圆形或倒卵状披针形，长 4 ~ 10 cm，宽 1.5 ~ 3.7 cm，先端钝尖或钝，基部阔楔形，稀圆形，全缘，上面幼时具互相不重叠的白色鳞片，成熟后部分鳞片脱落，下面灰白色，密被银白色鳞片，散生少数淡黄色鳞片，有光泽，侧脉 7 ~ 10 对，不甚明显；叶柄密被淡白色鳞片，长 4 ~ 8 mm。花银白色，密被鳞片，1 ~ 3 花着生于新枝基部；花梗极短或几无，长 1 ~ 2 mm；萼筒圆筒形，长 8 ~ 10 mm，在裂片下面稍扩展，在子房上骤收缩，裂片卵形或卵

状三角形，长 3 ~ 4 mm，先端渐尖，内面几无毛，包围子房的萼管细长，窄椭圆形，长 3 ~ 4 mm；雄蕊的花丝极短，花药矩圆形，长 2 mm，黄色；花柱直立，无毛或具白色星状柔毛，柱头偏向一边膨大，长 2 ~ 3 mm，超过雄蕊。果实矩圆形或长椭圆形，长 12 ~ 16 mm，密被银白色鳞片，散生少数褐色鳞片，成熟时粉红色；果柄直立，粗壮，银白色，长 46 mm。花期 4 ~ 5 月，果期 6 月。

| 生境分布 | 生于海拔 100 ~ 1 200 m 的山地、路旁、林缘、河边向阳的砂壤土上。湖北有分布。

| 功能主治 | 清热泻火，解表透疹。

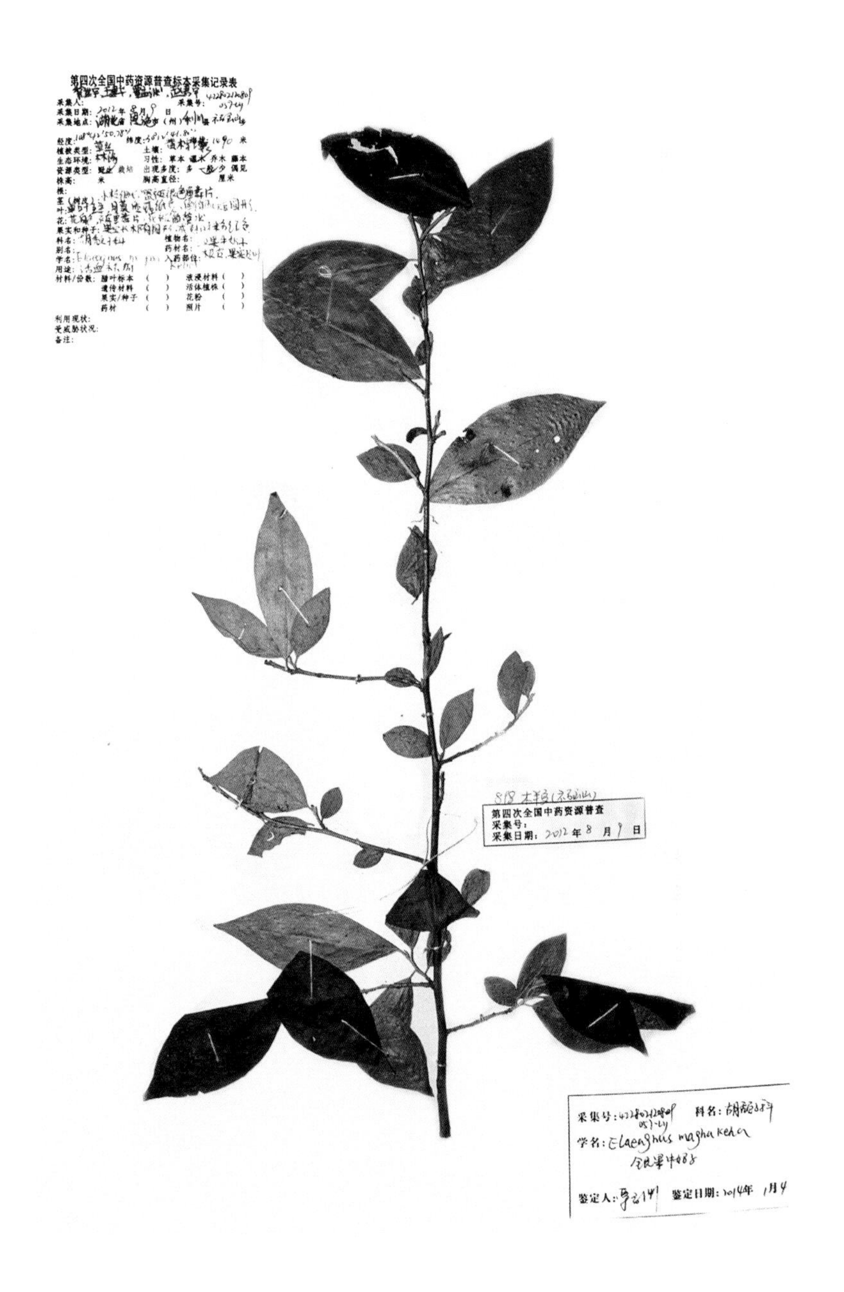

胡颓子科 Elaeagnaceae 胡颓子属 *Elaeagnus*

木半夏 *Elaeagnus multiflora* Thunb.

| 药 材 名 | 木半夏。

| 形态特征 | 落叶直立灌木。高 2 ~ 3 m。通常无刺，稀老枝上具刺。幼枝细弱伸长，密被锈色或深褐色鳞片，稀具淡黄褐色鳞片；老枝粗壮，圆柱形，鳞片脱落，黑褐色或黑色，有光泽。叶膜质或纸质，椭圆形或卵形至倒卵状阔椭圆形，长 3 ~ 7 cm，宽 1.2 ~ 4 cm，先端钝尖或骤渐尖，基部钝形，全缘，上面幼时具白色鳞片或鳞毛，成熟后脱落，干燥后黑褐色或淡绿色，下面灰白色，密被银白色鳞片且散生少数褐色鳞片，侧脉 5 ~ 7 对，两面均不甚明显；叶柄锈色，长 4 ~ 6 mm。花白色，被银白色鳞片且散生少数褐色鳞片，常单生新枝基部叶腋；花梗纤细，长 4 ~ 8 mm；萼筒圆筒形，长 5 ~ 6.5 mm，在裂片下

面扩展，在子房上收缩，裂片宽卵形，长 4 ~ 5 mm，先端圆形或钝形，内面具极少数白色星状短柔毛，包围子房的萼管卵形，深褐色，长约 1 mm；雄蕊着生花萼筒喉部稍下处，花丝极短，花药细小，矩圆形，长约 1 mm；花柱直立，微弯曲，无毛，稍伸出萼筒喉部，长不超雄蕊。果实椭圆形，长 12 ~ 14 mm，密被锈色鳞片，成熟时红色；果柄在花后伸长，长 15 ~ 49 mm。花期 5 月，果期 6 ~ 7 月。

| **生境分布** | 生于向阳山坡、灌丛中。湖北有分布。

| **采收加工** | **果实：**6 ~ 7 月采收，鲜用或晒干。

根：夏、秋季采收，洗净，切片，晒干。

叶：夏、秋季采收，晒干。

| **功能主治** | **果实：**平喘，止痢，活血消肿，止血。用于哮喘，痢疾，跌打损伤，风湿关节痛，痔疮下血，肿毒。

根：行气活血，止泻，敛疮。用于跌打损伤，虚弱劳损，泻痢，肝炎，恶疮疥癞。

叶：平喘，活血。用于哮喘，跌打损伤。

胡颓子科 Elaeagnaceae 胡颓子属 *Elaeagnus*

胡颓子 *Elaeagnus pungens* Thunb.

| 药 材 名 | 胡颓子。

| 形态特征 | 常绿直立灌木。高 3 ~ 4 m。具刺，刺顶生或腋生，长 20 ~ 40 mm，有时较短，深褐色。幼枝微扁棱形，密被锈色鳞片，老枝鳞片脱落，黑色，具光泽。叶革质，椭圆形或阔椭圆形，稀矩圆形，长 5 ~ 10 cm，宽 1.8 ~ 5 cm，两端钝形或基部圆形，边缘微反卷或皱波状，上面幼时具银白色鳞片和少数褐色鳞片，成熟后鳞片脱落，具光泽，干燥后褐绿色或褐色，下面密被银白色鳞片且具少数褐色鳞片，侧脉 7 ~ 9 对，与中脉开展成 50° ~ 60° 的角，近边缘分叉而互相连接，在上面显著凸起，在下面不甚明显，网状脉在上面明显，在下面不清晰；叶柄深褐色，长 5 ~ 8 mm。花白色或淡白

色，下垂，密被鳞片，1 ~ 3 花生于叶腋锈色短小枝上；花梗长 3 ~ 5 mm；萼筒圆筒形或漏斗状圆筒形，长 5 ~ 7 mm，在子房上骤收缩，裂片三角形或矩圆状三角形，长 3 mm，先端渐尖，内面疏生白色星状短柔毛；雄蕊的花丝极短，花药矩圆形，长 1.5 mm；花柱直立，无毛，上端微弯曲，超过雄蕊。果实椭圆形，长 12 ~ 14 mm，幼时被褐色鳞片，成熟时红色，果核内面具白色丝状绵毛；果柄长 4 ~ 6 mm。花期 9 ~ 12 月，果期翌年 4 ~ 6 月。

| 生境分布 | 生于海拔 1 000 m 以下的向阳山坡或路旁。湖北有分布。

| 采收加工 | **果实：**4 ~ 6 月果实成熟时采收，晒干。

叶：全年均可采收，鲜用或晒干。

根：夏、秋季采挖，洗净，切片，晒干。

| 功能主治 | **果实：**收敛止泻，健脾消食，止咳平喘，止血。用于泄泻，痢疾，食欲不振，消化不良，咳嗽气喘，崩漏，痔疮下血。

叶：止咳平喘，止血，解毒。用于肺虚咳嗽，气喘，咯血，吐血，外伤出血，痈疽，痔疮肿痛。

根：活血止血，祛风湿，止咳平喘，解毒敛疮。用于吐血，咯血，便血，月经过多，风湿关节痛，黄疸，水肿，泄泻，疳积，咳喘，咽喉肿痛，跌扑损伤。

胡颓子科 Elaeagnaceae 胡颓子属 *Elaeagnus*

牛奶子 *Elaeagnus umbellata* Thunb.

|药 材 名|

牛奶子。

|形态特征|

落叶直立灌木。高 1 ~ 4 m。具长 1 ~ 4 cm 的刺。小枝甚开展，多分枝，幼枝密被银白色鳞片且具少数黄褐色鳞片，有时全被深褐色或锈色鳞片，老枝鳞片脱落，灰黑色；芽银白色或褐色至锈色。叶纸质或膜质，椭圆形至卵状椭圆形或倒卵状披针形，长 3 ~ 8 cm，宽 1 ~ 3.2 cm，先端钝或渐尖，基部圆形至楔形，全缘或皱卷至波状，上面幼时具白色星状短柔毛或鳞片，成熟后全部或部分脱落，干燥后呈淡绿色或黑褐色，下面密被银白色鳞片，散生少数褐色鳞片，侧脉 5 ~ 7 对，在两面均略明显；叶柄白色，长 5 ~ 7 mm。花较叶先开放，黄白色，芳香，密被银白色盾形鳞片，1 ~ 7 花簇生于新枝基部，单花或成对生于幼叶腋；花梗白色，长 3 ~ 6 mm；萼筒圆筒状漏斗形，稀圆筒形，长 5 ~ 7 mm，在裂片下面扩展，向基部渐狭窄，在子房上略收缩，裂片卵状三角形，长 2 ~ 4 mm，先端钝尖，内面几无毛或疏生白色星状短柔毛；雄蕊的花丝极短，长约为花药的一半，花药矩圆形，长约

1.6 mm；花柱直立，疏生少数白色星状柔毛和鳞片，长 6.5 mm，柱头侧生。果实几球形或卵圆形，长 5 ～ 7 mm，幼时绿色，被银白色或褐色鳞片，成熟时红色；果柄直立，粗壮，长 4 ～ 10 mm。花期 4 ～ 5 月，果期 7 ～ 8 月。

| 生境分布 | 生于海拔 20 ～ 3 000 m 的向阳的林缘、灌丛中、荒坡上和沟边。湖北有分布。

| 采收加工 | **根：**夏、秋季采挖，洗净，切片，晒干。

叶、果实：晒干。

| 功能主治 | **根、叶、果实：**清热止咳，利湿解毒。用于肺热咳嗽，泄泻，痢疾，淋证，带下，崩漏，乳痈。

胡颓子科 Elaeagnaceae 胡颓子属 *Elaeagnus*

绿叶胡颓子 *Elaeagnus viridis* Servett.

药材名

白绿叶。

形态特征

常绿直立小灌木。高约 2 m。具刺，刺纤细，长约 10 mm。幼枝略扁棱形，密被锈色鳞片，老枝鳞片脱落，灰褐色或黑色。叶薄革质或纸质，椭圆形至矩圆状椭圆形，长 2.5 ~ 6.5 cm，宽 1.2 ~ 2.6 cm，两端钝尖，全缘，上面幼时被褐色鳞片，成熟后鳞片脱落，深绿色，下面除中脉褐色外，余均银白色，密被银白色鳞片，散生少数褐色鳞片，侧脉 6 ~ 7 对，与中脉开展成 45° 的角，在两面略明显；叶柄锈色，长 5 ~ 7 mm。花白色，俯垂，密被银白色鳞片，散生少数褐色鳞片，1 ~ 3 花簇生于叶腋短小枝上；花梗长 2 ~ 3 mm；苞片线形，早落；萼筒短圆筒形，长 4.5 ~ 5 mm，裂片宽卵形或卵状三角形，长 2.5 mm，先端渐尖，内面疏生白色星状短柔毛，包围子房的萼管长椭圆形，长 1.5 ~ 2.5 mm；雄蕊 4，花丝极短，花药椭圆形；花柱直立，微被星状短柔毛，先端微弯曲，超过雄蕊，达裂片的 1/3，长 5.5 mm。果实未见。花期 10 ~ 11 月。

| **生境分布** | 生于海拔 500 ~ 1 200 m 的向阳砂壤土的灌丛中。分布于湖北西部。

| **采收加工** | **叶、根皮：**全年均可采收，晒干。

果实：4 ~ 5 月采收，晒干。

| **功能主治** | **叶、根皮：**利尿排石，止咳定喘，行气止痛。用于慢性肾小球肾炎，胃痛，慢性支气管炎，支气管哮喘。

果实：止泻，消积，利湿。用于腹泻，疳积。

胡颓子科 Elaeagnaceae 胡颓子属 *Elaeagnus*

巫山牛奶子 *Elaeagnus wushanensis* C. Y. Chang

| 药 材 名 |

巫山牛奶子。

| 形态特征 |

落叶直立灌木。高 3 ~ 5 m，无刺或疏生小刺；幼枝扁棱形，密被褐色或锈色鳞片，基部有时具大而密生的叶痕，老枝不平滑，黑色。叶纸质或膜质，椭圆形或卵状椭圆形，长 3 ~ 8.5 cm，宽 1.3 ~ 3.3 cm，先端钝尖或圆形，基部圆形或钝，全缘，上面幼时具淡白色鳞片，成熟后鳞片全部或部分脱落，深绿色，干燥后褐绿色，下面密被银白色鳞片，散生少数锈色鳞片，侧脉在两面均不甚明显；叶柄长 3 ~ 5 mm，黄褐色。花淡白色，被白色鳞片，散生少数褐色鳞片，1 ~ 3 花簇生于新枝基部，花蕾时呈倒卵形，先端钝尖，花梗长 3 mm；萼筒圆筒形，长 5 ~ 6 mm，在裂片下面微收缩，在子房上明显收缩，喉部有白色星状长柔毛，裂片三角形，长 3 ~ 4 mm，先端钝尖，内面无毛，包围子房的萼管椭圆形，长 2 mm，褐色；雄蕊的花丝长不超过 1 mm，花药黄色，椭圆形，长 1.2 mm，达裂片的 1/3；花柱直立，散生白色星状短柔毛，超过雄蕊，柱头棒状，长 3 mm。果实长椭圆形，长 12 ~ 14 mm，密被锈色鳞片，成熟时红色；果柄粗壮，直立，长 8 ~ 16 mm，锈色。花期 4 ~ 6 月，果期 8 ~ 9 月。

| 生境分布 | 生于海拔 1 400 ~ 2 300 m 的向阳草坝的路旁或潮湿的林缘。分布于湖北西部。

| 采收加工 | 8 ~ 9 月果实成熟时采收。

| 功能主治 | 用于痢疾。

千屈菜科 Lythraceae 水苋菜属 *Ammannia*

水苋菜 *Ammannia baccifera* L.

| 药 材 名 | 水苋菜。

| 形态特征 | 一年生草本。无毛，高 10 ~ 50 cm。茎直立，多分枝，带淡紫色，稍呈四棱形，具狭翅。叶生于下部的对生，生于上部的或侧枝的有时略成互生，长椭圆形、矩圆形或披针形，生于茎上的长可达 7 cm，生于侧枝的较小，长 6 ~ 15 mm，宽 3 ~ 5 mm，先端短尖或钝形，基部渐狭，侧脉不明显，近无柄。花数朵组成腋生的聚伞花序或花束，结实时稍疏松，几无总花梗，花梗长约 1.5 mm；花极小，长约 1 mm，绿色或淡紫色；花萼花蕾期钟形，先端平面呈四方形，裂片 4，正三角形，短于萼筒的 2 ~ 3 倍，结实时半球形，包围蒴果的下半部，无棱，附属体褶叠状或小齿状；通常无花瓣；雄蕊通

常 4，贴生于萼筒中部，与花萼裂片等长或较短；子房球形，花柱极短或无花柱。蒴果球形，紫红色，直径 1.2 ~ 1.5 mm，中部以上不规则周裂；种子形状不规则，近三角形，极小，黑色。花期 8 ~ 10 月，果期 9 ~ 12 月。

| **生境分布** | 生于潮湿的地方或水田中。分布于湖北江夏。

| **采收加工** | **全草：**夏季采收，洗净，切碎，鲜用或晒干。

| **功能主治** | 散瘀止血，除湿解毒。用于跌打损伤，内外伤出血，骨折，风湿痹痛，蛇咬伤，痈疮肿毒，疥癣。

千屈菜科 Lythraceae 紫薇属 *Lagerstroemia*

紫薇 *Lagerstroemia indica* L.

| 药 材 名 | 紫薇。

| 形态特征 | 落叶灌木或小乔木。高可达 7 m。树皮平滑，灰色或灰褐色。枝干多扭曲，小枝纤细，具 4 棱，略呈翅状。叶互生或对生，纸质，椭圆形、阔矩圆形或倒卵形，长 2.5 ~ 7 cm，宽 1.5 ~ 4 cm，先端短尖或钝，有时微凹，基部阔楔形或近圆形，无毛或下面沿中脉有微柔毛，侧脉 3 ~ 7 对，小脉不明显；无柄或叶柄很短。花淡红色、紫色或白色，直径 3 ~ 4 cm，常组成长 7 ~ 20 cm 的顶生圆锥花序；花梗长 3 ~ 15 mm，中轴及花梗均被柔毛；花萼长 7 ~ 10 mm，外面平滑无棱，但鲜时萼筒有微凸起的短棱，两面无毛，裂片 6，三角形，直立，无附属体；花瓣 6，皱缩，长 12 ~ 20 mm，具长爪；

雄蕊 36 ~ 42，外面 6 雄蕊着生于花萼上，比其余的长得多；子房 3 ~ 6 室，无毛。蒴果椭圆状球形或阔椭圆形，长 1 ~ 1.3 cm，幼时绿色至黄色，成熟时或干燥时呈紫黑色，室背开裂；种子有翅，长约 8 mm。花期 6 ~ 9 月，果期 9 ~ 12 月。

| 生境分布 | 生于低海拔的山坡、荒地或杂木林内。分布于湖北利川、建始、巴东、五峰、长阳、兴山、丹江口、崇阳，以及武汉。

| 采收加工 | **花：** 5 ~ 8 月采收，晒干。

根： 全年均可采挖，洗净，切片，鲜用或晒干。

茎皮、根皮： 5 ~ 6 月剥取茎皮，秋、冬季剥取根皮，洗净，切片，晒干。

叶： 春、夏季采收，洗净，鲜用或晒干。

| 功能主治 | **花：** 清热解毒，活血止血。用于疮疖痈疽，小儿胎毒，疥癣，血崩，带下，肺热咯血，小儿惊风。

根： 清热利湿，活血止血，止痛。用于痢疾，水肿，烫火伤，湿疹，痈肿疮毒，跌打损伤，血崩，偏头痛，牙痛，痛经，产后腹痛。

茎皮、根皮： 清热解毒，利湿祛风，散瘀止痛。用于无名肿毒，丹毒，乳痈，咽喉肿痛，肝炎，疥癣，鹤膝风，跌打损伤，内外伤出血，崩漏带下。

叶： 清热解毒，利湿止血。用于疮疖痈疽，乳痈，痢疾，湿疹，外伤出血。

千屈菜科 Lythraceae 紫薇属 *Lagerstroemia*

南紫薇 *Lagerstroemia subcostata* Koehne

| 药 材 名 | 拘那花。

| 形态特征 | 落叶乔木或灌木。高可达 14 m。树皮薄，灰白色或茶褐色，无毛或稍被短硬毛。叶膜质，矩圆形、矩圆状披针形，稀卵形，长 2 ~ 9（~ 11）cm，宽 1 ~ 4.4（~ 5）cm，先端渐尖，基部阔楔形，上面通常无毛或散生小柔毛，下面无毛、微被柔毛或沿中脉被短柔毛，有时脉腋间有丛毛，中脉在上面略下陷，在下面凸起，侧脉 3 ~ 10 对，先端联结；叶柄短，长 2 ~ 4 mm。花小，白色或玫瑰色，直径约 1 cm，组成顶生圆锥花序，花序长 5 ~ 15 cm，具灰褐色微柔毛，花密生；花萼有棱 10 ~ 12，长 3.5 ~ 4.5 mm，5 裂，裂片三角形，直立，内面无毛；花瓣 6，长 2 ~ 6 mm，皱缩，有爪；雄蕊

15 ~ 30，其中 5 ~ 6 雄蕊较长，12 ~ 14 较短，着生于萼片或花瓣上，花丝细长；子房无毛，5 ~ 6 室。蒴果椭圆形，长 6 ~ 8 mm，3 ~ 6 瓣裂；种子有翅。花期 6 ~ 8 月，果期 7 ~ 10 月。

| 生境分布 | 生于低海拔的山坡、杂木林内或沟边。分布于湖北咸丰、宣恩、巴东、五峰、兴山、神农架、崇阳、罗田。

| 采收加工 | **根**：秋、冬季采挖，洗净，切片，鲜用或晒干。

花：夏季开花时分期分批摘取，烘干。

| 功能主治 | 解毒，散瘀，截疟。用于痈疮肿毒，蛇咬伤，疟疾。

千屈菜科 Lythraceae 千屈菜属 *Lythrum*

千屈菜 *Lythrum salicaria* L.

| 药 材 名 | 千屈菜。

| 形态特征 | 多年生草本。根茎横卧于地下，粗壮。茎直立，多分枝，高 30 ~ 100 cm。全株青绿色，略被粗毛或密被绒毛。枝通常具 4 棱。叶对生或 3 叶轮生，披针形或阔披针形，长 4 ~ 6（~ 10）cm，宽 8 ~ 15 mm，先端钝或短尖，基部圆形或心形，有时略抱茎，全缘，无柄。花组成小聚伞花序，簇生，因花梗及总梗极短，因此花枝全形似 1 大型穗状花序；苞片阔披针形至三角状卵形，长 5 ~ 12 mm；萼筒长 5 ~ 8 mm，有纵棱 12，稍被粗毛，裂片 6，三角形；附属体针状，直立，长 1.5 ~ 2 mm；花瓣 6，红紫色或淡紫色，倒披针状长椭圆形，基部楔形，长 7 ~ 8 mm，着生于萼筒上部，有短爪，稍

皱缩；雄蕊 12，6 长 6 短，伸出萼筒之外；子房 2 室，花柱长短不一。蒴果扁圆形。

| 生境分布 | 生于河岸、湖畔、溪沟边和潮湿草地。湖北有分布。

| 采收加工 | **全草：**秋季采收，洗净，切碎，鲜用或晒干。

| 功能主治 | 清热解毒，收敛止血。用于痢疾，泄泻，便血，血崩，疮疡溃烂，吐血，衄血，外伤出血。

千屈菜科 Lythraceae 节节菜属 *Rotala*

节节菜 *Rotala indica* (Willd.) Koehne

|药 材 名| 水马齿苋。

|形态特征| 一年生草本。多分枝。节上生根。茎常略具 4 棱，基部常匍匐，上部直立或稍披散。叶对生，无柄或近无柄，倒卵状椭圆形或矩圆状倒卵形，长 4 ~ 17 mm，宽 3 ~ 8 mm，侧枝上的叶长约 5 mm，先端近圆形或钝形而有小尖头，基部楔形或渐狭，下面叶脉明显，边缘为软骨质。花小，长不及 3 mm，通常组成腋生的长 8 ~ 25 mm 的穗状花序，稀单生；苞片叶状，矩圆状倒卵形，长 4 ~ 5 mm，小苞片 2，极小，线状披针形，长约为花萼之半或稍长；萼筒管状钟形，膜质，半透明，长 2 ~ 2.5 mm，裂片 4，披针状三角形，先端渐尖；花瓣 4，极小，倒卵形，长不及萼裂片之半，淡红色，宿存；雄蕊 4；

子房椭圆形，先端狭，长约 1 mm，花柱丝状，长为子房之半或与子房近等长。蒴果椭圆形，稍有棱，长约 1.5 mm，常 2 瓣裂。花期 9 ~ 10 月，果期 10 月至翌年 4 月。

| 生境分布 | 生于稻田中或湿地上。湖北有分布。

| 采收加工 | **全草：**夏、秋季采收，洗净，鲜用或晒干。

| 功能主治 | 清热解毒，止泻。用于疮疖肿毒，小儿泄泻。

千屈菜科 Lythraceae 节节菜属 *Rotala*

圆叶节节菜 *Rotala rotundifolia* (Buch.-Ham. ex Roxb.) Koehne

| 药 材 名 | 水豆瓣。

| 形态特征 | 一年生草本。各部无毛。根茎细长，匍匐地上；茎单一或稍分枝，直立，丛生，高 5 ~ 30 cm，带紫红色。叶对生，无柄或具短柄，近圆形、阔倒卵形或阔椭圆形，长 5 ~ 10 mm，有时可达 20 mm，宽 3.5 ~ 5 mm，先端圆形，基部钝，无柄时近心形，侧脉 4 对，纤细。花单生于苞片内，组成顶生稠密的穗状花序，花序长 1 ~ 4 cm，每株 1 ~ 3，有时 5 ~ 7；花极小，长约 2 mm，几无梗；苞片叶状，卵形或卵状矩圆形，约与花等长，小苞片 2，披针形或钻形，约与萼筒等长；萼筒阔钟形，膜质，半透明，长 1 ~ 1.5 mm，裂片 4，三角形，裂片间无附属体；花瓣 4，倒卵形，淡紫红色，长约为花萼裂

片的 2 倍；雄蕊 4；子房近梨形，长约 2 mm，花柱长为子房的 1/2，柱头盘状。蒴果椭圆形，3 ~ 4 瓣裂。花果期 12 月至翌年 6 月。

| 生境分布 | 生于水田处。分布于湖北宣恩、利川、兴山，以及宜昌。

| 采收加工 | **全草：**夏、秋季采收，洗净，鲜用、晒干或烘干。

| 功能主治 | 清热利湿，消肿解毒。用于痢疾，淋病，水臌，急性肝炎，痈肿疮毒，牙龈肿痛，痔肿，乳痈，急性脑膜炎，急性咽喉炎，月经不调，痛经，烫火伤。

石榴科 Punicaceae 石榴属 *Punica*

石榴 *Punica granatum* L.

| 药 材 名 | 石榴皮、石榴花、石榴叶、石榴根。

| 形态特征 | 落叶灌木或乔木。高通常 3 ~ 5 m，稀 10 m。枝顶常成尖锐长刺，幼枝有棱角，无毛，老枝近圆柱形。叶对生或簇生；叶柄短；叶片长圆状披针形，纸质，长 2 ~ 9 cm，宽 1 ~ 1.8 cm，先端尖或微凹，基部渐狭，全缘，上面光亮；侧脉稍细密。花 1 ~ 5 生于枝顶；花梗长 2 ~ 3 mm；花直径约 3 cm；萼筒钟状，长 2 ~ 3 cm，通常红色或淡黄色，6 裂，裂片略外展，卵状三角形，外面近先端有 1 黄绿色腺体，边缘有小乳突；花瓣 6，红色、黄色或白色，与萼片互生，倒卵形，长 1.5 ~ 3 cm，宽 1 ~ 2 cm，先端圆钝；雄蕊多数，着生于萼管中部，花药球形，花丝细短；雌蕊 1，子房下位或半下位，

柱头头状。浆果近球形，直径 5 ~ 12 cm，通常淡黄褐色、淡黄绿色或带红色，果皮肥厚，先端有宿存花萼裂片；种子多数，钝角形，红色至乳白色。花期 5 ~ 6 月。果期 7 ~ 8 月。

| 生境分布 | 生于向阳山坡。栽培于庭院。湖北有栽培。

| 采收加工 | **果皮：**秋季果实成熟、先端开裂时采摘，除去种子及隔瓤，切瓣，晒干或微火烘干。

花：5 月花开时采收，鲜用或烘干。

叶：夏、秋季采收，洗净，鲜用或晒干。

根皮：秋、冬季采挖根，剥取根皮，洗净，切片，鲜用或晒干。

| 功能主治 | **果皮：**涩肠止泻，止血，驱虫。用于泄泻，痢疾，肠风下血，崩漏，带下，虫积腹痛，痈疮，疥癣，烫伤。

花：凉血，止血。用于衄血，吐血，外伤出血，月经不调，红崩，带下，中耳炎。

叶：收敛止泻，解毒杀虫。用于泄泻，痘风疮，癞疮，跌打损伤。

根皮：驱虫，涩肠，止带。用于蛔虫病，绦虫病，久泻，久痢，赤白带下。

石榴科 Punicaceae 石榴属 *Punica*

白石榴 *Punica granatum* L. cv. Albescens DC.

| 药 材 名 | 石榴皮、石榴叶、石榴根、石榴花。

| 形态特征 | 落叶灌木或乔木。高通常 3 ~ 5 m，稀达 10 m。枝顶常成尖锐长刺，幼枝有棱角，无毛，老枝近圆柱形。叶对生或簇生；叶柄短；叶片长圆状披针形，纸质，长 2 ~ 9 cm，宽 1 ~ 1.8 cm，先端尖或微凹，基部渐狭，全缘，上面光亮；侧脉稍细密。花 1 ~ 5 生枝顶；花梗长 2 ~ 3 mm；花直径约 3 cm；萼筒钟状，长 2 ~ 3 cm，通常红色或淡黄色，6 裂，裂片略外展，卵状三角形，外面近先端有一黄绿色腺体，边缘有小乳突；花瓣 6，红色、黄色或白色，与萼片互生，倒卵形，长 1.5 ~ 3 cm，宽 1 ~ 2 cm，先端圆钝；雄蕊多数，着生于萼管中部，花药球形，花丝细短；雌蕊 1，子房下位或半下位，

柱头头状。浆果近球形，直径 5 ~ 12 cm，通常淡黄褐色、淡黄绿色或带红色，果皮肥厚，先端有宿存花萼裂片；种子多数，钝形，红色至乳白色。花期 5 ~ 6 月。果期 7 ~ 8 月。

| 生境分布 | 生于向阳山坡或栽培于庭院等处。湖北有分布。

| 资源情况 | 栽培资源较丰富。

| 采收加工 | **石榴皮：**秋季果实成熟、先端开裂时采摘，除去种子及隔瓤，切瓣，晒干，或微火烘干。

石榴花：5 月花开时采收，鲜用或烘干。

石榴叶：夏、秋季采收，洗净，鲜用或晒干。

石榴根：秋、冬季采挖根，洗净，切片，或剥取根皮，切片，鲜用或晒干。

| 功能主治 | **石榴皮：**涩肠止泻，止血，驱虫。用于泄泻，痢疾，肠风下血，崩漏，带下，虫积腹痛，痈疮，疥癣，烫伤，烧伤，化脓性中耳炎，小儿消化不良。

石榴花：凉血，止血。用于衄血，吐血，外伤出血，月经不调，红崩带下，中耳炎。

石榴叶：收敛止泻，解毒杀虫。用于泄泻，痘风疮，癞疮，跌打损伤。

石榴根：驱虫，涩肠，止带。用于蛔虫病，绦虫病，久泻、久痢，赤白带下。

蓝果树科 Nyssaceae 喜树属 *Camptotheca*

喜树 *Camptotheca acuminata* Decne.

| 药 材 名 | 喜树。

| 形态特征 | 落叶乔木。高 20 ~ 25 m。树皮灰色。叶互生，纸质，长卵形，长 12 ~ 28 cm，宽 6 ~ 12 cm，先端渐尖，基部宽楔形，全缘或微呈波状，上面亮绿色，下面淡绿色，疏生短柔毛，脉上毛较密。花单性同株，多数排成球形头状花序，雌花顶生，雄花腋生；苞片 3，两面被短柔毛；花萼 5 裂，边缘有纤毛；花瓣 5，淡绿色，外面密被短柔毛；花盘微裂；雄花有雄蕊 10，2 轮，外轮较长；雌花子房下位，花柱 2 ~ 3 裂。瘦果窄长圆形，长 2 ~ 2.5 cm，先端有宿存花柱，有窄翅。花期 4 ~ 7 月，果期 10 ~ 11 月。

| 生境分布 | 生于林缘、溪边。栽培于庭院、道旁。湖北有分布。

| 采收加工 | 果实：10 ~ 11 月果实成熟时采收，晒干。

根皮：全年均可采剥，以秋季采剥为好，除去外层粗皮，晒干或烘干。

| 功能主治 | 果实、根皮：清热解毒，散结消癥。用于食管癌，贲门癌，胃癌，肠癌，肝癌，白血病，牛皮癣，疮肿。

蓝果树科 Nyssaceae 珙桐属 *Davidia*

珙桐 *Davidia involucrata* Baill.

|药材名|

山白果根、山白果。

|形态特征|

落叶乔木。高 15 ~ 20 m，稀 25 m。胸径约 1 m。树皮深灰色或深褐色，常裂成不规则的薄片而脱落。幼枝圆柱形，当年生枝紫绿色，无毛，多年生枝深褐色或深灰色；冬芽锥形，具 4 ~ 5 对卵形鳞片，常呈覆瓦状排列。叶纸质，互生，无托叶，常密集于幼枝先端，阔卵形或近圆形，长 9 ~ 15 cm，宽 7 ~ 12 cm，先端急尖或短急尖，具微弯曲的尖头，基部心形或深心形，边缘有三角形的粗锯齿，上面亮绿色，初被很稀疏的长柔毛，渐老时无毛，下面密被淡黄色或淡白色丝状粗毛，中脉和 8 ~ 9 对侧脉均在上面显著，在下面凸起；叶柄圆柱形，长 4 ~ 5 cm，稀 7 cm，幼时被稀疏的短柔毛。两性花与雄花同株，由多数的雄花与 1 雌花或两性花组成近球形的头状花序，花序直径约 2 cm，着生于幼枝的先端，两性花位于花序的先端，雄花环绕于其周围，基部具纸质、矩圆状卵形或矩圆状倒卵形花瓣状的苞片 2 ~ 3；苞片长 7 ~ 15 cm，稀 20 cm，宽 3 ~ 5 cm，稀 10 cm，初淡绿色，继变为乳白色，后变为

棕黄色而脱落；雄花无花萼及花瓣，有雄蕊 1 ~ 7，雄蕊长 6 ~ 8 mm，花丝纤细，无毛，花药椭圆形，紫色；雌花或两性花具下位子房，子房 6 ~ 10 室，与花托合生，先端具退化的花被及短小的雄蕊，花柱粗壮，分成 6 ~ 10 枝，柱头向外平展，每室有 1 胚珠，常下垂。果实为长卵状圆形核果，长 3 ~ 4 cm，直径 15 ~ 20 mm，紫绿色，具黄色斑点，外果皮很薄，中果皮肉质，内果皮骨质，具沟纹；种子 3 ~ 5；果柄粗壮，圆柱形。花期 4 月，果期 10 月。

| 生境分布 | 生长在海拔 1 250 ~ 2 200 m 的润湿的落叶阔叶与常绿阔叶混交林中。分布于湖北神农架、兴山、巴东、长阳、利川、恩施、鹤峰、五峰、宣恩等地。

| 采收加工 | **根：**全年均可采挖，洗净，切段，晒干。

果实：9 ~ 10 月果实成熟时采收，鲜用。

| 功能主治 | **根：**收敛止血，止泻。用于多种出血，泄泻。

果实：清热解毒。用于痈肿。

八角枫科 Alangiaceae 八角枫属 *Alangium*

八角枫 *Alangium chinense* (Lour.) Harms

| 药 材 名 | 八角枫。

| 形态特征 | 落叶乔木或灌木。高 3 ~ 5 m，稀达 15 m，胸径 20 cm。小枝略呈“之”字形，幼枝紫绿色，无毛或有稀疏的疏柔毛；冬芽锥形，生于叶柄的基部内，鳞片细小。叶纸质，近圆形、椭圆形或卵形，先端短锐尖或钝尖，基部两侧常不对称，一侧微向下扩张，另一侧向上倾斜，阔楔形、截形，稀近心形，长 13 ~ 19（~ 26）cm，宽 9 ~ 15（~ 22）cm，不分裂或 3 ~ 7（~ 9）裂，裂片短锐尖或钝尖，叶上面深绿色，无毛，下面淡绿色，除脉腋有丛状毛外，其余部分近无毛；基出脉 3 ~ 5（~ 7），成掌状，侧脉 3 ~ 5 对；叶柄长 2.5 ~ 3.5 cm，紫绿色或淡黄色，幼时有微柔毛，后无毛。聚伞花序腋生，长

3 ~ 4 cm，被稀疏微柔毛，有 7 ~ 30（~ 50）花，花梗长 5 ~ 15 mm；小苞片线形或披针形，长 3 mm，常早落；总花梗长 1 ~ 1.5 cm，常分节；花冠圆筒形，长 1 ~ 1.5 cm，花萼长 2 ~ 3 mm，先端分裂为 5 ~ 8 齿状萼片，长 0.5 ~ 1 mm，宽 2.5 ~ 3.5 mm；花瓣 6 ~ 8，线形，长 1 ~ 1.5 cm，宽 1 mm，基部粘合，上部开花后反卷，外面有微柔毛，初为白色，后变黄色；雄蕊和花瓣同数而近等长，花丝略扁，长 2 ~ 3 mm，有短柔毛，花药长 6 ~ 8 mm，药隔无毛，外面有时有折皱；花盘近球形；子房 2 室，花柱无毛，疏生短柔毛，柱头头状，常 2 ~ 4 裂。核果卵圆形，长 5 ~ 7 mm，直径 5 ~ 8 mm，幼时绿色，成熟后黑色，先端有宿存的萼齿和花盘，种子 1。花期 5 ~ 7 月和 9 ~ 10 月，果期 7 ~ 11 月。

| 生境分布 | 生于海拔 1 800 m 以下的山地或疏林中。湖北有分布。

| 采收加工 | 全年均可采，挖取根或须根，洗净，晒干。

| 功能主治 | **根：**祛风除湿，舒筋活络，散瘀止痛。用于风湿痹痛，四肢麻木，跌打损伤。
叶：化瘀接骨，解毒杀虫。用于跌打瘀肿，骨折，乳痈，乳头皲裂，外伤出血。
花：散风，理气，止痛。用于头风，胸腹胀痛。

八角枫科 Alangiaceae 八角枫属 *Alangium*

深裂八角枫（亚种） *Alangium chinense* (Lour.) Harms subsp. *triangulare* (Wanger.) Fang

| 药 材 名 | 深裂八角枫。

| 形态特征 | 落叶乔木或灌木。小枝略呈“之”字形，幼枝紫绿色，无毛或有稀疏的疏柔毛；冬芽锥形，生于叶柄的基部内，鳞片细小。叶纸质，近圆形、椭圆形或卵形，叶上面深绿色，无毛，下面淡绿色。聚伞花序腋生，花冠圆筒形。核果卵圆形，长 5 ~ 7 mm，直径 5 ~ 8 mm，

幼时绿色，成熟后黑色，先端有宿存的萼齿和花盘。

| 生境分布 | 生于海拔 1 000 ~ 2 500 m 的丛林中或林边。湖北有分布。

| 功能主治 | 用于风湿，跌打损伤，外伤止血等。

八角枫科 Alangiaceae 八角枫属 *Alangium*

小花八角枫 *Alangium faberi* Oliv.

| 药 材 名 | 小花八角枫。

| 形态特征 | 落叶灌木。高 1 ~ 4 m，树皮平滑，灰褐色或深褐色，小枝纤细，近圆柱形，淡绿色或淡紫色，幼时有紧贴的粗伏毛，其后近无毛。冬芽圆锥状卵圆形，鳞片卵形，外面有黄色短柔毛。叶薄纸质至膜质，不裂或掌状 3 裂，不分裂者矩圆形或披针形，先端渐尖或尾状渐尖，基部倾斜，近圆形或心形，通常长 7 ~ 12 cm，稀 19 cm，宽 2.5 ~ 3.5 cm，上面绿色，幼时有稀疏的小硬毛，叶脉上较密，下面淡绿色，幼时有粗伏毛，老后均几无毛，主脉和 6 ~ 7 侧脉均在上面微现，在下面显著；叶柄长 1 ~ 1.5 cm，稀 2.5 cm，近圆柱形，疏生淡黄色粗伏毛。聚伞花序短而纤细，长 2 ~ 2.5 cm，有淡黄色

粗伏毛，有 5 ~ 10 花，稀 20 花；总花梗长 5 ~ 8 mm，花梗长 5 ~ 8 mm；苞片三角形，早落；花萼近钟形，外面有粗伏毛，裂片 7，三角形，长 1 ~ 1.5 mm；花瓣 5 ~ 6，线形，长 5 ~ 6 mm，宽 1 mm，外面有紧贴的粗伏毛，内面疏生疏柔毛，开花时向外反卷，雄蕊 5 ~ 6，和花瓣近等长，花丝长 2 mm，微扁，下部和花瓣合生，先端宽扁，有长柔毛，其余部分无毛，花药长 4 ~ 6 mm，基部有刺毛状硬毛；花盘近球形；子房 1 室，花柱无毛，柱头近球形。核果近卵圆形或卵状椭圆形，长 6.5 ~ 10 mm，直径 4 mm，幼时绿色，成熟时淡紫色，先端有宿存的萼齿。花期 6 月，果期 9 月。

| **生境分布** | 生于海拔 1 600 m 以下的疏林中。湖北有分布。

| **采收加工** | **根**：夏、秋季采收，洗净，切片，晒干。

叶：夏、秋季采收，鲜用。

| **功能主治** | 祛风除湿，活血止痛。用于风湿痹痛，胃痛，跌打损伤。

八角枫科 Alangiaceae 八角枫属 *Alangium*

阔叶八角枫 *Alangium faberi* Oliv. var. *platyphyllum* Chun et How

| 药 材 名 | 五代同堂。

| 形态特征 | 灌木。高约 1 m。茎枝黄褐色，被柔毛，被疏散的白色皮孔。单叶互生；叶长圆形或椭圆状卵形，基部不对称，截形或近心形，长 9 ~ 18 cm，宽 3 ~ 8 cm，全缘或 2 ~ 3 裂，叶两面疏生黄色柔毛，沿脉上较密，叶背密生小瘤点。聚伞花序腋生，被淡黄色粗伏毛，有花 5 ~ 10；苞片三角形，早落；花萼近钟形，裂片 7，被粗伏毛；花瓣 5 ~ 6，线形，开花时向外反卷；雄蕊 5 ~ 6，与花瓣近等长，花丝微扁，下部与花瓣合生；子房 1 室，花柱无毛，柱头近球形。核果近卵圆形，长达 1 cm，幼时绿色，成熟时淡紫色，萼齿宿存。花期 6 月，果期 9 月。

| **生境分布** | 生于海拔 400 m 以下的疏林中。湖北有分布。

| **采收加工** | **叶：** 全年均可采收，鲜用。

根： 全年均可采挖，洗净，切片，晒干。

| **功能主治** | **叶：** 活血定痛。用于跌打肿痛，骨折。

根： 理气活血，祛风除湿。用于脘腹胀痛，痞积，风湿骨痛。

八角枫科 Alangiaceae 八角枫属 *Alangium*

毛八角枫 *Alangium kurzii* Craib

| 药 材 名 | 毛八角枫。

| 形态特征 | 落叶小乔木，稀灌木。高 5 ~ 10 m。树皮深褐色，平滑。小枝近圆柱形；当年生枝紫绿色，有淡黄色绒毛和短柔毛，多年生枝深褐色，无毛，具稀疏的淡白色圆形皮孔。叶互生，纸质，近圆形或阔卵形，先端长渐尖，基部心形或近心形，稀近圆形，倾斜，两侧不对称，全缘，长 12 ~ 14 cm，宽 7 ~ 9 cm，上面深绿色，幼时除沿叶脉有微柔毛外，其余部分无毛，下面淡绿色，有黄褐色丝状微绒毛，叶上更密，主脉 3 ~ 5，在上面显著，在下面凸起，侧脉 6 ~ 7 对，在上面微现，在下面显著；叶柄长 2.5 ~ 4 cm，近圆柱形，有黄褐色微绒毛，稀无毛。聚伞花序有 5 ~ 7 花，总花梗长 3 ~ 5 cm，花梗长 5 ~ 8 mm；花萼漏斗状，常裂成锐尖形小萼齿 6 ~ 8，花瓣 6 ~ 8，线形，长

2 ~ 2.5 cm，基部粘合，上部开花时反卷，外面有淡黄色短柔毛，内面无毛，初白色，后变淡黄色；雄蕊 6 ~ 8，略短于花瓣，花丝稍扁，长 3 ~ 5 mm，有疏柔毛，花药长 12 ~ 15 mm，药隔有长柔毛；花盘近球形，微呈裂痕，有微柔毛；子房 2 室，每室有胚珠 1，花柱圆柱形，上部膨大，柱头近球形，4 裂。核果椭圆形或矩圆状椭圆形，长 1.2 ~ 1.5 cm，直径 8 mm，幼时紫褐色，成熟后黑色，先端有宿存的萼齿。花期 5 ~ 6 月，果期 9 月。

| **生境分布** | 生于低海拔的疏林中或路旁。湖北有分布。

| **采收加工** | **侧根或须根：**夏、秋季间采挖，洗净，鲜用或晒干。

| **功能主治** | 舒筋活血，散瘀止痛。用于跌打瘀肿，骨折。

八角枫科 Alangiaceae 八角枫属 *Alangium*

瓜木 *Alangium platanifolium* (Siebold & Zucc.) Harms

| 药 材 名 | 八角枫根、八角枫花、八角枫叶。

| 形态特征 | 落叶灌木或小乔木。高 5 ~ 7 m。树皮平滑，灰色或深灰色。小枝纤细，近圆柱形，常稍弯曲，略呈“之”字形，当年生枝淡黄褐色或灰色，近无毛；冬芽圆锥状卵圆形，鳞片三角状卵形，覆瓦状排列，外面有灰色短柔毛。叶纸质，近圆形，稀阔卵形或倒卵形，先端钝尖，基部近心形或圆形，长 11 ~ 13（~ 18）cm，宽 8 ~ 11（~ 18）m，不分裂或稀分裂，分裂者裂片钝尖或锐尖至尾状锐尖，深仅达叶片长度的 1/4 ~ 1/3，稀 1/2，边缘呈波状或钝锯齿状，上面深绿色，下面淡绿色，两面除沿叶脉或脉腋幼时有长柔毛或疏柔毛外，其余部分近无毛；主脉 3 ~ 5，由基部生出，常呈掌状，侧脉 5 ~ 7 对，

和主脉相交成锐角，均在叶上面显著，在下面微凸起，小叶脉仅在下面显著；叶柄长 3.5 ~ 5（~ 10）cm，圆柱形，稀上面稍扁平或略呈沟状，基部粗壮，向先端逐渐细弱，有稀疏的短柔毛或无毛。聚伞花序生叶腋，长 3 ~ 3.5 cm，通常有 3 ~ 5 花，总花梗长 1.2 ~ 2 cm，花梗长 1.5 ~ 2 cm，几无毛，花梗上有线形小苞片 1，长 5 mm，早落，外面有短柔毛；花萼近钟形，外面具稀疏短柔毛，裂片 5，三角形，长和宽均约 1 mm，花瓣 6 ~ 7，线形，紫红色，外面有短柔毛，近基部较密，长 2.5 ~ 3.5 cm，宽 1 ~ 2 mm，基部黏合，上部开花时反卷；雄蕊 6 ~ 7，较花瓣短，花丝略扁，长 8 ~ 14 mm，微有短柔毛，花药长 1.5 ~ 2.1 cm，药隔内面无毛，外面无毛或有疏柔毛；花盘肥厚，近球形，无毛，微现裂痕；子房 1 室，花柱粗壮，长 2.6 ~ 3.6 cm，无毛，柱头扁平。核果长卵状圆形或长椭圆形，长 8 ~ 12 mm，直径 4 ~ 8 mm，先端有宿存的花萼裂片，有短柔毛或无毛，有种子 1。花期 3 ~ 7 月，果期 7 ~ 9 月。

| 生境分布 | 生于海拔 2 000 m 以下土质比较疏松而肥沃的向阳山坡或疏林中。湖北有分布。

| 采收加工 | **侧根、须状根（纤维根）：** 全年均可采，挖出后，除去泥沙，斩取侧根和须状根，晒干。

叶、花： 夏、秋季采收，晒干或鲜用。

| 功能主治 | 祛风，通络，散瘀，镇痛，麻醉，松弛肌肉。用于风湿疼痛，麻木瘫痪，心力衰竭，劳损腰痛，跌打损伤，骨结核，肺结核等。

桃金娘科 Myrtaceae 蒲桃属 *Syzygium*

赤楠 *Syzygium buxifolium* Hk. et Arn.

| 药 材 名 | 赤楠。

| 形态特征 | 灌木或小乔木。嫩枝有棱，干后黑褐色。叶片革质，阔椭圆形至椭圆形、阔倒卵形，长 1.5 ~ 3 cm，宽 1 ~ 2 cm，先端圆或钝，有时有钝尖头，基部阔楔形或钝，上面干后暗褐色，无光泽，下面稍浅色，有腺点，侧脉多而密，脉间相隔 1 ~ 1.5 mm，斜行向上，离边缘 1 ~ 1.5 mm 处结合成边脉，在上面不明显，在下面稍凸起；叶柄长 2 mm。聚伞花序顶生，长约 1 cm，有花数朵；花梗长 1 ~ 2 mm；花蕾长 3 mm；萼管倒圆锥形，长约 2 mm，萼齿浅波状；花瓣 4，分离，长 2 mm；雄蕊长 2.5 mm；花柱与雄蕊等长。果实球形，直径 5 ~ 7 mm。花期 6 ~ 8 月。果期 9 ~ 10 月。

| 生境分布 | 生于山坡疏林、灌丛中和峡谷溪旁。湖北有分布。

| 采收加工 | **根：**夏、秋季采挖，洗净，切片，晒干。

根皮：在挖取根部时，及时剥割，切碎，晒干。

| 功能主治 | 健脾利湿，平喘，散瘀消肿。用于喘咳，浮肿，淋浊，尿路结石，痢疾，肝炎，子宫脱垂，风湿痛，疝气，睾丸炎，痔疮，痈肿，烫火伤，跌打肿痛。

野牡丹科 Melastomataceae 野海棠属 *Bredia*

秀丽野海棠 *Bredia amoena* Diels

| 药 材 名 | 秀丽野海棠。

| 形态特征 | 小灌木。高 30 ~ 70 cm。茎圆柱形，分枝多，小枝略四棱形，幼时密被柔毛及腺毛，以后毛渐脱落。叶片纸质，卵形至椭圆形，先端渐尖或急尖，具短尖头，基部圆形至广楔形，长 4 ~ 10.5 cm，宽 2.5 ~ 5.2 cm，全缘至具细波齿；基出脉 5，近边缘 2 基出脉经常不明显，两面被微柔毛或几无毛，叶面基出脉微凹，侧脉略凸，背面基出脉、侧脉隆起，细脉不明显；叶柄长 8 ~ 25 mm，被微柔毛。由聚伞花序组成圆锥花序，顶生，长 7 ~ 10 cm，宽 2.5 ~ 5 cm，总梗、

花梗及花萼均密被微柔毛及腺毛，有时花萼几无毛；花梗长约 3 mm；花萼钟状漏斗形，管长约 3 mm，具 4 棱，裂片短三角形，先端急尖，长约 1 mm；花瓣玫瑰色或紫色，长圆形，先端渐尖，略偏斜，长约 8 mm，宽约 3.5 mm；雄蕊 8，4 长 4 短，长者长约 13 mm，花药长 6 mm，药隔下延呈短梗，短者长约 9 mm，花药披针形，长约 4 mm，药隔下延至花药基部前面呈不明显的小瘤，后面呈不明显的短距；子房半下位，卵状球形，先端具 4 小突起，被疏腺毛。蒴果近球形，为宿存萼所包，宿存萼钟状漏斗形，具 4 棱，先端平截，冠以宿存萼片，被微柔毛及腺毛或几无毛，具 8 脉，长约 4 mm，直径约 3.5 mm。花期 7 ~ 8 月，果期 8 ~ 9 月。

| 生境分布 | 生于海拔 400 ~ 1 100 m 的山谷、山坡疏密林下、溪边或路旁。湖北有分布。

| 采收加工 | **全株或根**：全年均可采，挖根或连根采取全株，洗净，晒干。

| 功能主治 | 祛风利湿，活血调经。用于风湿痹痛，月经不调，带下，疝气，手脚浮肿，流火，跌打损伤，毒蛇咬伤。

野牡丹科 Melastomataceae 野海棠属 *Bredia*

长萼野海棠 *Bredia longiloba* (Hand.-Mazz.) Diels

| 药 材 名 | 长萼野海棠。

| 形态特征 | 亚灌木。高 20 ～ 40 cm。茎四棱形，具匍匐茎，逐节生根，基部木质化，不分枝或少数分枝，密被柔毛及平展的腺毛，后腺毛成刺毛。叶片纸质或坚纸质，卵形或椭圆状卵形，先端急尖或短渐尖，基部钝至浅心形，长 5 ～ 8 cm，宽 2.2 ～ 4.5 cm，边缘具细锯齿，齿尖具刺毛，基出脉 7，最靠近边缘的 2 基出脉常不明显，叶面被微柔毛、疏糙伏毛或长柔毛，基出脉微凹，侧脉平整，背面密被微柔毛，脉隆起，明显，有时杂有平展的长柔毛，细脉网状；叶柄长 1 ～ 4.5 cm，被柔毛及平展的疏刺毛。伞形花序组成聚伞花序或伞形花序，顶生或生于小枝先端，长 3 ～ 7 cm，与花梗、花萼均被微柔毛及疏腺毛，

花梗长约 1 cm，花萼漏斗形，萼筒长约 5 mm，裂片线状披针形，长约 1 mm；花瓣紫红色，长圆状卵形，先端渐尖，微偏斜，长约 1 cm，宽约 5 mm；雄蕊近等长，长 1 ~ 1.2 cm，花药长 5 ~ 6 mm，略长者基部具极短的柄，略短者基部具刺状小瘤及后面呈短距，整个连成 1 盘状；子房卵形，先端具膜质冠，冠缘具腺毛。蒴果杯形，先端具膜质冠，冠缘具疏腺毛，为宿存萼所包；宿存萼杯形，具四棱，长约 5 mm，直径 4 ~ 6 mm，被微柔毛及疏腺毛，先端冠以宿存萼片。花期 8 ~ 10 月，果期约 10 月。

| 生境分布 | 生长于海拔 600 ~ 900 m 的山坡、山谷疏林下，路边水旁，湿土上。湖北有分布。

| 采收加工 | **全草**：夏、秋季采挖，洗净，鲜用或晒干。

| 功能主治 | 清热利湿，活血调经。用于淋证，月经不调，痛经，化脓性指头炎。

野牡丹科 Melastomataceae 金锦香属 *Osbeckia*

金锦香 *Osbeckia chinensis* L.

| 药 材 名 | 金锦香。

| 形态特征 | 直立草本或亚灌木。高 20 ~ 60 cm。茎四棱形，具紧贴的糙伏毛。叶片坚纸质，线形或线状披针形，极稀卵状披针形，先端急尖，基部钝或几圆形，长 2 ~ 4（~ 5）cm，宽 3 ~ 8（~ 15）mm，全缘，两面被糙伏毛；基出脉 3 ~ 5，于背面隆起，细脉不明显；叶柄短或几无，被糙伏毛。头状花序，顶生，有花 2 ~ 8（~ 10），基部具叶状总苞 2 ~ 6，苞片卵形，被毛或背面无毛，无花梗，萼管长约 6 mm，通常带红色，无毛或具 1 ~ 5 刺毛突起，裂片 4，三角状披针形，与萼管等长，具缘毛，各裂片间外缘具 1 刺毛突起，果时随萼片脱落；花瓣 4，淡紫红色或粉红色，倒卵形，长约 1 cm，

具缘毛；雄蕊常偏向 1 侧，花丝与花药等长，花药顶部具长喙，喙长为花药的 1/2，药隔基部微膨大呈盘状；子房近球形，先端有刚毛 16。蒴果紫红色，卵状球形，4 纵裂，宿存萼坛状，长约 6 mm，直径约 4 mm，外面无毛或具少数刺毛突起。花期 7 ~ 9 月，果期 9 ~ 11 月。

| **生境分布** | 生于海拔 1 100 m 以下的荒山草坡、路旁、田地边或疏林向阳处。分布于湖北宣恩、恩施、当阳、远安、天门、石首、通城，以及宜昌。

| **采收加工** | **全草：**夏、秋季采收，洗净，切段，晒干。

| **功能主治** | 清热利湿，消肿解毒，止咳化痰，祛瘀止血。用于急性细菌性痢疾，阿米巴痢疾，阿米巴肝脓肿，肠炎，感冒咳嗽，咽喉肿痛，小儿支气管哮喘，肺结核咯血，阑尾炎，毒蛇咬伤，疔疮疖肿。

野牡丹科 Melastomataceae 金锦香属 *Osbeckia*

假朝天罐 *Osbeckia crinita* Benth.

| 药 材 名 | 假朝天罐。

| 形态特征 | 灌木。高 0.2 ~ 1.5 m，稀 2.5 m。茎四棱形，被疏或密且平展的刺毛，有时从基部或上部分枝。叶片坚纸质，长圆状披针形、卵状披针形至椭圆形，先端急尖至近渐尖，基部钝或近心形，长 4 ~ 9 cm，稀 13 cm，宽 2 ~ 3.5 cm，稀 5 cm，全缘，具缘毛，两面被糙伏毛；基出脉 5，叶面基出脉微下凹，脉上无毛，侧脉多数，互相平行，背面基出脉、侧脉明显，隆起，仅脉上被毛，细脉网状；叶柄长 2 ~ 10（~ 15）mm，密被糙伏毛。总状花序，顶生，或每节有花 2，常仅 1 花发育，或由聚伞花序组成圆锥花序，长 4 ~ 9 cm；苞片 2，卵形，长约 4 mm，具刺毛状缘毛，背面无毛或被疏糙伏毛，花梗短或几

无；花萼长约 2 cm，通常为紫红色或紫黑色，具多轮刺毛状的有梗星状毛，毛长达 2.5 mm，裂片线状披针形或钻形，先端长渐尖，长约 8 mm；花瓣紫红色，倒卵形，先端圆形具点尖头，长约 1.5 cm，具缘毛；雄蕊常偏向 1 侧，花丝与花药等长，花药黄色，顶部具长喙，喙与药室等长，药隔基部微膨大，向前微伸，向后呈短距；子房卵形，上部被疏硬毛，先端有刚毛 20 ~ 22。蒴果卵形，4 纵裂，上部被疏硬毛，先端具刚毛；宿存萼深紫色或黑紫色，坛状，先端平截，长 1.1 ~ 1.6（~ 1.8）cm，直径 5 ~ 8 mm，近中部缢缩成颈，上部通常有星状毛脱落后的斑痕，下部密被多轮有柄刺毛状星状毛。花期 8 ~ 11 月，果期 10 ~ 12 月。

| 生境分布 | 生于海拔 800 ~ 2 300（~ 3 100）m 的山坡向阳草地、地埂、矮灌丛中、山谷溪边、林缘湿润的地方。分布于湖北西南部。

| 采收加工 | **全株**：春季采收，鲜用或切段，晒干。

| 功能主治 | 清热解毒，收敛止血，祛风除湿，敛肺益肾。用于风湿痹痛，淋证，痢疾，疯狗咬伤，久咳，虚喘，体虚头晕，淋浊，泻痢，便血，血崩，月经不调，带下，跌打瘀肿，外伤出血，烫伤。

野牡丹科 Melastomataceae 金锦香属 *Osbeckia*

朝天罐 *Osbeckia opipara* C. Y. Wu et C. Chen

|药 材 名|

朝天罐。

|形态特征|

灌木。高 0.3 ~ 1（~ 1.2）m。茎四棱形，稀六棱形，被平贴的糙伏毛或上升的糙伏毛。叶对生或有时 3 叶轮生，叶片坚纸质，卵形至卵状披针形，先端渐尖，基部钝或圆形，长 5.5 ~ 11.5 cm，宽 2.3 ~ 3 cm，全缘，具缘毛，两面除被糙伏毛外，尚密被微柔毛及透明腺点；基出脉 5；叶柄长 0.5 ~ 1 cm，密被平贴糙伏毛。稀疏的聚伞花序组成圆锥花序，顶生，长 7 ~ 22 cm 或更长；花萼长约 2.3 cm，外面除被多轮的刺毛状有梗星状毛外，尚密被微柔毛，裂片 4，长三角形或卵状三角形，长约 1.1 cm；花瓣深红色至紫色，卵形，长约 2 cm；雄蕊 8，花药具长喙，药隔基部微膨大，末端具刺毛 2；子房先端具 1 圈短刚毛，上半部被疏微柔毛。蒴果长卵形，为宿存萼所包，宿存萼长坛状，中部略上缢缩，长 1.4（~ 2）cm，被刺毛状有柄星状毛。花果期 7 ~ 9 月。

|生境分布|

生于海拔 250 ~ 800 m 的山坡、山谷、水边、路旁、疏林中或灌丛中。湖北有分布。

| **采收加工** | **根**：秋后挖根，洗净，切片，晒干。
枝叶：全年均可采，切段，晒干。

| **功能主治** | 补虚益肾，收敛止血。用于痨伤咳嗽吐血，痢疾，下肢酸软，筋骨拘挛，小便失禁，白浊，带下。

野牡丹科 Melastomataceae 肉穗草属 *Sarcopyramis*

楮头红 *Sarcopyramis nepalensis* Wall.

| 药 材 名 | 楮头红。

| 形态特征 | 直立草本。高 10 ~ 30 cm。茎脆弱，无毛，有四棱。叶对生，膜质，卵形至披针形，长 3 ~ 10 cm，宽 1 ~ 3.5 cm，基部楔形或浅心形，变化甚大，边缘有细锐齿，主脉 3 ~ 5，两面无毛或上面疏有糙伏毛，有长柄。花两性，通常数朵成簇而顶生，有时兼有腋生的，紫红色；萼筒有 4 翅，长 2 ~ 3 mm，裂片 4，宽而短，先端有流苏状长睫毛；花瓣 4，长 6 ~ 9 mm；雄蕊 8，等长，花药先端单孔开裂，长近 1 mm，矩圆形，先端 2 浅裂；药隔延长，基部有很小的距；子房下位，4 室。蒴果略有 4 棱，直径 6 ~ 7 mm，先端有 4 透明大鳞片；种子矩圆形，表面有小乳突。

| 生境分布 | 生于海拔 1 300 ~ 3 100 m 的密林下阴湿的地方或溪边。湖北有分布。

| 采收加工 | **全草：**夏、秋季采收，鲜用或切碎晒干。

| 功能主治 | 清热平肝，利湿解毒。用于肺热咳嗽，头目眩晕，耳鸣，耳聋，日赤羞明，肝炎，风湿痹痛，跌打伤肿，蛇头疔，无名肿毒。

| 附　　注 | 楮头红（原变种）与斑点楮头红（变种）的区别在于后者叶面毛的基部具白色小圆斑点，果期 11 ~ 12 月或翌年 1 月。

菱科 Trapaceae 菱属 *Trapa*

菱 *Trapa bispinosa* Roxb.

| 药 材 名 | 菱。

| 形态特征 | 一年生浮水水生草本。根二型：着泥根细铁丝状，着生水底水中；同化根羽状细裂，裂片丝状。茎柔弱，分枝。叶二型：浮水叶互生，聚生于主茎或分枝茎的先端，呈旋叠状镶嵌排列在水面成莲座状的菱盘，叶片菱圆形或三角状菱圆形，长 3.5 ~ 4 cm，宽 4.2 ~ 5 cm，表面深亮绿色，无毛，背面灰褐色或绿色，主侧脉在背面稍凸起，密被淡灰色或棕褐色短毛，脉间有棕色斑块，叶边缘中上部具不整齐的圆凹齿或锯齿，边缘中下部全缘，基部楔形或近圆形；叶柄中上部膨大不明显，长 5 ~ 17 cm，被棕色或淡灰色短毛；沉水叶小，早落。花小，单生于叶腋，两性；萼筒 4 深裂，外面被淡黄色短毛；

花瓣 4，白色；雄蕊 4；雌蕊具半下位子房，子房 2 心皮，2 室，每室具 1 倒生胚珠，仅 1 室胚珠发育；花盘鸡冠状。果实三角状菱形，高 2 cm，宽 2.5 cm，表面具淡灰色长毛，2 肩角直伸或斜举，肩角长约 1.5 cm，刺角基部不明显粗大，腰角位置无刺角，丘状突起不明显，果喙不明显，果颈高 1 mm，直径 4 ～ 5 mm，内具 1 白色种子。花期 5 ～ 10 月，果期 7 ～ 11 月。

| 生境分布 | 生于湖湾、池塘、河湾。湖北有分布。

| 采收加工 | **全草或根、茎、叶、果肉：**8 ～ 9 月采收，鲜用或晒干。

| 功能主治 | 健脾益胃，除烦止渴，解毒。用于脾虚泄泻，暑热烦渴，饮酒过度，痢疾。

菱科 Trapaceae 菱属 *Trapa*

细果野菱 *Trapa maximowiczii* Korsh.

| 药材名 | 细果野菱。

| 形态特征 | 一年生浮水水生草本。根二型：着泥根细铁丝状，生水底泥中；同化根羽状细裂，裂片丝状，深灰绿色。茎细柔弱，分枝，长 80 ~ 150 cm。叶二型：浮水叶互生，聚生于主枝或分枝茎先端，形成莲座状的菱盘，叶片三角状菱圆形，长 1.9 ~ 2.5 cm，宽 2 ~ 3 cm，表面深亮绿色，无毛或仅有少量短毛，叶背面绿色带紫，主侧脉稍明显，疏被少量的黄褐色短毛，脉间有茶褐色斑块，边缘中上部有不整齐的浅圆齿或牙齿，边缘中下部全缘，基部广楔形；沉水叶小，早落。花小，单生于叶腋，花梗长 1 ~ 2 cm，疏被淡褐色短毛；萼筒 4 深裂，裂片长约 4 mm，基部密被短毛，其中 1 对萼筒沿脊被毛，

其余无毛；花瓣 4，白色，长约 7 mm；花盘全缘；雄蕊 4，花丝纤细，花药“丁”字形着生，内向；子房半下位，基部膨大，2 室，每室具 1 倒生胚珠，仅 1 室胚珠发育，花柱钻状，柱头头状。果实三角形，高 1 ～ 1.2 cm，表面平滑，具 4 刺角，2 肩角细刺状、斜向上，角间端宽 2 ～ 2.5 cm，2 腰角较细短，锐刺状，斜下伸；果喙尖头帽状或细圆锥状，果颈高约 3 mm，无果顶冠；果柄长约 2.5 cm，疏被褐色短毛。花期 6 ～ 7 月，果期 8 ～ 9 月。

| **生境分布** | 多生于边远湖沼中。湖北有分布。

| **采收加工** | **全草或果实**：8 ～ 9 月采收，鲜用或晒干。

| **功能主治** | 消炎解毒，清暑解热。

柳叶菜科 Onagraceae 露珠草属 *Circaea*

高山露珠草 *Circaea alpine* L.

| 药材名 | 高山露珠草。

| 形态特征 | 植株高 3 ~ 50 cm。无毛或茎上被短镰状毛及花序上被腺毛；根茎先端有块茎状加厚。叶形变异极大，自狭卵状菱形或椭圆形至近圆形，长 1 ~ 11 cm，宽 0.7 ~ 5.5（~ 8）cm，基部狭楔形至心形，先端急尖至短渐尖，近全缘至具尖锯齿。顶生总状花序长 12（~ 17）cm。花梗与花序轴垂直或花梗呈上升或直立，基部有时有一刚毛状小苞片；花芽无毛，稀近无毛；花萼无或短，最长达 0.6 mm；萼片白色或粉红色，稀紫红色，或只先端淡紫色，矩圆状椭圆形、卵形、阔卵形或三角状卵形，长 0.8 ~ 2 mm，宽 0.6 ~ 1.3 mm，无毛，先端钝圆或微呈乳突状，伸展或微反曲；花瓣白色，狭倒三角形、倒三角形、倒卵形至阔倒卵形，长 0.5 ~ 2 mm，宽 0.6 ~ 1.9 mm，先端

无凹缺至凹缺达花瓣的中部，花瓣裂片圆形至截形，稀细圆齿状；雄蕊直立或上升，稀伸展，与花柱等长或略长于花柱，蜜腺不明显，藏于花管内。果实棒状至倒卵状，长 1.6 ~ 2.7 mm，直径 0.5 ~ 1.2 mm，基部平滑地渐狭向果柄，1 室，具 1 种子，表面无纵沟，但果柄延伸部分有浅槽；成熟果实连果柄长 3.5 ~ 7.8 mm。

| 生境分布 | 湖北有分布。

| 采收加工 | **全草**：7 ~ 8 月采收，晒干。

| 功能主治 | 养心安神，消食，止咳，解毒，止痒。用于心悸，失眠，多梦，疳积，咳嗽，疮疡脓肿，湿疣，癣痒。

柳叶菜科 Onagraceae 露珠草属 *Circaea*

露珠草 *Circaea cordata* Royle

| 药材名 | 露珠草。

| 形态特征 | 粗壮草本。高 20 ~ 150 cm，被平伸的长柔毛、镰状外弯的曲柔毛和先端头状或棒状的腺毛，毛通常较密；根茎不具块茎。叶狭卵形至宽卵形，中部的长 4 ~ 11（~ 13）cm，宽 2.3 ~ 7（~ 11）cm，基部常心形，有时阔楔形至阔圆形或截形，先端短渐尖，边缘具锯齿至近全缘。单总状花序顶生，或基部具分枝，长 2 ~ 20 cm；花梗长 0.7 ~ 2 mm，与花序轴垂直生或在花序先端簇生，被毛，基部有 1 极小的刚毛状小苞片；花芽或多或少被直或微弯稀具钩的长毛；花管长 0.6 ~ 1 mm；萼片卵形至阔卵形，长 2 ~ 3.7 mm，宽 1.4 ~ 2 mm，白色或淡绿色，开花时反曲，先端钝圆形，花瓣白色，倒卵形至阔

倒卵形，长 1 ~ 2.4 mm，宽 1.2 ~ 3.1 mm，先端倒心形，凹缺深至花瓣长度的 1/2 ~ 2/3，花瓣裂片阔圆形；雄蕊伸展，略短于花柱或与花柱近等长，蜜腺不明显，全部藏于花管之内。果实斜倒卵形至透镜形，长 3 ~ 3.9 mm，直径 1.8 ~ 3.3 mm，2 室，具 2 种子，背面压扁，基部斜圆形或斜截形，边缘及子房室之间略显木栓质增厚，但不具明显的纵沟；成熟果实连果柄长 4.4 ~ 7 mm。花期 6 ~ 8 月，果期 7 ~ 9 月。

| **生境分布** | 湖北有分布。

| **采收加工** | **全草：**秋季采收全草，鲜用或晒干。

| **功能主治** | 清热解毒，止血生肌。用于疮痈肿毒，疥疮，外伤出血。

柳叶菜科 Onagraceae 露珠草属 *Circaea*

谷蓼 *Circaea erubescens* Franch. et Sav.

| 药 材 名 | 谷蓼。

| 形态特征 | 植株高 10 ~ 120 cm。无毛。根茎上无块茎。叶披针形至卵形，稀阔卵形，长 2.5 ~ 10 cm，宽 1 ~ 6 cm，基部阔楔形至圆形或截形，稀近心形，先端短渐尖，边缘具锯齿。顶生总状花序不分枝或基部分枝，长 2 ~ 20 cm；花梗与花序轴垂直，基部通常无刚毛状小苞片，如有小苞片，则通常于果实成熟前脱落。花芽无毛；花管长 0.5 ~ 0.8 mm；萼片矩圆状椭圆形至披针形，长 0.6 ~ 2.5 mm，宽 0.8 ~ 1.2 mm，红色至紫红色，先端渐尖，开花时反曲；花瓣狭倒卵状菱形至阔倒卵状菱形或倒卵形，长 0.8 ~ 1.7 mm，宽 0.7 ~ 1 mm，粉红色，先端凹缺至花瓣长度的 1/10 ~ 1/5；花瓣裂片具细圆齿或

具小的二级裂片；雄蕊短于花柱；蜜腺伸出于花管之外。果实长 1.7 ~ 3.2 mm，直径 1.2 ~ 2.1 mm，2 室，具 2 种子，倒卵形至阔卵形，略呈背向压扁，基部平滑地渐狭向果柄，纵沟不明显，但果实上有一狭槽至果柄之延伸部分；成熟果实连果柄长 6 ~ 12 mm。花期 6 ~ 9 月，果期 7 ~ 9 月。

| 生境分布 | 湖北有分布。

| 采收加工 | **全草：**夏、秋季采收，洗净，鲜用或晒干。

| 功能主治 | 和胃气，止脘腹疼痛，利小便，通月经。

柳叶菜科 Onagraceae 露珠草属 *Circaea*

南方露珠草 *Circaea mollis* Sieb. et Zucc.

|药材名|

南方露珠草。

|形态特征|

高 25 ~ 150 cm。被镰状弯曲毛。根茎不具块茎。叶狭披针形、阔披针形至狭卵形，长 3 ~ 16 cm，宽 2 ~ 5.5 cm，基部楔形，稀圆形，先端狭渐尖至近渐尖，近全缘至具锯齿。顶生总状花序常于基部分枝，稀为单总状花序，长 1.5 ~ 4（~ 20）cm，生于侧枝先端的总状花序通常不分枝；花梗与花序轴垂直生，基部不具或稀具 1 极小的刚毛状小苞片，花梗常被毛，花芽无毛或被曲的和直的、先端头状和棒状的腺毛；花管长 0.5 ~ 1 mm；萼片长 1.6 ~ 2.9 mm，宽 1 ~ 1.5 mm，淡绿色或带白色，开花时伸展或略反曲，先端短渐尖至钝圆或微呈乳突状；花瓣白色，阔倒卵形，长 0.7 ~ 1.8 mm，宽 1 ~ 2.6 mm，先端下凹至花瓣长度的 1/4 ~ 1/2；雄蕊开花时通常直伸，短于、等于花柱，稀长于花柱，蜜腺明显，突出于花管之外。果实狭梨形至阔梨形或球形，长 2.6 ~ 3.5 mm，直径 2 ~ 3.2 mm，基部凹凸不平地、不对称地渐狭至果柄，2 室，具 2 种子，纵沟极明显；果柄常明显反曲，成熟

果实连梗长 5 ~ 7 mm。花期 7 ~ 9 月，果期 8 ~ 10 月。

| **生境分布** | 生于海拔 1 000 ~ 2 400 m 的山坡林下阴湿处。湖北有分布。

| **采收加工** | 夏、秋季采收全草，鲜用或晒干。秋季采挖根，除去地上部分，洗净泥土，鲜用或晒干。

| **功能主治** | 祛风除湿。用于风湿痹痛，跌打瘀肿，乳痈，瘰疬，疮肿，无名肿毒，毒蛇咬伤，皮肤过敏。

柳叶菜科 Onagraceae 柳叶菜属 *Epilobium*

毛脉柳叶菜 *Epilobium amurense* Hausskn.

| 药 材 名 | 毛脉柳叶菜。

| 形态特征 | 多年生直立草本。秋季自茎基部生出短的肉质多叶的根出条，伸长后有时成莲座状芽，稀成匍匐枝条。茎高（10 ~ ）20 ~ 50（ ~ 80）cm，直径 1.5 ~ 4 mm，不分枝或有少数分枝，上部有曲柔毛与腺毛，中下部有时有明显的毛棱线，上部常有明显的毛棱线，其余无毛，稀全株无毛。叶对生，花序上的互生，近无柄或茎下部的叶有很短的柄，卵形，长圆状披针形，长 2 ~ 7 cm，宽 0.5 ~ 2.5 cm，先端锐尖，有时近渐尖或钝形，基部圆形或宽楔形，边缘每边有 6 ~ 25 锐齿，侧脉每侧 4 ~ 6，下面常隆起，脉上与边缘有曲柔毛，其余部位无毛。花序直立，有时初期稍下垂，常被曲

柔毛与腺毛；花在芽时近直立；花蕾椭圆状卵形，长 1.5 ~ 2.4 mm，常疏被曲柔毛与腺毛；子房长 1.5 ~ 2.8 mm，被曲柔毛与腺毛；花管长 0.6 ~ 0.9 mm，直径 1.5 ~ 1.8 mm，喉部有一环长柔毛；萼片披针状长圆形，长 3.5 ~ 5 mm，宽 0.8 ~ 1.9 mm，疏被曲柔毛，在基部接合处腋间有一束毛；花瓣白色、粉红色或玫瑰紫色，倒卵形，长 5 ~ 10 mm，宽 2.4 ~ 4.5 mm，先端凹缺深 0.8 ~ 1.5 mm；花药卵状，长 0.4 ~ 0.7 mm，宽 0.3 ~ 0.4 mm，花丝外轮的长 2.8 ~ 4 mm、内轮的长 1.2 ~ 2.8 mm；花柱长 2 ~ 4.7 mm，有时近基部疏生长毛，柱头近头状，长 1 ~ 1.5 mm，直径 1 ~ 1.3 mm，先端近平，开花时围以外轮花药或稍伸出。蒴果长 1.5 ~ 7 cm，疏被柔毛至变无毛；果柄长 0.3 ~ 1.2 cm；种子长圆状倒卵形，长 0.8 ~ 1 mm，宽 0.3 ~ 0.4 mm，深褐色，先端近圆形，具不明显短喙，表面具粗乳突，种缨污白色，长 6 ~ 9 mm，易脱落。花期（5 ~）7 ~ 8 月，果期（6 ~）8 ~ 10（~ 12）月。

| 生境分布 | 湖北有分布。

| 采收加工 | **全草**：7 ~ 8 月采收，晒干或鲜用。

| 功能主治 | 收敛固脱。用于月经过多，带下赤白，久痢，久泄。

柳叶菜科 Onagraceae 柳叶菜属 *Epilobium*

光滑柳叶菜亚种 *Epilobium amurense* Hausskn. subsp. *cephalostigma* (Hausskn.) C. J. Chen, Hoch & P. H. Raven

| 药 材 名 | 光滑柳叶菜。

| 形态特征 | 茎常多分枝，上部周围只被曲柔毛，无腺毛，中下部具不明显的棱线，但不贯穿节间，棱线上近无毛。叶长圆状披针形至狭卵形，基部楔形；叶柄长 1.5 ~ 6 mm。花较小，长 4.5 ~ 7 mm；萼片均匀地被稀疏的曲柔毛。花期 6 ~ 8（~ 9）月，果期 8 ~ 9（~ 10）月。

| 生境分布 | 生于中、低山河谷与溪沟边、林缘、草坡湿润处。湖北有分布。

| 采收加工 | **全草：**夏、秋季采收，晒干备用。

| 功能主治 | **花：**清热消炎，调经止带，止痛。

根：理气活血，止血。

柳叶菜科 Onagraceae 柳叶菜属 *Epilobium*

柳兰 *Epilobium angustifolium* L.

| 药 材 名 | 柳兰。

| 形态特征 | 多年粗壮草本。直立，丛生。根茎广泛匍匐于表土层，长达 2 m，直径达 2 cm，木质化，自茎基部生出强壮的越冬根出条。茎高 20 ~ 130 cm，直径 2 ~ 10 mm，不分枝或上部分枝，圆柱状，无毛，下部多少木质化，表皮撕裂状脱落。叶螺旋状互生，稀近基部对生，无柄，茎下部的近膜质，披针状长圆形至倒卵形，长 0.5 ~ 2 cm，常枯萎，褐色，中上部的叶近革质，线状披针形或狭披针形，长（3 ~）7 ~ 14（~ 19）cm，宽（0.3 ~）0.7 ~ 1.3（~ 2.5）cm，先端渐狭，基部钝圆或有时宽楔形，上面绿色或淡绿色，两面无毛，近全缘或边缘具稀疏浅小齿，稍微反卷，侧脉常不明显，每侧

10 ~ 25，近平展或稍上斜出至近边缘处网结。花序总状，直立，长 5 ~ 40 cm，无毛；苞片下部的叶状，长 2 ~ 4 cm，上部的很小，三角状披针形，长不及 1 cm。花在芽时下垂，到开放时直立展开；花蕾倒卵状，长 6 ~ 12 mm，直径 4 ~ 6 mm；子房淡红色或紫红色，长 0.6 ~ 2 cm，被贴生灰白色柔毛；花梗长 0.5 ~ 1.8 cm；花管缺，花盘深 0.5 ~ 1 mm，直径 2 ~ 4 mm；萼片紫红色，长圆状披针形，长 6 ~ 15 mm，宽 1.5 ~ 2.5 mm，先端渐狭渐尖，被灰白柔毛，粉红色至紫红色，稀白色，稍不等大，上面 2 较长大，倒卵形或狭倒卵形，长 9 ~ 15（~ 19）mm，宽 3 ~ 9（~ 11）mm，全缘或先端具浅凹缺；花药长圆形，长 2 ~ 2.5 mm，初期红色，开裂时变紫红色，产生带蓝色的花粉，花粉粒常 3 孔，直径平均 67.7 μm，花丝长 7 ~ 14 mm；花柱 8 ~ 14 mm，开放时强烈反折，后恢复直立，下部被长柔毛，柱头白色，4 深裂，裂片长圆状披针形，长 3 ~ 6 mm，宽 0.6 ~ 1 mm，上面密生小乳突。蒴果长 4 ~ 8 cm，密被贴生的白灰色柔毛；果柄长 0.5 ~ 1.9 cm；种子狭倒卵状，长 0.9 ~ 1 mm，直径 0.35 ~ 0.45 mm，先端短渐尖，具短喙，褐色，表面近光滑但具不规则的细网纹；种缨丰富，长 10 ~ 17 mm，灰白色，不易脱落。花期 6 ~ 9 月，果期 8 ~ 10 月。

| 生境分布 | 生于山区半开旷或开旷较湿润草坡灌丛、火烧迹地、高山草甸、河滩、砾石坡。湖北有分布。

| 采收加工 | **全草：**夏、秋季采收，除去杂质，洗净，润软，切段，晒干或鲜用。

| 功能主治 | 利水渗湿，理气消胀，活血调经。用于水肿，气虚浮肿，泄泻，食积胀满，月经不调，乳汁不通，乳汁不足，阴囊肿大，疮疹痒痛。

柳叶菜科 Onagraceae 柳叶菜属 *Epilobium*

短叶柳叶菜 *Epilobium brevifolium* D. Don

| 药 材 名 | 短叶柳叶菜。

| 形态特征 | 多年生草本。直立。自茎基部生出越冬的根出条。茎高 25 ~ 60 cm，直径 2.5 ~ 4 mm，不分枝或稀疏分枝，周围被曲柔毛，常在上部混生有腺毛，无棱线。叶对生，花序上的互生，宽卵形或卵形，长 2.5 ~ 4.5 cm，宽 1.5 ~ 2.2 cm，先端锐尖或近钝形，基部近心形，边缘每边有 15 ~ 22 锐锯齿或不明显的浅锯齿，侧脉每侧 5 ~ 6，常下面隆起，两面尤脉上被曲柔毛，有时混生少数腺毛；叶柄长 1 ~ 4 mm 或几无。花序直立至稍下垂；花直立或开花时稍下垂；花蕾狭卵状，长 4 ~ 7 mm，直径 2.5 ~ 3.5 mm；子房长 2 ~ 3 cm，被曲柔毛，有时混生有腺毛；花梗长 0.5 ~ 0.8 cm；花管长

1 ~ 1.4 mm，直径 2 ~ 2.5 mm，喉部有少数长毛；萼片披针状长圆形，龙骨状，长 4.5 ~ 6.5 mm，宽 1 ~ 1.2 mm，被曲柔毛和腺毛；花瓣粉红色至玫瑰紫色，倒心形，长 9 ~ 11 mm，宽 4 ~ 5 mm，先端的凹缺深 1.2 ~ 2 mm；花药长圆状，长 1 ~ 1.4 mm，宽 0.4 ~ 0.6 mm，花丝外轮的长 4 ~ 5 mm、内轮的长 2.5 ~ 3.5 mm；花柱直立，长 3 ~ 5 mm，无毛，柱头宽棍棒状或棍棒状，高 2 ~ 3.2 mm，直径 1 ~ 1.6 mm，开花时与外轮雄蕊近等高或稍高出。蒴果长 5 ~ 7 cm，被曲柔毛，有时混生有腺毛；果柄长 0.4 ~ 1.5 cm；种子长圆状倒卵形，长 0.9 ~ 1.1 mm，宽 0.4 ~ 0.5 mm，先端具短喙，暗褐色，表面具乳突，种缨灰白色，长 5 ~ 10 mm，易脱落。花期 6 ~ 7 月，果期 8 ~ 9 月。

| 生境分布 | 生于海拔 1 700 ~ 2 100 m 的山区溪沟旁湿处。湖北有分布。

| 采收加工 | **全草或根：** 8 ~ 9 月采收，晒干或鲜用。

| 功能主治 | **花：** 清热消炎，调经止带，止痛。用于牙痛，急性结膜炎，咽喉炎，月经不调，白带过多。

根： 理气活血，止血。用于闭经，胃痛，食滞饱胀。

带根全草或根： 用于骨折，跌打损伤，疔疮痈肿，外伤出血。

柳叶菜科 Onagraceae 柳叶菜属 *Epilobium*

圆柱柳叶菜 *Epilobium cylindricum* D. Don

| 药材名 | 圆柱柳叶菜。

| 形态特征 | 多年生粗壮草本。直立。具粗大的茎及多数长的纤维状细根，自茎基部生出多叶的根出条或疏散的莲座状苗。茎圆柱状，近基部常木质化，高 10 ~ 110 cm，直径 3 ~ 9 mm，上部多分枝，上部周围被曲柔毛，下部常变无毛，但有不明显棱线。叶对生，花序上的互生，绿色，花期变红色，狭披针形至线形，长 3 ~ 12 cm，宽 0.4 ~ 2 cm，先端锐尖，基部楔形，边缘每边具（20 ~ ）30 ~ 50 细锯齿，两面只在脉上及边缘疏生曲柔毛外，侧脉每侧 4 ~ 5；叶柄长 3 ~ 7（ ~ 10）mm。花序直立，密被曲柔毛，稀有少数腺毛；花近直立；花蕾卵状，长 2.5 ~ 4.5 mm，直径 2 ~ 2.5 mm；子房长 1.2 ~ 3.5 cm，

密被曲柔毛，通常无腺毛；花梗长 0.5 ～ 1.5 cm；花管长 1 ～ 1.5 cm，直径 1.3 ～ 2 mm，喉部近无毛；萼片披针形，龙骨状，长 3 ～ 5 mm，宽 1 ～ 1.3 mm；花瓣粉红色至玫瑰紫色，稀白色，倒心形，长 3.6 ～ 7 mm，宽 1.8 ～ 4 mm，先端凹缺深 0.8 ～ 1 mm；花药长圆状卵形，长 0.5 ～ 0.7 mm，直径 0.3 ～ 0.4 mm，花丝外轮的长 2.2 ～ 4 mm、内轮的长 1 ～ 2.4 mm；花柱白色，长 2 ～ 4 mm，直立，无毛，柱头白色，头状或宽棍棒状，长 0.8 ～ 2.2 mm，直径 0.6 ～ 1.8 mm，与外轮雄蕊等长。蒴果长 4 ～ 8.5 cm，多少被曲柔毛；果柄长（0.5 ～）1 ～ 2.5 cm；种子狭倒卵状，长 0.8 ～ 1 mm，直径 0.32 ～ 0.45 mm，先端圆形，具不明显的喙，褐色，表面具乳突，种缨灰白色，长 5 ～ 8 mm，易脱落。花期 6 ～ 9 月，果期 7 ～ 10（～ 12 月）。

| 生境分布 | 分布于湖北西部。

| 采收加工 | **全草**：夏、秋季采收，晒干。

| 功能主治 | **花**：清热消炎，调经止带，止痛。用于牙痛，急性结膜炎，咽喉炎，月经不调，白带过多。

根：理气活血，止血。用于闭经，胃痛，食滞饱胀。

全草：用于骨折，跌打损伤，疔疮痈肿，外伤出血。

柳叶菜科 Onagraceae 柳叶菜属 *Epilobium*

柳叶菜 *Epilobium hirsutum* L.

| 药 材 名 |

柳叶菜。

| 形态特征 |

多年生粗壮草本。有时近基部木质化，在秋季自根颈常平卧生出长 1 m 多的粗壮地下葡匐根茎，茎上疏生鳞片状叶，先端常生莲座状叶芽。茎高 25 ~ 120（~ 250）cm，直径 3 ~ 12（~ 22）mm，常在中上部多分枝，周围密被伸展长柔毛，常混生较短而直的腺毛，尤花序上如此，稀密被白色绵毛。叶草质，对生，茎上部的互生，无柄，并多少抱茎；茎生叶披针状椭圆形至狭倒卵形或椭圆形，稀狭披针形，长 4 ~ 12（~ 20）cm，宽 0.3 ~ 3.5（~ 5）cm，先端锐尖至渐尖，基部近楔形，边缘每侧具 20 ~ 50 细锯齿，两面被长柔毛，有时在背面混生短腺毛，稀背面密被绵毛或近无毛，侧脉常不明显，每侧 7 ~ 9。总状花序直立；苞片叶状；花直立，花蕾卵状长圆形，长 4.5 ~ 9 mm，直径 2.5 ~ 5 mm；子房灰绿色至紫色，长 2 ~ 5 cm，密被长柔毛与短腺毛，有时主要被腺毛，稀被绵毛并无腺毛；花梗长 0.3 ~ 1.5 cm；花管长 1.3 ~ 2 mm，直径 2 ~ 3 mm，在喉部有 1 圈长白毛；萼片长圆

状线形，长 6 ~ 12 mm，宽 1 ~ 2 mm，背面隆起成龙骨状，被毛同子房；花瓣常玫瑰红色或粉红、紫红色，宽倒心形，长 9 ~ 20 mm，宽 7 ~ 15 mm，先端凹缺，深 1 ~ 2 mm；花药乳黄色，长圆形，长 1.5 ~ 2.5 mm，宽 0.6 ~ 1 mm，花丝外轮的长 5 ~ 10 mm、内轮的长 3 ~ 6 mm；花柱直立，长 5 ~ 12 mm，白色或粉红色，无毛，稀疏生长柔毛，柱头白色，4 深裂，裂片长圆形，长 2 ~ 3.5 mm，初时直立，彼此合生，开放时展开，不久下弯，外面无毛或有稀疏的毛，长稍高过雄蕊。蒴果长 2.5 ~ 9 cm，被毛同子房；果柄长 0.5 ~ 2 cm；种子倒卵形，长 0.8 ~ 1.2 mm，直径 0.35 ~ 0.6 mm，先端具很短的喙，深褐色，表面具粗乳突，种缨长 7 ~ 10 mm，黄褐色或灰白色，易脱落。花期 6 ~ 8 月，果期 7 ~ 9 月。

| 生境分布 | 生于海拔（180 ~ ）700 ~ 2 800（ ~ 3 100）m 的河谷、溪流河床沙地、石砾地、沟边、湖边向阳湿处、灌丛中、荒坡、路旁。湖北有栽培。

| 采收加工 | **全草或根：**全年均可采收，鲜用或晒干。

| 功能主治 | 清热解毒，利湿止泻，消食理气，活血接骨。用于湿热泻痢，食积，脘腹胀痛，牙痛，月经不调，闭经，带下，跌打骨折，疮疖痈肿，烫火伤。

柳叶菜科 Onagraceae 柳叶菜属 *Epilobium*

锐齿柳叶菜 *Epilobium kermodei* P. H. Raven

| 药 材 名 | 锐齿柳叶菜。

| 形态特征 | 多年生粗壮草本。直立。自茎基部地面下生出长 10 cm 以上的根出条，顶生肉质越冬芽。茎高 40 ~ 120（~ 200）cm，直径 3 ~ 10（~ 15）mm，不分枝或有少数分枝，周围被腺毛和混生有曲柔毛，棱线不明显。叶对生，花序上的互生，狭卵形至披针形，长 3.5 ~ 8（~ 11）cm，宽 1.5 ~ 4（~ 4.5）cm，先端锐尖，基部宽楔形至近圆形，边缘每边具 28 ~ 42（~ 60）锐锯齿，侧脉每侧 5 ~ 6，在两面脉上密生曲柔毛；叶柄长 1 ~ 6 mm。花序直立，初时近伞房状，以后伸长，常密被腺毛；苞片叶状，与子房近等长；花直立；花蕾狭卵状，长 3 ~ 5 mm，直径 2 ~ 3 mm；子房长 2 ~ 5 cm，密

被曲柔毛与腺毛；花梗长 0.3 ~ 1.2 cm；花管长 1.2 ~ 2 mm，直径 1.5 ~ 2.5 mm，喉部有一环长柔毛；萼片披针形、龙骨状，长 5 ~ 8 mm，宽 1.5 ~ 2 mm，被腺毛与曲柔毛；花瓣玫瑰色或紫红色，宽倒心形，长 7 ~ 15（ ~ 18） mm，宽 4 ~ 11（ ~ 15）mm，先端凹缺深 1 ~ 2 mm；花药长圆状，长 0.8 ~ 1.2 mm，宽 0.4 ~ 0.5 mm，花丝外轮的长 4 ~ 10 mm、内轮的长 2.5 ~ 6 mm；花柱长 4 ~ 10 mm，近基部有伸展的毛，柱头头状至宽棍棒状，高 1.7 ~ 2 mm，直径 1.4 ~ 1.8 mm，开花时围以外轮雄蕊。蒴果长 7 ~ 11 cm，被曲柔毛与腺毛；果柄长 0.7 ~ 1.5 cm；种子倒卵状，长 0.8 ~ 1.2 mm，直径 0.35 ~ 0.45 mm，先端具短喙，深褐色，表面具粗乳突，种缨白色，长 5 ~ 6 mm，易脱落。花期（2 ~ ）5 ~ 7 月，果期（5 ~ ）7 ~ 9 月。

| 生境分布 | 分布于湖北西部。

| 功能主治 | **花**：清热消炎，调经止带，止痛。用于牙痛，急性结膜炎，咽喉炎，月经不调，白带过多。

根：理气活血，止血。用于闭经，胃痛，食滞饱胀。

全草：用于骨折，跌打损伤，疔疮痈肿，外伤出血。

柳叶菜科 Onagraceae 柳叶菜属 *Epilobium*

沼生柳叶菜 *Epilobium palustre* L.

| 药材名 |

沼生柳叶菜。

| 形态特征 |

多年生直立草本。自茎基部底下或地上生出纤细的越冬匍匐枝，长 5 ~ 50 cm，稀疏的节上生成对的叶，顶生肉质鳞芽，翌年鳞叶变褐色，生茎基部。茎高（5 ~ ）15 ~ 70 cm，直径 0.5 ~ 5.5 mm，不分枝或分枝，有时中部叶腋有退化枝，圆柱状，无棱线，周围被曲柔毛，有时下部近无毛。叶对生，花序上的互生，近线形至狭披针形，长 1.2 ~ 7 cm，宽 0.3 ~ 1.2（ ~ 1.9）cm，先端锐尖或渐尖，有时稍钝，基部近圆形或楔形，全缘或每边有 5 ~ 9 不明显浅齿，侧脉每侧 3 ~ 5，不明显，下面脉上与边缘疏生曲柔毛或近无毛；叶柄缺，稀长 1 ~ 3 mm。花序花前直立或稍下垂，密被曲柔毛，有时混生腺毛；花近直立；花蕾椭圆状卵形，长 2 ~ 3 mm，直径 1.8 ~ 2.2 mm；子房长 1.6 ~ 2.5（ ~ 3）cm，密被曲柔毛与稀疏的腺毛；花梗长 0.8 ~ 1.5 cm；花管长 1 ~ 1.2 mm，直径 1.3 ~ 2 mm，喉部近无毛或有一环稀疏的毛；萼片长圆状披针形，长 2.5 ~ 4.5 mm，宽 1 ~ 1.2 mm，先端锐尖，密被曲柔毛与腺毛；花瓣白色至粉红色或玫瑰紫色，倒心形，长（3 ~ ）5 ~ 7（ ~ 9）mm，宽 2 ~ 3（ ~ 4.5）mm，先端的凹缺深 0.8 ~ 1 mm；花药长圆状，长 0.4 ~ 0.6 mm，宽 0.2 ~ 0.4 mm，花丝外轮的长 2 ~ 2.8 mm、内轮的长 1.2 ~ 1.5 mm；花柱长 1.4 ~ 3.8 mm，直立，无毛，柱头棍棒状至近圆柱状，长 1 ~ 1.8 mm，直径 0.4 ~ 0.7 mm，开花时稍伸出外轮花药。蒴果长 3 ~ 9 cm，被曲柔毛；果柄长 1 ~ 5 cm；种子棱形至狭倒卵状，长（1.1 ~ ）1.3 ~ 2.2 mm，直径 0.38 ~ 0.55 mm，先端具长喙（长 0.08 ~ 0.3 mm），褐色，表面具细小乳突，种缨灰白色或褐黄色，长 6 ~ 9 mm，不易脱落。花期 6 ~ 8 月，果期 8 ~ 9 月。

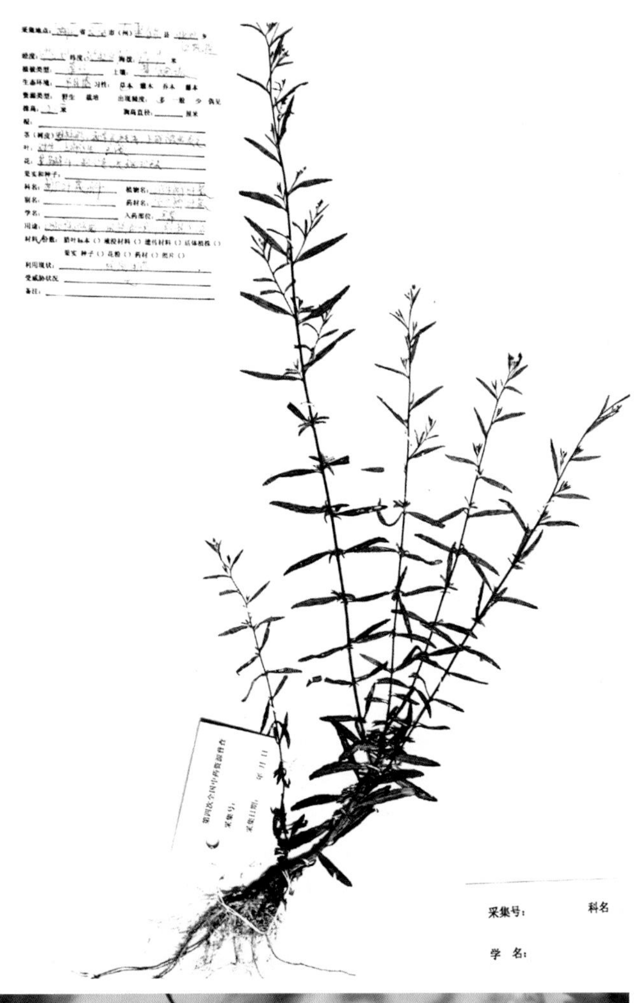

| 生境分布 | 生于湖塘、沼泽、河谷、溪沟旁、亚高山与高山草地湿润处。湖北有分布。

| 采收加工 | **全草**：8 ~ 9 月采收，洗净，晒干。

| 功能主治 | 疏风清热，解毒利咽，止咳，利湿。用于风热感冒，音哑，咽喉肿痛，肺热咳嗽，水肿，淋痛，湿热泻痢，风湿热痹，疮痈，毒虫咬伤。

柳叶菜科 Onagraceae 柳叶菜属 *Epilobium*

小花柳叶菜 *Epilobium parviflorum* Schreb.

| 药 材 名 | 小花柳叶菜。

| 形态特征 | 多年生粗壮草本。直立。秋季自茎基部生出地上生的越冬的莲座状叶芽。茎高 18 ~ 100（ ~ 160）cm，直径 3 ~ 10 mm，在上部常分枝，周围混生长柔毛与短的腺毛，下部被伸展的灰色长柔毛，同时叶柄下延的棱线多少明显。叶对生，茎上部的叶互生，狭披针形或长圆状披针形，长 3 ~ 12 cm，宽 0.5 ~ 2.5 cm，先端近锐尖，基部圆形，边缘每侧具 15 ~ 60 不等距的细牙齿，两面被长柔毛，侧脉每侧 4 ~ 8；叶柄近无或长 1 ~ 3 mm。总状花序直立，常分枝；苞片叶状；花直立，花蕾长圆状倒卵球形，长 3 ~ 5 mm，直径 2 ~ 3 mm；子房长 1 ~ 4 cm，密被直立短腺毛，有时混生少数长柔毛；花梗长

0.3 ~ 1 cm；花管长 1 ~ 1.9 mm，直径 1.3 ~ 2.5 mm，在喉部有 1 圈长毛；萼片狭披针形，长 2.5 ~ 6 mm，背面隆起成龙骨状，被腺毛与长柔毛；花瓣粉红色至鲜玫瑰紫红色，稀白色，宽倒卵形，长 4 ~ 8.5 mm，宽 3 ~ 4.5 mm，先端凹缺深 1 ~ 3.5 mm；雄蕊长圆形，长 0.5 ~ 1.3 mm，直径 0.35 ~ 0.6 mm，花丝外轮的长 2.6 ~ 6 mm、内轮的长 1.2 ~ 3.5 mm；花柱直立长 2.6 ~ 6 mm，白色至粉红色，无毛，柱头 4 深裂，裂片长圆形，长 1 ~ 1.8 mm，初时直立，后下弯，与雄蕊近等长。蒴果长 3 ~ 7 cm，被毛同子房；果柄长 0.5 ~ 1.8 cm；种子倒卵状球状，长 0.8 ~ 1.1 mm，直径 0.4 ~ 0.5 mm，先端圆形，具很不明显的喙，褐色，表面具粗乳突，种缨长 5 ~ 9 mm，深灰色或灰白色，易脱落。花期 6 ~ 9 月，果期 7 ~ 10 月。

| 生境分布 | 湖北有分布。

| 采收加工 | 秋季采收地上部分，鲜用或晒干。

| 功能主治 | 散风止咳，清热止泻。用于感冒发热，咳嗽，暑热泄泻，疔疮肿毒。

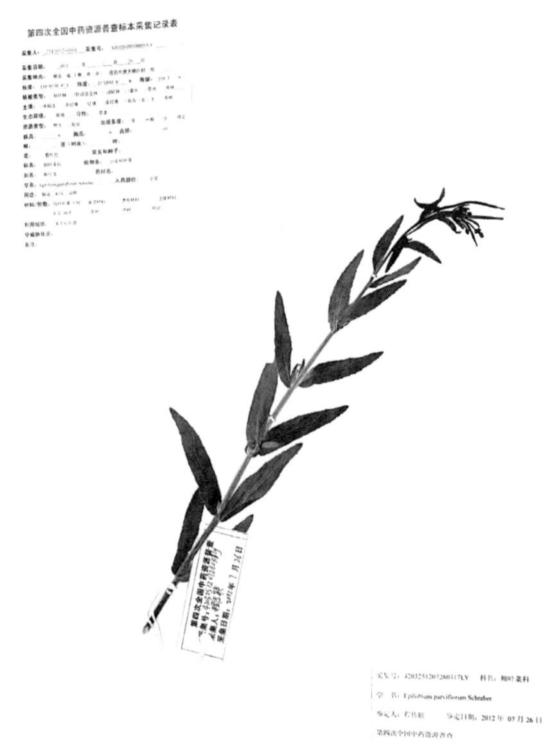

柳叶菜科 Onagraceae 柳叶菜属 *Epilobium*

阔柱柳叶菜 *Epilobium platystigmatosum* C. B. Robins.

| 药 材 名 |

阔柱柳叶菜。

| 形态特征 |

多年生草本。常丛生。从茎地面下生出根出条。茎圆柱状，常紫红色，高 15 ~ 70（~ 90）cm，直径 2 ~ 6 mm，自下至上多分枝，侧枝有时 2 ~ 3 次再分枝，纤细，周围被曲柔毛，无棱线。叶对生，茎上部的互生，狭披针形至近线形，长 1 ~ 4.5 cm，宽 0.15 ~ 0.5 cm，先端锐尖或稍钝，基部渐狭至狭楔形，边缘中上部每侧具 3 ~ 8 不明显的齿凸，侧脉每边 4 ~ 5，背面渐变紫色，脉上与边缘疏生曲柔毛，其余无毛；叶柄长 1 ~ 4 mm。花序开花前稍下弯；花直立，花蕾椭圆形或长圆状椭圆形，长 2 ~ 3.2 mm，直径 1.2 ~ 2 mm；子房长 1 ~ 1.2 cm，柔弱，密被曲柔毛；花梗纤细，长 0.4 ~ 1.1 cm；花管长 0.6 ~ 0.8 mm，直径 1.5 ~ 1.8 mm，喉部有一环稀疏的毛；花萼长圆状披针形，长 2.5 ~ 3.2 mm，宽 1 ~ 1.2 mm；花瓣白色、粉红色，稀玫瑰色，倒卵形，长 3 ~ 5 mm，宽 1.8 ~ 2.5 mm，先端的凹缺深 0.4 ~ 0.6 mm；花药宽卵状，长 0.4 ~ 0.6 mm，直径 0.25 ~ 0.35 mm，花丝外轮的长 1.6 ~ 2 mm、内轮的长 0.6 ~ 1.2 mm；花柱直立，长 1.8 ~ 2 mm，无毛，柱头头状，有时宽棍棒状，高 0.7 ~ 1.4 mm，直径 0.5 ~ 1.3 mm，开花时围以花药。蒴果长 2.3 ~ 5 cm，褐色，疏被曲柔毛或渐变无毛；果柄长 0.8 ~ 2.2 cm；种子长圆状倒卵状，长 0.8 ~ 0.9 mm，直径 0.3 ~ 0.4 mm，先端圆，具很短的喙，褐色，表面具粗乳突，种缨灰白色，长 6 ~ 8 mm，易脱落。花期 8 ~ 10 月，果期 9 ~ 11 月。

| 生境分布 | 湖北有分布。

| 采收加工 | **全草：**夏、秋季采收，晒干。

| 功能主治 | **花：**清热消炎，调经止带，止痛。用于牙痛，急性结膜炎，咽喉炎，月经不调，白带过多。

根：理气活血，止血。用于闭经，胃痛，食滞饱胀。

全草：用于骨折，跌打损伤，疔疮痈肿，外伤出血。

柳叶菜科 Onagraceae 柳叶菜属 *Epilobium*

长籽柳叶菜 *Epilobium pyrricholophum* Franch. et Sav.

| 药 材 名 |

长籽柳叶菜。

| 形态特征 |

多年生草本。自茎基部生出纤细的越冬匍匐枝条，其节上叶小，近圆形，近全缘，先端钝形。茎高 25 ~ 80 cm，直径 2.5 ~ 7 mm，圆柱状，常多分枝，或在小型植株上不分枝，周围密被曲柔毛与腺毛。叶对生，花序上的互生，排列密，长过节间，近无柄，卵形至宽卵形，茎上部的有时披针形，长 2 ~ 5 cm，宽 0.5 ~ 2 cm，先端锐尖或下部的近钝形，基部钝或圆形，有时近心形，边缘每边具 7 ~ 15 锐锯齿，侧脉每侧 4 ~ 6，下面隆起，两面尤脉上被曲柔毛，茎上部的还混生腺毛。花序直立，密被腺毛与曲柔毛；花直立；花蕾狭卵状，长 4 ~ 8 mm，直径 2.5 ~ 5 mm；子房长 1.5 ~ 3 cm，密被腺毛；花梗长 0.4 ~ 0.7 cm；花管长 1 ~ 1.2 cm，直径 1.8 ~ 3 mm，喉部有一环白色长毛；萼片披针状长圆形，长 4 ~ 7 mm，宽 1 ~ 1.2 mm，被曲柔毛与腺毛；花瓣粉红色至紫红色，倒卵形至倒心形，长 6 ~ 8 mm，宽 3 ~ 4.5 mm，先端凹缺深 1 ~ 1.4 mm；花药卵状，长 0.7 ~ 1.3 mm，宽 0.3 ~ 0.6 mm，花丝外轮的长 2.5 ～ 3.5 mm、内轮的长 1.8 ～ 2.5 mm；花柱直立，长 2.8 ～ 4 mm，无毛；柱头棍棒状或近头状，高 2 ～ 3 mm，直径 1 ～ 2.3 mm，稍高出外轮雄蕊或近等高。蒴果长 3.5 ～ 7 cm，被腺毛；果柄长 0.7 ～ 1.5 cm；种子狭倒卵状，长 1.5 ～ 1.8 mm，直径 0.35 ～ 0.5 mm，先端渐尖，具 1 明显、长约 0.1 mm 的喙，褐色，表面具细乳突；种缨红褐色，长 7 ～ 12 mm，常宿存。花期 7 ～ 9 月，果期 8 ～ 11 月。

| 生境分布 | 分布于湖北西部等地。

| 采收加工 | **全草：**夏、秋季采收，洗净，晒干或鲜用。

| 功能主治 | 清热利湿，止血安胎，解毒消肿。用于痢疾，吐血，咯血，便血，月经过多，胎动不安，痈疮疖肿，烫伤，跌打伤肿，外伤出血。

柳叶菜科 Onagraceae 柳叶菜属 *Epilobium*

中华柳叶菜 *Epilobium sinense* H. Lév.

| 药 材 名 | 中华柳叶菜。

| 形态特征 | 多年生粗壮草本。常丛生，自茎基部生出多叶的根出条。茎圆柱状，高 10 ~ 50 cm，直径 1.5 ~ 5 mm，不分枝或有少数分枝，密生叶，棱线明显，其上有曲柔毛，其余部位无毛。叶近基部对生，其余螺旋状互生，狭匙形至长圆状披针形或线形，长 1.2 ~ 7 cm，宽 0.3 ~ 1 cm，先端钝，基部狭楔形，边缘每边疏生 3 ~ 12 不明显的齿凸，中脉明显，淡白色，在背面隆起，侧脉每侧 4 ~ 5，脉上及边缘有毛；叶柄长 2 ~ 11 mm。花序直立；花直立；花蕾椭圆状长圆形，长 4 ~ 4.5 cm，直径 2 ~ 2.5 mm，近无毛；子房长 1.2 ~ 2.5 cm，疏被曲柔毛；花梗长 0.7 ~ 2 cm；花管长 1 ~ 1.2 mm，

直径 1.5 ~ 2.2 mm，喉部有一环长毛；花萼长圆状披针形，长 4.5 ~ 6.5 mm，宽 1 ~ 1.2 mm；花瓣白色、粉红或紫红色，倒卵形，长 5.5 ~ 8 mm，宽 3 ~ 4.5 mm，先端凹缺深 1 ~ 1.7 mm；花药长圆状椭圆形，长 0.7 ~ 1 mm，直径 0.3 ~ 0.45 mm，花丝外轮的长 3 ~ 4 mm、内轮的长 1.5 ~ 2 mm；花柱长 3.5 ~ 4 mm，无毛，柱头头状，有时宽棍棒状，高 0.8 ~ 1.7 mm，直径 0.7 ~ 1.7 mm，开花时被外轮花药包围。蒴果长 2.2 ~ 5.5 cm，褐色，疏被曲柔毛或变无毛；果柄长 1.3 ~ 4 cm；种子长圆状倒卵形，长 1.2 ~ 1.3 mm，直径 0.5 ~ 0.6 mm，先端圆，有时近急尖，具短喙，褐色，表明有细乳突，种缨淡红色，长 6 ~ 8 mm，易脱落。花期 6 ~ 8（ ~ 9）月，果期 8 ~ 10（ ~ 12）月。

| 生境分布 | 湖北有分布。

| 采收加工 | **全草：**夏、秋季采收，晒干。

| 功能主治 | **花：**清热消炎，调经止带，止痛。用于牙痛，急性结膜炎，咽喉炎，月经不调，白带过多。

根：理气活血，止血。用于闭经，胃痛，食滞饱胀。

全草：用于骨折，跌打损伤，疔疮痈肿，外伤出血。

柳叶菜科 Onagraceae 山桃草属 *Gaura*

小花山桃草 *Gaura parviflora* Dougl.

|药 材 名|

小花山桃草。

|形态特征|

一年生草本。主根直径达 2 cm，全草尤茎上部、花序、叶、苞片、萼片密被伸展灰白色长毛与腺毛。茎直立，不分枝，或在顶部花序之下少数分枝，高 50 ～ 100 cm。基生叶宽倒披针形，长 12 cm，宽 2.5 cm，先端锐尖，基部渐狭下延至柄；茎生叶狭椭圆形、长圆状卵形，有时菱状卵形，长 2 ～ 10 cm，宽 0.5 ～ 2.5 cm，先端渐尖或锐尖，基部楔形下延至柄，侧脉 6 ～ 12 对。花序穗状，有时有少数分枝，生茎枝先端，常下垂，长 8 ～ 35 cm；苞片线形，长 2.5 ～ 10 mm，宽 0.3 ～ 1 mm；花傍晚开放；花管带红色，长 1.5 ～ 3 mm，直径约 0.3 mm；萼片绿色，线状披针形，长 2 ～ 3 mm，宽 0.5 ～ 0.8 mm，花期反折；花瓣白色，以后变红色，倒卵形，长 1.5 ～ 3 mm，宽 1 ～ 1.5 mm，先端钝，基部具爪；花丝长 1.5 ～ 2.5 mm，基部具鳞片状附属物，花药黄色，长圆形，长 0.5 ～ 0.8 mm，花粉在开花时或开花前直接授粉在柱头上（自花受精）；花柱长 3 ～ 6 mm，伸出花管部分长 1.5 ～ 2.2 mm，柱头围以花药，具 4 深裂。蒴果坚果状、纺锤形，长 5 ~ 10 mm，直径 1.5 ~ 3 mm，具不明显 4 棱；种子 3 或 4（其中 1 室的胚珠不发育），卵状，长 3 ~ 4 mm，直径 1 ~ 1.5 mm，红棕色。花期 7 ~ 8 月，果期 8 ~ 9 月。

| 生境分布 | 湖北有栽培。

| 功能主治 | 清热消肿，化瘀止血，止痛。

柳叶菜科 Onagraceae 丁香蓼属 *Ludwigia*

草龙 *Ludwigia hyssopifolia* (G. Don) Exell

药材名

草龙。

形态特征

一年生直立草本。茎高 60 ~ 200 cm，直径 5 ~ 20 mm，基部常木质化，常三棱形或四棱形，多分枝，幼枝及花序被微柔毛。叶披针形至线形，长 2 ~ 10 cm，宽 0.5 ~ 1.5 cm，先端渐狭或锐尖，基部狭楔形，侧脉每边 9 ~ 16，在近边缘不明显环结，下面脉上疏被短毛；叶柄长 2 ~ 10 mm；托叶三角形，长约 1 mm 或不存在。花腋生，萼片 4，卵状披针形，长 2 ~ 4 mm，宽 0.5 ~ 1.8 mm，常有 3 纵脉，无毛或被短柔毛；花瓣 4，黄色，倒卵形或近椭圆形，长 2 ~ 3 mm，宽 1 ~ 2 mm，先端钝圆，基部楔形；雄蕊 8，淡绿黄色，花丝不等长，对萼的长 1 ~ 2 mm，对瓣生的长 0.5 ~ 1 mm；花盘稍隆起，围绕雄蕊基部有密腺；花柱淡黄绿色，长 0.8 ~ 1.2 mm，柱头头状，直径约 1 mm，先端略凹，浅 4 裂，上部接受花粉。蒴果近无梗，幼时近四棱形，熟时近圆柱状，长 1 ~ 2.5 cm，直径 1.5 ~ 2 mm，上部 1/5 ~ 1/3 增粗，被微柔毛，果皮薄；种子在蒴果上部每室排成多列，游离生，在下

部排成 1 列，牢固地嵌入在一个近锥状盒子的硬内果皮里，近椭圆状，长约 0.6 mm，直径约 0.3 mm，两端多少锐尖，淡褐色，表面有纵横条纹，腹面有纵形种脊，长约为种子的 1/3。花果期几乎全年。

| 生境分布 | 生于海拔 50 ~ 750 m 的田边、水沟、河滩、塘边、湿草地等湿润向阳处。湖北有分布。

| 采收加工 | **全草：**夏、秋采收，洗净，切段，晒干或鲜用。

| 功能主治 | 疏风凉血。用于感冒发热，咳嗽，咽喉肿痛，牙痛，口舌生疮，湿热泻痢，水肿，淋痛，疳积，咯血，吐血，便血，崩漏，痈疮疖肿。

柳叶菜科 Onagraceae 丁香蓼属 *Ludwigia*

黄花水龙 *Ludwigia peploides* (Kunth) Kaven subsp. *stipulacea* (Ohwi) Raven

| 药材名 |

黄花水龙。

| 形态特征 |

多年生浮水或上升草本。浮水茎节上常生圆柱状海绵状贮气根状浮器，具多数须状根。浮水茎长 3 m，直立茎高 60 cm，无毛。叶长圆形或倒卵状长圆形，长 3 ~ 9 cm，宽 1 ~ 2.5 cm，先端常锐尖或渐尖，基部狭楔形，侧脉 7 ~ 11 对；叶柄长 3 ~ 20 mm；托叶明显，卵形或鳞片状，长 2 ~ 4 mm。花单生于上部叶腋；小苞片常生于子房近中部，三角形，长约 1 mm；萼片 5，三角形，长 6 ~ 12 mm，宽 1.5 ~ 2.5 mm，多少被毛；花瓣鲜金黄色，基部常有深色斑点，倒卵形，长 7 ~ 13 mm，宽 5 ~ 10 mm，先端钝圆或微凹，基部宽楔形；雄蕊 10，花丝鲜黄色，对花瓣的稍短，长 2 ~ 5 mm，花药淡黄色，卵状长圆形，长 1 ~ 1.5 mm，花粉粒以单体授粉；花盘稍隆起，基部有蜜腺，并围有白毛；花柱黄色，长 2.5 ~ 5 mm，密被长毛，柱头黄色，扁球状，5 深裂，花时常稍高出雄蕊，上部 2/3 接受花粉。蒴果具 10 纵棱，长 1 ~ 2.5 cm；果柄长 2 ~ 6 cm；种子每室单列纵向排列，嵌入木质硬内果皮内，椭圆状，长 1 ～ 1.2 mm。花期 6 ～ 8 月，果期 8 ～ 10 月。

| **生境分布** | 生于海拔 50 ～ 200 m 的运河、池塘、水田湿地。湖北有分布。

| **功能主治** | 消炎，强壮。用于用于喉痛，眼疾。外用于肿毒。

柳叶菜科 Onagraceae 丁香蓼属 *Ludwigia*

细花丁香蓼 *Ludwigia perennis* L.

| 药 材 名 | 细花丁香蓼。

| 形态特征 | 一年生直立草本。高（10 ~ ）30 ~ 80 cm，直径（2 ~ ）3 ~ 8 mm。茎常分枝，幼茎枝被微柔毛或近无毛，其余部分无毛或近无毛。叶椭圆形或卵状披针形，稀线形，长（3 ~ ）5 ~ 8（ ~ 10）cm，宽（0.4 ~ ）0.7 ~ 1.6（ ~ 2.5）cm，先端渐狭或长渐尖，基部狭楔形，侧脉每边 7 ~ 12，在近边缘处不明显环结，两面无毛或近无毛，边缘有稀疏缘毛；叶柄长 3 ~ 15 mm，两侧有下延的叶片形成的柄翅；托叶很小，三角状卵形，长 1 ~ 2 mm，或完全退化。萼片 4，稀 5，卵状三角形，长 2 ~ 3 mm，宽 1 ~ 1.5 mm，无毛或疏被微柔毛；花瓣黄色，椭圆形或倒卵状长圆形，长 1.4 ~ 2.5 mm，宽 0.6 ~ 1.5 mm，

先端圆形，基部楔形；雄蕊与萼片同数，稀更多，花丝长 0.6 ~ 1.2 mm，花药宽椭圆状，直径约 0.4 mm，开花时以四合花粉授于柱头上；花柱与花丝近等长，柱头近头状，直径 0.4 ~ 0.5 mm，先端微凹；花盘围以柱头基部，果时革质；子房近无毛或疏被微柔毛。蒴果圆柱状，果壁薄，长 0.8 ~ 1.5 cm，直径 2.5 ~ 3.5 mm，带紫红色，后转淡褐色，先端截形，4 室，熟时迅速不规则室背开裂；果柄长 2 ~ 6 mm，常多少下垂。种子在每室多列，游离生，椭圆状或倒卵状肾形，长 0.3 ~ 0.5 mm，直径约 0.2 mm，表面具褐色细纹线；种脊狭长，不明显，淡白色。花期 4 ~ 6 月，果期 7 ~ 8 月。

| 生境分布 | 生于海拔 100 ~ 600 m 的池塘、水田湿地。湖北有分布。

| 采收加工 | **全草**：夏季采收地上部分，洗净，切段，鲜用或晒干。

| 功能主治 | 清热解毒，杀虫止痒，去腐生肌。

柳叶菜科 Onagraceae 丁香蓼属 *Ludwigia*

丁香蓼 *Ludwigia prostrata* Roxb.

药材名

丁香蓼。

形态特征

一年生直立草本。茎高 25 ~ 60 cm，直径 2.5 ~ 4.5 mm，下部圆柱状，上部四棱形，常淡红色，近无毛，多分枝，小枝近水平开展。叶狭椭圆形，长 3 ~ 9 cm，宽 1.2 ~ 2.8 cm，先端锐尖或稍钝，基部狭楔形，在下部骤变窄，侧脉每侧 5 ~ 11，至近边缘渐消失，两面近无毛或幼时脉上疏生微柔毛；叶柄长 5 ~ 18 mm，稍具翅；托叶几乎全退化。萼片 4，三角状卵形至披针形，长 1.5 ~ 3 mm，宽 0.8 ~ 1.2 mm，疏被微柔毛或近无毛；花瓣黄色，匙形，长 1.2 ~ 2 mm，宽 0.4 ~ 0.8 mm，先端近圆形，基部楔形；雄蕊 4，花丝长 0.8 ~ 1.2 mm，花药扁圆形，宽 0.4 ~ 0.5 mm，开花时以四合花粉直接授在柱头上；花柱长约 1 mm，柱头近卵状或球状，直径约 0.6 mm，花盘围以花柱基部，稍隆起，无毛。蒴果四棱形，长 1.2 ~ 2.3 cm，直径 1.5 ~ 2 mm，淡褐色，无毛，熟时迅速不规则室背开裂；果柄长 3 ~ 5 mm；种子 1 列，横卧于每室内，里生，卵状，长 0.5 ~ 0.6 mm，直径约 0.3 mm，先端稍偏斜，具小尖头，表面有横条排成的棕褐色纵横条纹，种脊线形，长约 0.4 mm。花期 6 ~ 7 月，果期 8 ~ 9 月。

| **生境分布** | 湖北有分布。

| **采收加工** | **全草**：秋季结果时采收，切段，鲜用或晒干。

| **功能主治** | 清热解毒，利湿消肿。用于肠炎，痢疾，病毒性肝炎，肾炎性水肿，膀胱炎，带下，痔疮；外用于痈疖疔疮，蛇虫咬伤。

柳叶菜科 Onagraceae 月见草属 *Oenothera*

月见草 *Oenothera biennis* L.

| 药 材 名 | 月见草。

| 形态特征 | 直立二年生粗壮草本。基生莲座叶丛紧贴地面。茎高 50 ~ 200 cm，不分枝或分枝，被曲柔毛与伸展长毛（毛的基部疱状），在茎枝上端常混生有腺毛。基生叶倒披针形，长 10 ~ 25 cm，宽 2 ~ 4.5 cm，先端锐尖，基部楔形，边缘疏生不整齐的浅钝齿，侧脉每边 12 ~ 15，两面被曲柔毛与长毛；叶柄长 1.5 ~ 3 cm；茎生叶椭圆形至倒披针形，长 7 ~ 20 cm，宽 1 ~ 5 cm，先端锐尖至短渐尖，基部楔形，边缘每边有 5 ~ 19 稀疏钝齿，侧脉每边 6 ~ 12，每边两面被曲柔毛与长毛，尤茎上部的叶下面与叶缘常混生有腺毛；叶柄长 0 ~ 15 mm。花序穗状，不分枝，或在主序下面具次级侧生花序；

苞片叶状，芽时长及花的 1/2，长大后椭圆状披针形，自下向上由大变小，近无柄，长 1.5 ~ 9 cm，宽 0.5 ~ 2 cm，果时宿存，花蕾锥状长圆形，长 1.5 ~ 2 cm，直径 4 ~ 5 mm，先端具长约 3 mm 的喙；花管长 2.5 ~ 3.5 cm，直径 1 ~ 1.2 mm，黄绿色或开花时带红色，被混生的柔毛、伸展的长毛与短腺毛，花后毛脱落；萼片绿色，有时带红色，长圆状披针形，长 1.8 ~ 2.2 cm，下部宽大处 4 ~ 5 mm，先端骤缩成尾状，长 3 ~ 4 mm，在芽时直立，彼此靠合，开放时自基部反折，但又在中部上翻，毛被同花管；花瓣黄色，稀淡黄色，宽倒卵形，长 2.5 ~ 3 cm，宽 2 ~ 2.8 cm，先端微凹缺；花丝近等长，长 10 ~ 18 mm，花药长 8 ~ 10 mm，花粉约 50% 发育；子房绿色，圆柱状，具 4 棱，长 1 ~ 1.2 cm，直径 1.5 ~ 2.5 mm，密被伸展长毛与短腺毛，有时混生曲柔毛；花柱长 3.5 ~ 5 cm，伸出花管部分长 0.7 ~ 1.5 cm，柱头围以花药；开花时花粉直接授在柱头裂片上，裂片长 3 ~ 5 mm。蒴果锥状圆柱形，向上变狭，长 2 ~ 3.5 cm，直径 4 ~ 5 mm，直立，绿色，毛被同子房，但渐变稀疏，具明显的棱；种子在果中呈水平状排列，暗褐色，棱形，长 1 ~ 1.5 mm，直径 0.5 ~ 1 mm，具棱角，各面具不整齐洼点。

| 生境分布 | 常生开旷荒坡路旁。湖北有分布。

| 采收加工 | **根**：秋季采挖，除去泥土，晒干。

| 功能主治 | 祛风湿，强筋骨。用于风寒湿痹，筋骨酸软，中风偏瘫，虚风内动，小儿多动，风湿麻痛，腹痛泄泻，痛经，狐惑，疮疡，湿疹等。

柳叶菜科 Onagraceae 月见草属 *Oenothera*

黄花月见草 *Oenothera glazioviana* Mich.

|药材名|

黄花月见草。

|形态特征|

直立二年生至多年生草本。具粗大主根。茎高 70 ~ 150 cm，直径 6 ~ 20 mm，不分枝或分枝，常密被曲柔毛与疏生伸展长毛（毛的基部红色疱状），在茎枝上部常密混生短腺毛。基生叶莲座状，倒披针形，长 15 ~ 25 cm，宽 4 ~ 5 cm，先端锐尖或稍钝，基部渐狭并下延为翅，边缘自下向上有远离的浅波状齿，侧脉 5 ~ 8 对，白色或红色，上部深绿色至亮绿色，两面被曲柔毛与长毛；叶柄长 3 ~ 4 cm；茎生叶螺旋状互生，狭椭圆形至披针形，自下向上变小，长 5 ~ 13 cm，宽 2.5 ~ 3.5 cm，先端锐尖或稍钝，基部楔形，边缘疏生远离的齿突，侧脉 2 ~ 8 对，毛被同基生叶；叶柄长 2 ~ 15 mm，向上变短。花序穗状，生茎枝顶，密生曲柔毛、长毛与短腺毛；苞片卵形至披针形，无柄，长 1 ~ 3.5 cm，宽 5 ~ 12 mm，毛被同花序；花蕾锥状披针形，斜展，长 2.5 ~ 4 cm，直径 5 ~ 7 mm，先端具长约 6 mm 的喙；花管长 3.5 ~ 5 cm，直径 1 ~ 1.3 mm，疏被曲柔毛、长毛与腺毛；

萼片黄绿色，狭披针形，长 3 ~ 4 cm，宽 5 ~ 6 mm，先端尾状，彼此靠合，开花时反折，毛被同花管的，但较密；花瓣黄色，宽倒卵形，长 4 ~ 5 cm，宽 4 ~ 5.2 cm，先端钝圆或微凹；花丝近等长，长 1.8 ~ 2.5 cm，花药长 10 ~ 12 mm；花粉约 50% 发育；子房绿色，圆柱状，具 4 棱，长 8 ~ 12 mm，直径 1.5 ~ 2 mm，毛被同萼片；花柱长 5 ~ 8 cm，伸出花管部分长 2 ~ 3.5 cm，柱头开花时伸出花药，裂片长 5 ~ 8 mm。蒴果锥状圆柱形，向上变狭，长 2.5 ~ 3.5 cm，直径 5 ~ 6 mm，具纵棱与红色的槽，毛被同子房，但较稀疏；种子棱形，长 1.3 ~ 2 mm，直径 1 ~ 1.5 mm，褐色，具棱角，各面具不整齐洼点，有约一半败育。花期 5 ~ 10 月，果期 8 ~ 12 月。

| 生境分布 | 常生开旷荒地、田园路边。

| 采收加工 | **种子油：** 9 月中下旬采果实，晾晒 5 ~ 7 天，除去杂质。

| 功能主治 | 活血化瘀，健脾化湿，醒神。

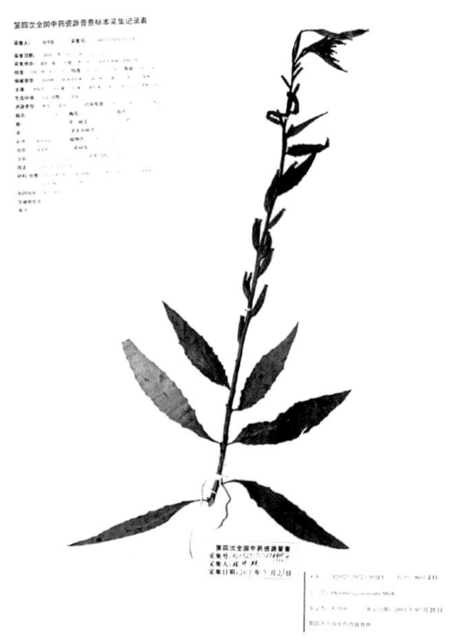

柳叶菜科 Onagraceae 月见草属 *Oenothera*

裂叶月见草 *Oenothera laciniata* Hill

| 药 材 名 | 裂叶月见草。

| 形态特征 | 直立至外倾一年生或多年生草本。具主根。茎长 10 ~ 50 cm，常分枝，被曲柔毛，有时混生长柔毛，在茎上部常混生腺毛。基部叶线状倒披针形，长 5 ~ 15 cm，宽 1 ~ 2.5 cm，先端锐尖，基部楔形；叶柄长 0.5 ~ 1.5 cm；茎生叶狭倒卵形或狭椭圆形，长 4 ~ 10 cm，宽 0.7 ~ 3 cm，先端锐尖或稍钝，基部楔形，下部常羽状裂，中上部具齿，上部近全缘；苞片叶状，狭长圆形或狭卵形，长 2 ~ 6 cm，宽 1 ~ 2 cm，近水平开展，先端锐尖，基部钝至楔形，边缘疏生浅齿或基部具少数羽状裂片；所有叶及苞片绿色，被曲柔毛及长柔毛，上部的常混生腺毛。花序穗状，由少数花组成，生茎枝顶部，有时

主序下部有少数分枝，每日近日落时每序开 1 花。花蕾长圆形卵状，长 2 ~ 3 cm，直径 3 ~ 5 mm，开放前常向上曲伸。花管带黄色，盛开时带红色，长 1.5 ~ 3.5 cm，直径约 1 mm，常被长柔毛与腺毛，有时混生曲柔毛，萼片绿色或黄绿色，开放时反折，变红色，尤边缘红色，芽时先端游离萼齿长 0.5 ~ 3 mm，被曲柔毛与长柔毛；花瓣淡黄至黄色，宽倒卵形，长 0.5 ~ 1.3（ ~ 2） cm，宽 0.7 ~ 1.2（ ~ 1.8） cm，先端截形至微凹；花丝长 0.3 ~ 1.3 cm，花药长 2 ~ 6 mm，花粉约 50% 发育；子房长 1 ~ 2.3 cm，直径约 1.5 mm，被曲柔毛与长柔毛，有时混生腺毛，花柱长 2 ~ 5 cm，伸出花管部分长 0.3 ~ 1.4 cm，柱头围以花药，裂片长 2.5 ~ 5 mm。蒴果圆柱状，向顶变狭，长 2.5 ~ 5 cm，直径 2 ~ 4 mm；种子每室 2 列，椭圆状至近球状，长 0.8 ~ 1.8 mm，褐色，表面具整齐的洼点。花期 4 ~ 9 月，果期 5 ~ 11 月。

| 生境分布 | 生于海滨沙滩或低海拔开旷荒地、田边。

| 采收加工 | **果实：**9 月中下旬采收，分级清选，除去杂质，晾晒。

| 功能主治 | 止咳。用于支气管炎。

柳叶菜科 Onagraceae 月见草属 *Oenothera*

待宵草 *Oenothera stricta* Ledeb. ex Link

| 药 材 名 | 待宵草。

| 形态特征 | 直立或外倾一年生或二年生草本。具主根。茎不分枝或自莲座状叶丛斜生出分枝，高 30 ~ 100 cm，被曲柔毛与伸展长毛，上部混生腺毛。基生叶狭椭圆形至倒线状披针形，长 10 ~ 15 cm，宽 0.8 ~ 1.2 cm，先端渐狭锐尖，基部楔形，边缘具远离浅齿，两面及边缘生曲柔毛与长柔毛；茎生叶无柄，绿色，长 6 ~ 10 cm，宽 5 ~ 8 mm，由下向上渐小，先端渐狭锐尖，基部心形，边缘每侧有 6 ~ 10 齿突，两面被曲柔毛，中脉及边缘有长柔毛，侧脉不明显。花序穗状，花疏生茎及枝中部以上叶腋；苞片叶状，卵状披针形至狭卵形，长 2 ~ 3 cm，宽 4 ~ 7 mm，先端锐尖，基部心形，全缘或边缘疏生

齿突，两面被曲柔毛与腺毛，中脉与边缘有长毛。花蕾绿色或黄绿色，直立，长圆形或披针形，长 1.5 ~ 3 cm，直径达 7 mm，先端具直立或叉开的萼齿，长 2 ~ 3 mm，密被曲柔毛、腺毛与疏生长毛；花管长 2.5 ~ 4.5 cm；萼片黄绿色，披针形，长 1.5 ~ 2.5 cm，宽 4 ~ 6 mm，开花时反折；花瓣黄色，基部具红斑，宽倒卵形，长 1.5 ~ 2.7 cm，宽 1.2 ~ 2.2 cm，先端微凹；花丝长 1.5 ~ 2 cm，花药长 7 ~ 11 mm，花粉约 50% 发育；子房长 1.3 ~ 2 cm，花柱长 3.5 ~ 6.5 cm，伸出花管部分长 1.5 ~ 2 cm，柱头围以花药，裂片长 3 ~ 5 mm。蒴果圆柱状，长 2.5 ~ 3.5 cm，直径 3 ~ 4 mm，被曲柔毛与腺毛；种子在果内斜伸，宽椭圆状，无棱角，长 1.4 ~ 1.8 mm，直径 0.5 ~ 0.7 mm，褐色，表面具整齐洼点。花期 4 ~ 10 月，果期 6 ~ 11 月。

| **生境分布** | 湖北有分布。

| **采收加工** | **根**：夏、秋季采挖，去净泥土，晒干。

| **功能主治** | 用于风热感冒，咽喉肿痛，目赤，雀目，风湿痹痛。

小二仙草科 Haloragaceae 小二仙草属 *Haloragis*

小二仙草 *Haloragis micrantha* (Thunb.) R. Br. ex Sieb. et Zucc.

| 药材名 | 小二仙草。

| 形态特征 | 多年生陆生草本。高 5 ~ 45 cm。茎直立或下部平卧，具纵槽，多分枝，多少粗糙，带赤褐色。叶对生，卵形或卵圆形，长 6 ~ 17 mm，宽 4 ~ 8 mm，基部圆形，先端短尖或钝，边缘具稀疏锯齿，通常两面无毛，淡绿色，背面带紫褐色，具短柄；茎上部的叶有时互生，逐渐缩小而变为苞片。花序为顶生的圆锥花序，由纤细的总状花序组成；花两性，极小，直径约 1 mm，基部具 1 苞片与 2 小苞片；萼筒长 0.8 mm，4 深裂，宿存，绿色，裂片较短，三角形，长 0.5 mm；花瓣 4，淡红色，比萼片长 2 倍；雄蕊 8，花丝短，长 0.2 mm，花药线状椭圆形，长 0.3 ~ 0.7 mm；子房下位，2 ~ 4 室。坚果近球形，

小形，长 0.9 ~ 1 mm，宽 0.7 ~ 0.9 mm，有 8 纵钝棱，无毛。花期 4 ~ 8 月，果期 5 ~ 10 月。

| 生境分布 | 生于荒山草丛中。湖北有分布。

| 采收加工 | **全草：**夏季采收，洗净，鲜用或晒干。

| 功能主治 | **全草：**止咳平喘，利湿，调经活血，清热解毒，散瘀消肿。用于毒蛇咬伤，咳嗽，哮喘，热淋，便秘，痢疾，月经不调，跌损骨折，疔疮，乳痈，烫伤。

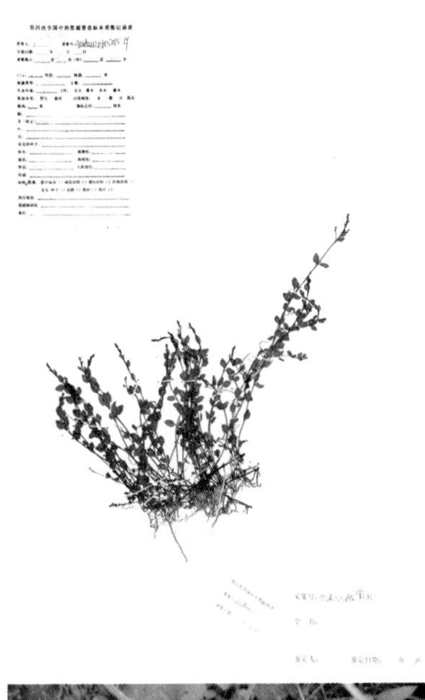

小二仙草科 Haloragaceae 狐尾藻属 *Myriophyllum*

穗状狐尾藻 *Myriophyllum spicatum* L.

| 药 材 名 | 穗状狐尾藻。

| 形态特征 | 多年生沉水草本。根茎发达，在水底泥中蔓延，节部生根。茎圆柱形，长 1 ~ 2.5 m，分枝极多。叶常 5 叶轮生（或 3 ~ 4 叶、4 ~ 6 叶轮生），长 3.5 cm，丝状全细裂，叶的裂片约 13 对，细线形，裂片长 1 ~ 1.5 cm；叶柄极短或不存在。花两性，单性或杂性，雌雄同株，单生于苞片状叶腋内，常 4 花轮生，由多数花排成近裸颓的顶生或腋生的穗状花序，长 6 ~ 10 cm，生于水面上；如为单性花，则上部为雄花，下部为雌花，中部有时为两性花，基部有一对苞片，其中 1 苞片稍大、为广椭圆形，长 1 ~ 3 mm，全缘或呈羽状齿裂；雄花萼筒广钟状，先端 4 深裂、平滑；花瓣 4，阔匙形，凹陷，长 2.5 mm，先端圆形、粉红色；雄蕊 8，花药长椭圆形，长 2 mm；淡黄色；无

花梗；雌花萼筒管状，4 深裂；花瓣缺或不明显；子房下位，4 室，花柱 4，很短，偏于一侧，柱头羽毛状，向外反转，具 4 胚珠；大苞片矩圆形，全缘或有细锯齿，较花瓣为短，小苞片近圆形，边缘有锯齿。分果广卵形或卵状椭圆形，长 2 ~ 3 mm，具 4 纵深沟，沟缘表面光滑。花期从春到秋，4 ~ 9 月陆续结果。

| **生境分布** | 生于池塘、河沟、沼泽中。湖北有分布。

| **采收加工** | **全草**：从 4 ~ 10 月，每 2 个月采收 1 次，每次采收池塘中一半的聚藻，鲜用，晒干或烘干。

| **功能主治** | 清热，凉血，解毒。用于热病烦渴，赤白痢，丹毒，痔疮，烫伤。

小二仙草科 Haloragaceae 狐尾藻属 *Myriophyllum*

狐尾藻 *Myriophyllum verticillatum* L.

| 药 材 名 | 狐尾藻。

| 形态特征 | 多年生粗壮沉水草本。根茎发达，在水底泥中蔓延，节部生根。茎圆柱形，长 20 ~ 40 cm，多分枝。通常 4 叶轮生，或 3 ~ 5 叶轮生，水中叶较长，长 4 ~ 5 cm，丝状全裂，无叶柄；裂片 8 ~ 13 对，互生，长 0.7 ~ 1.5 cm；水上叶互生，披针形，较强壮，鲜绿色，长约 1.5 cm，裂片较宽；秋季于叶腋中生出棍棒状冬芽而越冬；苞片羽状篦齿状分裂。花单性，雌雄同株或杂性，单生于水上叶腋内，每轮具 4 花，花无柄，比叶片短；雌花生于水上茎下部叶腋中，萼片与子房合生，先端 4 裂，裂片较小，长不到 1 mm，卵状三角形；花瓣 4，舟状，早落；雌蕊 1，子房广卵形，4 室，柱头 4 裂，裂片三角形；

花瓣 4，椭圆形，长 2 ~ 3 mm，早落；雄花雄蕊 8，花药椭圆形，长 2 mm，淡黄色，花丝丝状，开花后伸出花冠外。果实广卵形，长 3 mm，具 4 浅槽，先端具残存的萼片及花柱。

| 生境分布 | 生于池塘或河川中。湖北有分布。

| 采收加工 | **全草**：从 4 ~ 10 月，每 2 个月采收 1 次，每次采收池塘中一半的聚藻，鲜用，晒干或烘干。

| 功能主治 | 清热，凉血，解毒。用于热病烦渴，赤白痢，丹毒，疮疖，烫伤。

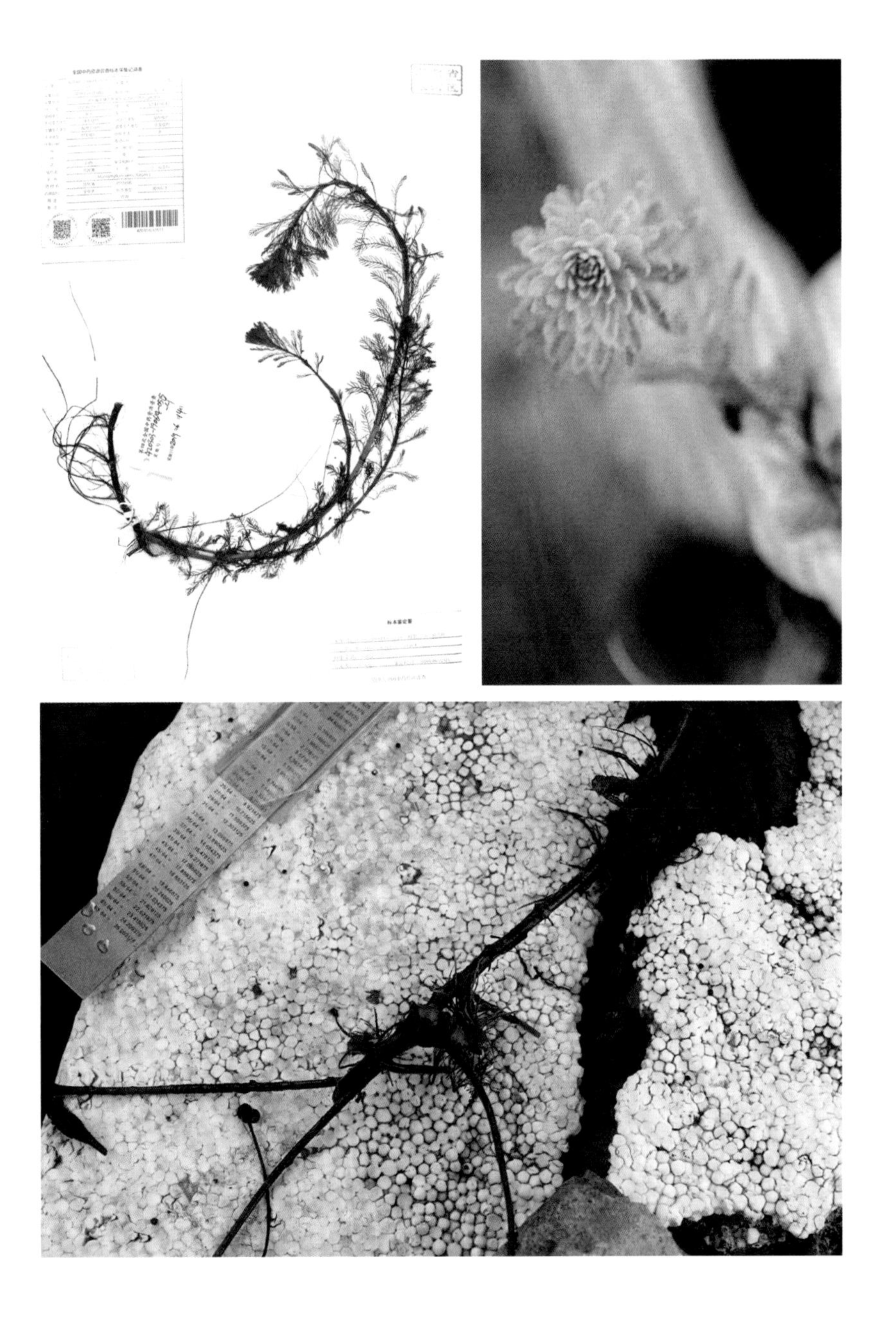

五加科 Araliaceae 五加属 *Acanthopanax*

吴茱萸五加 *Acanthopanax evodiifolius* Franch.

| 药 材 名 |

树三加。

| 形态特征 |

灌木或乔木。高 2 ～ 12 m。枝暗色，无刺；新枝红棕色，无毛，无刺。叶有 3 小叶，在长枝上互生，在短枝上簇生；叶柄长 5 ～ 10 cm，密生淡棕色短柔毛，不久毛即脱落；小叶片长 6 ～ 12 cm，宽 3 ～ 6 cm，中央小叶片椭圆形至长圆状倒披针形，两侧小叶片基部歪斜，较小，下面脉腋有簇毛，全缘或有锯齿，齿有或长或短的刺尖；小叶无柄或有短柄。伞形花序或复伞形花序，有多数或少数花；总花梗长 2 ～ 8 cm，无毛；花梗花后延长，无毛；萼无毛，全缘；花瓣 5，花时反曲；雄蕊 5；子房 2 ～ 4 室，花柱 2 ～ 4，基部合生，反曲。果实球形或略长，直径 5 ～ 7 mm，黑色，有 2 ～ 4 浅棱，花柱宿存。花期 5 ～ 7 月，果期 8 ～ 10 月。

| 生境分布 |

生于海拔 1 000 ～ 3 100 m 的森林中。湖北有分布。

| 采收加工 | **根皮：** 夏、秋季采挖根，除去须根和泥沙，用木槌敲根，使木心与皮部分离，抽去木心，晒干。

| 功能主治 | 祛风利湿，活血舒筋，理气化痰。用于风湿痹痛，腰膝酸痛，水肿，跌打损伤，劳伤咳嗽，哮喘，吐血。

五加科 Araliaceae 五加属 *Acanthopanax*

红毛五加 *Acanthopanax giraldii* Harms

药材名

红毛五加。

形态特征

灌木。高 1 ~ 3 m。枝灰色；小枝灰棕色，无毛或稍有毛，密生直刺，稀无刺，刺下向，细长针状。叶有小叶 5，稀 3；叶柄长 3 ~ 7 cm，无毛，稀有细刺；小叶片薄纸质，倒卵状长圆形，稀卵形，长 2.5 ~ 6 cm，宽 1.5 ~ 2.5 cm，先端尖或短渐尖，基部狭楔形，两面均无毛，边缘有不整齐细重锯齿，侧脉在两面不甚明显，网脉不明显；小叶柄无或几无。伞形花序单个顶生，直径 1.5 ~ 2 cm，有花多数；总花梗粗短，长 5 ~ 7 mm，稀长 2 cm，有时几无总花梗，无毛；花梗长 5 ~ 7 mm，无毛；花白色；萼长约 2 mm，近全缘，无毛；花瓣 5，卵形，长约 2 mm；雄蕊 5，花丝长约 2 mm；子房 5 室，花柱 5，基部合生。果实球形，有 5 棱，黑色，直径 8 mm。花期 6 ~ 7 月，果期 8 ~ 10 月。

生境分布

生于海拔 1 300 ~ 3 100 m 的灌丛中。分布于湖北巴东等地。

| 资源情况 | 野生资源丰富，栽培资源丰富。

| 采收加工 | **茎皮**：6 ~ 7 月间，采茎枝，用木棒敲打，使木部与皮部分离，剥取茎皮，晒干。
根皮：全年均可采挖根，洗净，剥取根皮，晒干。

| 功能主治 | 祛风湿，强筋骨，活血利水。用于风寒湿痹，拘挛疼痛，筋骨痿软，足膝无力，心腹疼痛，疝气，跌打损伤，骨折，体虚浮肿。

五加科 Araliaceae 五加属 *Acanthopanax*

五加 *Acanthopanax gracilistylus* W. W. Smith

| 药 材 名 |

五加。

| 形态特征 |

灌木。高 2 ~ 3 m。枝灰棕色，软弱而下垂，蔓生状，无毛，节上通常疏生反曲扁刺。叶有小叶 5，稀 3 ~ 4，在长枝上互生，在短枝上簇生；叶柄长 3 ~ 8 cm，无毛，常有细刺；小叶片膜质至纸质，倒卵形至倒披针形，长 3 ~ 8 cm，宽 1 ~ 3.5 cm，先端尖至短渐尖，基部楔形，两面无毛或沿脉疏生刚毛，边缘有细钝齿，侧脉 4 ~ 5 对，在两面均明显，下面脉腋间有淡棕色簇毛，网脉不明显；几无小叶柄。伞形花序单生，稀 2 腋生或顶生在短枝上，直径约 2 cm，有花多数；总花梗长 1 ~ 2 cm，结实后延长，无毛；花梗细长，长 6 ~ 10 mm，无毛；花黄绿色；萼近全缘或边缘有 5 小齿；花瓣 5，长圆状卵形，先端尖，长 2 mm；雄蕊 5，花丝长 2 mm；子房 2 室；花柱 2，细长，离生或基部合生。果实扁球形，长约 6 mm，宽约 5 mm，黑色；宿存花柱长 2 mm，反曲。花期 4 ~ 8 月，果期 6 ~ 10 月。

| 生境分布 | 生于灌丛、林缘、山坡路旁和村落中。湖北有分布。

| 采收加工 | 秋季采挖根，抖去泥土，除净须根，洗净，剥取根皮，抽出木心，晒干。

| 功能主治 | 祛风除湿，补益肝肾，强筋壮骨，利水消肿，抗炎，镇痛，调节免疫，降低血糖，抗疲劳，抗耐缺氧，抗肿瘤，抗诱变，抗溃疡，改善肾功能等。

五加科 Araliaceae 五加属 *Acanthopanax*

细柱五加 *Acanthopanax gracilistylus* W. W. Smith var. *villosulus* (Harms) Li

| 药 材 名 | 细柱五加。

| 形态特征 | 落叶灌木。有时蔓生状。枝无刺或于叶柄基部单生扁平的刺。掌叶复叶互生，在短枝上簇生，小叶通常 5，倒卵形或倒披针形，边缘具细锯齿，两面无毛或沿脉疏生刚毛。伞形花序多腋生；花小，萼齿 5；花瓣 5；黄绿色；雄蕊 5；子房下位，2 室，花柱 2，分离。浆果状核果近球形，黑色；种子 2，扁平，细小。花期 7 月，果期 9 ~ 10 月。

| 生境分布 | 生于林缘、路边或灌丛中。湖北有分布。

| 采收加工 | 夏、秋季挖根，洗净，趁鲜用刀剥皮或轻捶根皮剥下，晒干。

| **功能主治** | 祛风湿，补肝肾，强筋骨，抗炎镇痛，抗应激，增强免疫激素样作用。用于风湿痹痛，筋骨痿软，小儿行迟，体虚乏力，水肿，脚气。

五加科 Araliaceae 五加属 *Acanthopanax*

糙叶五加 *Acanthopanax henryi* (Oliv.) Harms

| 药 材 名 | 糙叶五加。

| 形态特征 | 灌木。高 1 ~ 3 m。枝疏生下曲粗齿；小枝密生短柔毛，后毛渐脱落。叶有小叶 5，稀 3；叶柄长 4 ~ 7 cm，密生粗短毛；小叶片纸质，椭圆形或卵状披针形，稀倒卵形，先端尖或渐尖，基部狭楔形，长 8 ~ 12 cm，宽 3 ~ 5 cm，上面深绿色，粗糙，下面灰绿色，脉上有短柔毛，边缘仅中部以上有细锯齿，侧脉 6 ~ 8 对，两面明显隆起；小叶柄长 3 ~ 6 mm，有粗短毛，有时几无小叶柄。伞形花序数个组成短圆锥花序，直径 1.5 ~ 2.5 cm，有花多数；总花梗粗壮，有粗短毛，后毛渐脱落；花梗无毛或疏生短柔毛；萼无毛或疏生短柔毛，近全缘；花瓣 5，长卵形，开花时反曲；雄蕊 5；子房 5 室，花柱全

部合生成柱状。果实椭圆状球形，有 5 浅棱，黑色，花柱宿存。花期 7 ~ 9 月，果期 9 ~ 10 月。

| **生境分布** | 生于海拔 1 000 ~ 3 100 m 的林缘或灌丛中。湖北有分布。

| **采收加工** | **根皮**：秋季采挖根，洗净，除去须根，趁鲜用木槌敲击，使木心和皮部分离，抽去木心，切断，晒干。

| **功能主治** | 祛风利湿，舒筋，理气止痛。用于风湿痹痛，拘挛麻木，筋骨痞软，水肿，跌打损伤，疝气腹痛。

五加科 Araliaceae 五加属 *Acanthopanax*

藤五加 *Acanthopanax leucorrhizus* (Oliv.) Harms

| 药 材 名 | 藤五加。

| 形态特征 | 灌木。高 2 ~ 4 m。有时蔓生状。枝无毛，节上有 1 至数刺或无刺，稀节间散生多数倒刺，刺细长，基部不膨大，下向。叶有小叶 5，稀 3 ~ 4；叶柄长 5 ~ 10 cm 或更长，先端有时有小刺，无毛；小叶片纸质，长圆形至披针形或倒披针形，稀倒卵形，先端渐尖，稀尾尖，基部楔形，长 6 ~ 14 cm，宽 2.5 ~ 5 cm，两面均无毛，边缘有锐利重锯齿，侧脉 6 ~ 10 对，两面隆起而明显，网脉不明显；小叶柄长 3 ~ 15 mm。伞形花序单个顶生或数个组成短圆锥花序，直径 2 ~ 4 cm，有花多数；总花梗长 2 ~ 8 cm，稀更长；花梗长 1 ~ 2 cm；花绿黄色；萼无毛，边缘有 5 小齿；花瓣 5，长卵形，

长约 2 mm，开花时反曲；雄蕊 5，花丝长 2 mm；子房 5 室，花柱全部合生成柱状。果实卵球形，有 5 棱，直径 5 ~ 7 mm，宿存花柱短，长 1 ~ 1.2 mm。花期 6 ~ 8 月，果期 8 ~ 10 月。

| 生境分布 | 生于海拔 1 000 ~ 3 100 m 的丛林中。湖北有分布。

| 采收加工 | **茎皮：**全年均可采收。

根皮：秋季挖根，洗净，剥取根皮，晒干。

| 功能主治 | **茎皮、根皮：**祛风湿，通经络，强筋骨。用于风湿痹痛，拘挛麻木，腰膝酸软，半身不遂，跌打损伤，水肿，皮肤湿痒，阴囊湿肿。

五加科 Araliaceae 五加属 *Acanthopanax*

糙叶藤五加变种 *Acanthopanax leucorrhizus* (Oliv.) Harms var. *fulvescens* Harms et Rehd.

| 药 材 名 | 毛五加皮。

| 形态特征 | 灌木。高 1.5 ~ 3 m。老枝灰色或灰红色，无刺或近无刺；幼枝密生，暗黄色，有斜倒刺；当年生枝紫红色。叶互生或数叶簇生于短枝上；叶有小叶 5，稀 4 ~ 6；叶柄较叶长，有细棱，无毛或疏生短刺毛；小叶倒卵形至长椭圆形，一般长 4 ~ 13 cm，宽 2 ~ 6 cm，先端 1 小叶较大，两侧小叶渐次细小，先端短尖或渐尖，基部楔形，边缘有锐利锯齿，稀重锯齿，上面有糙毛，下面脉上有黄色短柔毛；小叶近无柄，密生黄色短柔毛。伞形花序单生于短枝梢，有花多数；

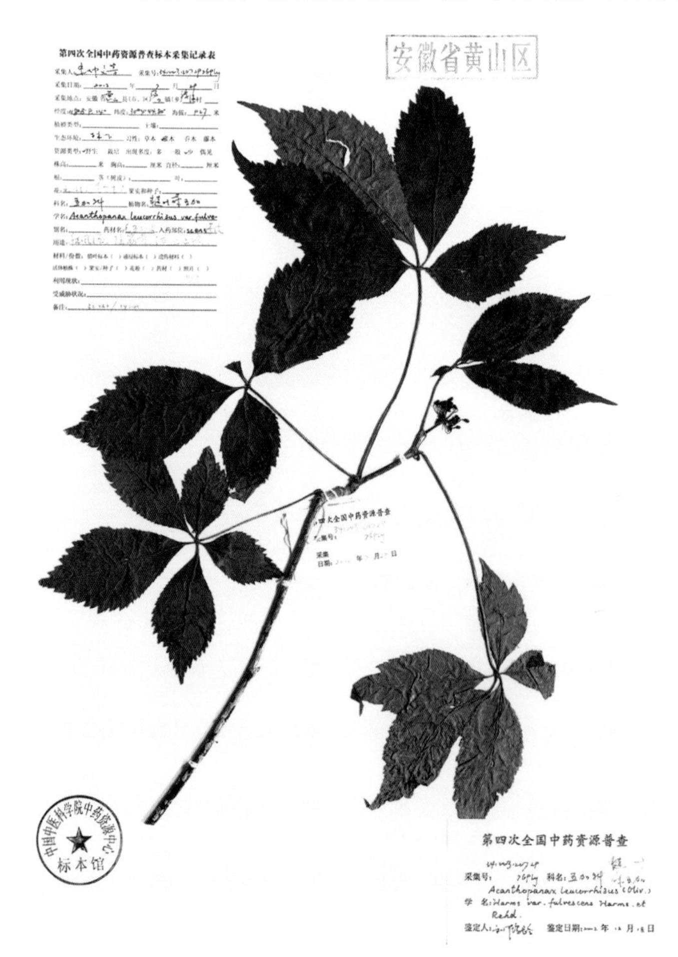

总花梗长约 2 cm，被刚毛；萼筒与子房合生，先端 5 齿裂；花瓣 5，白绿色；雄蕊 5，与花瓣互生；子房 5 室，柱头 5，连合成柱。果实卵状圆形，绿色，直径约 4 mm。花期 6 月。

| 生境分布 | 生于海拔 1 000 ～ 3 100 m 的森林或灌木林中。湖北有分布。

| 采收加工 | **茎皮：**5 ～ 6 月砍取一年生枝条，截成长 70 cm 左右的段，用木棒轻轻敲打，使皮与木心分离，抽去木心，取净皮，晒干。

| 功能主治 | 祛风湿，强筋骨，活血止痛。用于风湿痹痛，痉挛麻木，腰膝酸软，足膝无力，跌打损伤，阴囊湿疹。

| 附　　注 | 该变种与刺五加 *Acanthopanax senticosus* (Rupr. & Maxim.) Harms. 的区别在于后者枝刺较粗壮，小叶片边缘常为单锯齿，果实上宿存花柱较短。

五加科 Araliaceae 五加属 *Acanthopanax*

匙叶五加 *Acanthopanax rehderianus* Harms

| 药材名 | 食用土当归。

| 形态特征 | 多年生草本。地下有长圆柱状根茎；地上茎高 0.5 ~ 3 m，粗壮，基部直径可达 2 cm。叶为二回或三回羽状复叶；叶柄长 15 ~ 30 cm，无毛或疏生短柔毛；托叶和叶柄基部合生，先端离生部分锥形，长约 3 mm，边缘有纤毛；羽片有小叶 3 ~ 5；小叶片膜质或薄纸质，长卵形至长圆状卵形，长 4 ~ 15 cm，宽 3 ~ 7 cm，先端突尖，基部圆形至心形，侧生小叶片基部歪斜，上面无毛，下面脉上疏生短柔毛，边缘有粗锯齿，基部有放射状脉 3，中脉有侧脉 6 ~ 8 对，在上面不甚明显，在下面隆起而明显，网脉在上面不明显，在下面明显；小叶柄长达 2.5 cm，顶生的长可达 5 cm。圆锥花序大，顶生

或腋生，长达 50 cm，稀疏；分枝少，着生数个总状排列的伞形花序；伞形花序直径 1.5 ～ 2.5 cm，有花多数或少数；总花梗长 1 ～ 5 cm，有短柔毛；苞片线形，长 3 ～ 5 mm；花梗通常丝状，长 10 ～ 12 mm，有短柔毛；小苞片长约 2 mm；花白色；萼无毛，长 1.2 ～ 1.5 mm，边缘有 5 个三角形尖齿；花瓣 5，卵状三角形，长约 1.5 mm，开花时反曲；雄蕊 5，长约 2 mm；子房 5 室，花柱 5，离生。果实球形，紫黑色，直径约 3 mm，有 5 棱；宿存花柱长约 2 mm，离生或仅基部合生。花期 7 ～ 8 月，果期 9 ～ 10 月。

| 生境分布 | 生于海拔 1 300 ～ 1 600 m 的林荫下或山坡草丛中。分布于湖北宣恩、恩施。

| 功能主治 | 除风和血。用于闪拗手足。

五加科 Araliaceae 五加属 *Acanthopanax*

刺五加 *Acanthopanax senticosus* (Rupr. et Maxim.) Harms

| 药 材 名 | 刺五加。

| 形态特征 | 落叶灌木。高 1 ~ 6 m；分枝多，一、二年生的通常密生刺，稀仅节上生刺或无刺；刺直而细长，针状，下向，基部不膨大，脱落后遗留圆形刺痕。叶有小叶 5，稀 3；叶柄常疏生细刺，长 3 ~ 10 cm；小叶片纸质，椭圆状倒卵形或长圆形，长 5 ~ 13 cm，宽 3 ~ 7 cm，先端渐尖，基部阔楔形，上面粗糙，深绿色，脉上有粗毛，下面淡绿色，脉上有短柔毛，边缘有锐利重锯齿，侧脉 6 ~ 7 对，两面明显，网脉不明显；小叶柄长 0.5 ~ 2.5 cm，有棕色短柔毛，有时有细刺。伞形花序单个顶生，或 2 ~ 6 组成稀疏的圆锥花序，直径 2 ~ 4 cm，有花多数；总花梗长 5 ~ 7 cm，无毛；花梗长 1 ~ 2 cm，无毛或基部略有毛；花紫黄色；萼无毛，边缘近全缘或有不明显的 5 小齿；

花瓣 5，卵形，长 2 mm；雄蕊 5，长 1.5 ~ 2 mm；子房 5 室，花柱全部合生成柱状。果实球形或卵球形，有 5 棱，黑色，直径 7 ~ 8 mm，宿存花柱长 1.5 ~ 1.8 mm。花期 6 ~ 7 月，果期 8 ~ 10 月。

| 生境分布 | 生于海拔 500 ~ 2 000 m 的落叶阔叶林或针阔叶混交林的林下或林缘。分布于湖北竹溪、房县、秭归、宣恩、咸丰、神农架等。湖北竹溪、房县、秭归、宣恩、咸丰、神农架等有栽培。

| 采收加工 | **根及根茎或茎：**春、秋季采收，洗净，干燥。

| 功能主治 | 益气健脾，补肾安神。用于脾肺气虚，体虚乏力，食欲不振，肺肾两虚，久咳虚喘，腰膝酸痛，失眠多梦。

五加科 Araliaceae 五加属 *Acanthopanax*

蜀五加 *Acanthopanax setchuenensis* Harms ex Diels

| 药 材 名 | 五加皮。

| 形态特征 | 灌木。高达 4 m。枝无刺或节上有 1 至数个刺；刺细长，针状，基部不膨大。叶通常有小叶 3，稀 4 ~ 5，叶柄长 3 ~ 12 cm；小叶片革质，长圆状椭圆形至长圆状卵形，先端短渐尖、渐尖至尾尖状，基部宽楔形至近圆形，长 5 ~ 12 cm，宽 2 ~ 6 cm，上面深绿色，下面灰白色，两面均无毛，全缘、疏生牙齿状锯齿或不整齐细锯齿，侧脉约 8 对，在上面不及在下面明显，网脉不甚明显；小叶柄长 3 ~ 10 mm，无毛。伞形花序单个顶生或数个组成短圆锥状花序，直径约 3 cm，有花多数；总花梗长 3 ~ 10 cm；花梗长 0.5 ~ 2 cm；花白色；萼无毛，边缘有 5 小齿；花瓣 5，三角状卵形，

长约 2 mm，开花时反曲；雄蕊 5，花丝长 2 ~ 2.5 mm；子房 5 室，花柱全部合生成柱状。果实球形，有 5 棱，直径 6 ~ 8 mm，黑色，宿存花柱长 1 ~ 1.2 mm。花期 5 ~ 8 月，果期 8 ~ 10 月。

| 生境分布 | 生于海拔 1 300 ~ 1 600 m 的林荫下或山坡草丛中。湖北有分布。

| 采收加工 | **根皮**：秋季采挖根，洗净，除去须根，趁鲜剥取根皮，切段，晒干。

| 功能主治 | 祛风利湿，舒筋活血，止咳平喘。用于风湿痹痛，筋骨痿软，拘挛麻木，瘫痪，小儿麻痹，水肿，皮肤湿痒，咳嗽，哮喘。

五加科 Araliaceae 五加属 *Acanthopanax*

刚毛五加 *Acanthopanax simonii* Schneid. var. *simonii*

| **药材名** | 刚毛五加。

| **形态特征** | 灌木。高达 3 m。枝无毛，通常有下弯粗刺。叶有小叶 5，稀 3 ~ 4；叶柄长 5 ~ 10 cm，无刺或散生细刺；小叶片纸质，长圆形或倒披针形，先端渐尖，基部楔形，长 5 ~ 12 cm，宽 1.5 ~ 4 cm，上面亮绿色，下面淡绿色，两面脉上均有刚毛，有时下面密生柔毛，边缘有锐利重锯齿，稀单锯齿，侧脉约 8 对，在两面明显，网脉不明显；小叶柄长 2 ~ 7 mm，无刺或疏生细刺。2 至数伞形花序组成顶生圆锥花序，直径 2 ~ 3 cm，有花多数；总花梗长 1 ~ 6 cm，无毛；花梗长 0.4 ~ 1.2 cm，无毛；花淡绿色；萼无毛，边缘有 5 小齿；花瓣 5，卵形，长 2 ~ 2.5 mm，开花时反曲；雄蕊 5，花丝长 2 ~ 2.5 mm；子

房 5 室，花柱全部合生成柱状。果实卵球形，有 5 棱，黑色，长 5 ~ 6 mm，宿存花柱长 1.5 mm。花期 7 ~ 8 月，果期 9 ~ 10 月。

| 生境分布 | 生于海拔 1 000 ~ 3 100 m 的森林或灌丛中。分布于湖北恩施、建始等地。

| 资源情况 | 野生资源丰富，栽培资源丰富。

| 采收加工 | **根皮：**秋季挖根，洗净，趁鲜剥取根皮，晒干。

| 功能主治 | 祛风除湿，活血止痛。用于风湿疼痛，腰膝酸软，跌打损伤，骨折，头痛，脘腹痛，痛经，脚气，无名肿毒。

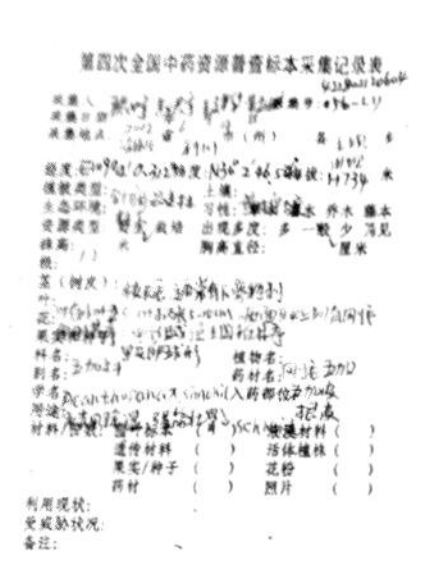

采集号：422802120604056-LY 科名：
学名：刺毛五加
Acanthopanax simonii Schneid
鉴定人： 鉴定日期：2013年8月8日

五加科 Araliaceae 五加属 *Acanthopanax*

白簕 *Acanthopanax trifoliatus* (L.) Merr.

| 药 材 名 | 白簕。

| 形态特征 | 攀缘状灌木。高 1 ~ 7 m。枝细弱铺散，老枝灰白色，新枝棕黄色，疏生向下的针刺，刺先端钩曲，基部扁平。叶互生，有 3 小叶，稀 4 ~ 5；叶柄长 2 ~ 6 cm，有刺或无刺；小叶柄长 2 ~ 8 mm；叶片椭圆状卵形至椭圆状长圆形，稀倒卵形，中央 1 叶最大，长 4 ~ 10 cm，宽 3 ~ 6.5 cm，先端尖或短渐尖，基部楔形，上面脉上疏生刚毛，下面无毛，边缘有细锯齿或疏钝齿，侧脉 5 ~ 6 对。伞形花序 3 ~ 10，稀多至 20 组成顶生的伞形花序或圆锥花序，直径 1.5 ~ 3.5 cm；总花梗长 2 ~ 7 mm，无毛；萼筒边缘有 5 小齿；花黄绿色，花瓣 5，三角状卵形，长约 2 mm，开花时反曲；雄蕊 5，

花丝长约 3 mm；子房 2 室，花柱 2，基部或中部以下合生。核果浆果状，扁球形，直径约 5 mm，成熟时黑色。花期 8 ~ 11 月，果期 9 ~ 12 月。

| **生境分布** | 生于海拔 3 100 m 以下的山坡路旁、林缘或灌丛中。湖北有分布。

| **资源情况** | 资源较丰富。

| **采收加工** | **根或根皮**：9 ~ 10 月采挖，鲜用，或趁鲜时剥取根皮，晒干。

枝叶：全年均可采收，鲜用或晒干。

花：8 ~ 11 月采摘，鲜用。

| **功能主治** | **根或根皮**：清热解毒，祛风利湿，活血舒筋。用于感冒发热，咽痛，头痛，咳嗽胸痛，胃脘疼痛，泄泻，痢疾，胁痛，黄疸，石淋，带下，风湿痹痛，腰腿酸痛，筋骨拘挛麻木，跌打骨折，痄腮，乳痈，疮疡肿毒，蛇虫咬伤。

枝叶：清热解毒，活血消肿，除湿敛疮。用于感冒发热，咳嗽胸痛，痢疾，风湿痹痛，跌打损伤，骨折，刀伤，痈疮疔疖，口疮，湿疹，疥疮，毒虫咬伤。

花：解毒敛疮。用于漆疮。

五加科 Araliaceae 楤木属 *Aralia*

毛叶楤木 *Aralia chinensis* L. var. *dasyphylloides* Hand.-Mazz.

| 药 材 名 |

毛叶楤木。

| 形态特征 |

灌木或乔木。高 2 ~ 5 m，稀达 8 m，胸径达 10 ~ 15 cm。树皮灰色，疏生粗壮直刺。小枝通常淡灰棕色，有黄棕色绒毛，疏生细刺。叶为二回或三回羽状复叶，长 60 ~ 110 cm；叶柄粗壮，长可达 50 cm；托叶与叶柄基部合生，纸质，耳廓形，长 1.5 cm 或更长，叶轴无刺或有细刺；羽片有小叶 5 ~ 11，稀 13，基部有小叶 1 对；小叶片纸质至薄革质，卵形、阔卵形或长卵形，长 5 ~ 12 cm，稀长 19 cm，宽 3 ~ 8 cm，先端渐尖或短渐尖，基部圆形，上面密生黄色粗毛，疏生糙毛，下面密生黄色粗绒毛，沿脉更密，边缘有锯齿，稀为细锯齿或不整齐粗重锯齿，侧脉 7 ~ 10 对，两面均明显，网脉在上面不甚明显，在下面明显；小叶无柄或有长 3 mm 的柄，顶生小叶柄长 2 ~ 3 cm。圆锥花序大，长 30 ~ 60 cm；分枝长 20 ~ 35 cm，密生淡黄棕色或灰色短柔毛；伞形花序直径 1 ~ 1.5 cm，有花多数；总花梗长 1 ~ 4 cm，密生短柔毛；苞片锥形，膜质，长 3 ~ 4 mm，外面有毛；花梗长

4 ~ 6 mm，密生短柔毛，稀为疏毛；花白色，芳香；萼无毛，长约 1.5 mm，边缘有 5 三角形小齿；花瓣 5，卵状三角形，长 1.5 ~ 2 mm；雄蕊 5，花丝长约 3 mm；子房 5 室，花柱 5，离生或基部合生。果实球形，黑色，直径约 3 mm，有 5 棱，宿存花柱长 1.5 mm，离生或合生至中部；果柄短，长 2 ~ 3 mm。花期 7 ~ 9 月，果期 9 ~ 12 月。

| 生境分布 | 生于森林、灌丛中、山坡路旁。分布于湖北利川等地。

| 采收加工 | **根**：秋、冬季采挖根部，洗净，切片，鲜用或晒干。

| 功能主治 | 活血祛瘀，利水消肿。用于跌打损伤，瘀血肿痛，骨折，水肿，小便不利。

五加科 Araliaceae 楤木属 *Aralia*

食用土当归 *Aralia cordata* Thunb.

| 药 材 名 | 食用土当归。

| 形态特征 | 多年生草本。地下有长圆柱状根茎；地上茎高 0.5 ~ 3 m，粗壮，基部直径可达 2 cm。叶为二回或三回羽状复叶；叶柄长 15 ~ 30 cm，无毛或疏生短柔毛；托叶和叶柄基部合生，先端离生部分锥形，长约 3 mm，边缘有纤毛；羽片有小叶 3 ~ 5；小叶片膜质或薄纸质，长卵形至长圆状卵形，长 4 ~ 15 cm，宽 3 ~ 7 cm，先端突尖，基部圆形至心形，侧生小叶片基部歪斜，上面无毛，下面脉上疏生短柔毛，边缘有粗锯齿，基部有放射状脉 3，中脉有侧脉 6 ~ 8 对，在上面不甚明显，在下面隆起而明显，网脉在上面不明显，在下面明显；小叶柄长达 2.5 cm，顶生的长可达 5 cm。圆锥花序大，顶生或腋生，长达 50 cm，稀疏；分枝少，着生数个总状排列的伞形花序；

伞形花序直径 1.5 ~ 2.5 cm，有花多数或少数；总花梗长 1 ~ 5 cm，有短柔毛；苞片线形，长 3 ~ 5 mm；花梗通常丝状，长 10 ~ 12 mm，有短柔毛；小苞片长约 2 mm；花白色；萼无毛，长 1.2 ~ 1.5 mm，边缘有 5 三角形尖齿；花瓣 5，卵状三角形，长约 1.5 mm，开花时反曲；雄蕊 5，长约 2 mm；子房 5 室，花柱 5，离生。果实球形，紫黑色，直径约 3 mm，有 5 棱；宿存花柱长约 2 mm，离生或仅基部合生。花期 7 ~ 8 月，果期 9 ~ 10 月。

| 生境分布 | 生于海拔 1 300 ~ 1 600 m 的林荫下或山坡草丛中。分布于湖北宣恩、恩施。

| 采收加工 | 除去杂质，洗净，润透，切薄片，晒干或低温干燥。

| 功能主治 | 除风和血。用于闪拗手足。

五加科 Araliaceae 楤木属 *Aralia*

棘茎楤木 *Aralia echinocaulis* Hand.-Mazz.

| 药 材 名 |

棘茎楤木。

| 形态特征 |

小乔木。高达 7 m。小枝密生细长直刺，刺长 7 ~ 14 mm。叶为二回羽状复叶，长 35 ~ 50 cm 或更长；叶柄长 25 ~ 40 cm，疏生短刺；托叶和叶柄基部合生，栗色；羽片有小叶 5 ~ 9，基部有小叶 1 对；小叶片膜质至薄纸质，长圆状卵形至披针形，长 4 ~ 11.5 cm，宽 2.5 ~ 5 cm，先端长渐尖，基部圆形至阔楔形，歪斜，两面均无毛，下面灰白色，边缘疏生细锯齿，侧脉 6 ~ 9 对，上面较下面明显，网脉在上面略下陷，在下面略隆起，不甚明显；小叶无柄或几无柄。圆锥花序大，长 30 ~ 50 cm，顶生；主轴和分枝有糠屑状毛，后毛脱落；伞形花序直径约 1.5 cm，有花 12 ~ 20，稀 30；总花梗长 1 ~ 5 cm；苞片卵状披针形，长 10 mm；花梗长 8 ~ 30 mm；小苞片披针形，长约 4 mm；花白色；萼无毛，边缘有 5 个卵状三角形小齿；花瓣 5，卵状三角形，长约 2 mm；雄蕊 5，花丝长约 4 mm；子房 5 室，花柱 5，离生。果实球形，直径 2 ~ 3 mm，有 5 棱；宿存花柱长 1 ~ 1.5 mm，基部合生。

花期 6 ~ 8 月，果期 9 ~ 11 月。

| **生境分布** | 生于森林中。分布于湖北巴东等地。

| **资源情况** | 野生资源丰富，栽培资源丰富。

| **采收加工** | **根皮：**全年均可剥取根皮，洗净，切片，鲜用或晒干。

| **功能主治** | 活血破瘀，祛风行气，清热解毒。用于跌打损伤，骨折，骨髓炎，痈疽，风湿痹痛，骨痛。

五加科 Araliaceae 楤木属 *Aralia*

楤木 *Aralia elata* (Miq.) Seem.

| 药 材 名 | 楤木。

| 形态特征 | 高 1.5 ~ 6 m。树皮灰色。小枝灰棕色，疏生多数细刺，刺长 1 ~ 3 mm，基部膨大；嫩枝上常有长达 1.5 cm 的细长直刺，小枝疏被细刺，刺长 1 ~ 3 mm。二至三回羽状复叶，叶轴及羽片基部被短刺；羽片具 7 ~ 11 小叶，宽卵形或椭圆状卵形，长 5 ~ 15 cm，基部圆或心形，稀宽楔形，具细齿或疏生锯齿，两面无毛或沿脉疏被柔毛，下面灰绿色，侧脉 6 ~ 8 对；叶柄长 20 ~ 40 cm，无毛，小叶柄长 3 ~ 5 mm，顶生者长达 3 cm；伞房状圆锥花序，长达 45 cm，序轴长 2 ~ 5 cm，密被灰色柔毛，伞形花序直径 1 ~ 1.5 cm，花序梗长 0.4 ~ 4 cm；花梗长 6 ~ 7 mm；苞片及小苞片披针形。果实球形，

直径约 4 mm，黑色，具 5 棱。

| **生境分布** | 生于海拔约 1 000 m 的森林中。分布于湖北巴东。

| **采收加工** | **根皮、树皮：**春、秋季采剥根皮或树皮，除去泥土杂质，切段或片，鲜用或晒干。

| **功能主治** | 祛风除湿，利尿消肿，活血止痛。用于肝炎，淋巴结肿大，肾炎性水肿，糖尿病，带下，胃痛，风湿关节痛，腰腿痛，跌打损伤。

五加科 Araliaceae 楤木属 *Aralia*

龙眼独活 *Aralia fargesii* Franch.

|药材名| 龙眼独活。

|形态特征| 多年生草本。地下茎厚而长，有肉质纺锤根 1 ~ 2；地上茎高达 1 m，有纵纹。叶长 30 ~ 50 cm，茎上部者为一回或二回羽状复叶，下部者为二回或三回羽状复叶；叶柄无毛，长 5 ~ 15 cm；托叶和叶柄基部合生，先端离生部分披针形，长约 5 mm；羽片有小叶 3 ~ 5；小叶片膜质，阔卵形或长圆状卵形，长 8 ~ 15 cm，宽 5 ~ 7 cm，先端渐尖，基部心形，侧生小叶片基部歪斜，两面脉上有糙毛，下面沿脉有短柔毛，边缘有重锯齿，侧脉 5 ~ 6 对，在两面明显，网脉在上面不明显，在下面明显；小叶柄长 0.5 ~ 3 cm，无毛或有疏毛，顶生小叶柄长至 5 cm。圆锥花序伞房状，基部有叶状总苞，顶

生及腋生；分枝少数，伞房状或伞状排列，无毛或疏生糙毛；伞形花序在分枝上总状排列，直径 1 ~ 1.5 cm，有花 10 ~ 20；总花梗长 1.5 ~ 6 cm，无毛或有糙毛；苞片披针形，长 2 ~ 3 mm；花梗长 2 ~ 5 mm，密生糙毛；小苞片线形，长 1 mm，早落；花紫色；萼长 2 mm，外面疏生糙毛，边缘有 5 三角形尖齿；花瓣 5，卵状三角形，长 2 mm；雄蕊 5；子房 5 室，花柱 5，离生。果实近球形，长 5 mm，有 5 棱。花期 7 ~ 8 月，果期 10 ~ 11 月。

| **生境分布** | 生于海拔 1 800 ~ 2 600 m 的森林下或溪边。分布于湖北神农架。

| **采收加工** | **根及根茎**：4 ~ 10 月挖取根部，除去地上茎及泥土，晒干。

| **功能主治** | **根**：用于小儿痘疹。

五加科 Araliaceae 楤木属 *Aralia*

湖北楤木 *Aralia hupehensis* Hoo

| 药 材 名 | 湖北楤木。

| 形态特征 | 灌木或乔木。高达 12 m。小枝密生黄棕色绒毛，有刺，刺粗壮，长 3 ~ 6 mm，密生黄棕色绒毛，基部膨大。叶为二回羽状复叶；托叶和叶柄基部合生，深棕色，先端离生部分披针形，长约 5 mm；叶轴和羽片轴密生绒毛；羽片对生，有小叶 9，基部有小叶 1 对；小叶片纸质，卵形至长圆状卵形，长 8 ~ 13 cm，宽 3 ~ 6 cm，先端长渐尖或短渐尖，基部圆形，上面粗糙，脉上密生细糙毛，下面密生黄棕色绒毛，边缘有锯齿，齿有刺尖，侧脉约 8 对，隆起，明显，网脉明显；小叶无柄或有长 3 mm 的柄，密生黄棕色绒毛。圆锥花序顶生，长 25 ~ 35 cm，主轴短，长约 5 cm；分枝 2 ~ 5，指状排

列，长 10 ~ 20 cm，密生黄棕色绒毛，至果实成熟时无毛；伞形花序在二级分枝上单个顶生，或另有 1 ~ 2 侧生伞形花序，直径约 1.5 cm，有花 10 ~ 20；总花梗长 0.7 ~ 1.5 cm，花梗长 2 ~ 4 mm，均密生绒毛；苞片披针形，宿存，长 2 ~ 3 mm，小苞片线形，长 1 ~ 2 mm，边缘均有纤毛；花白色，萼无毛，长约 1.5 mm，边缘有 5 三角形尖齿；花瓣 5，卵状三角形，长 2 mm；雄蕊 5，花丝长 2 mm；子房 5 室，花柱 5，离生，反曲。果实球形，直径约 4 mm，黑色，有 5 棱。花期 7 月，果期 9 月。

| 生境分布 | 生于海拔 1 200 m 的北向山坡上。分布于湖北巴东、房县、建始等地。

| 资源情况 | 野生资源丰富，栽培资源丰富。

| 采收加工 | **根：**秋、冬季采挖根部，洗净，切片，鲜用或晒干。

| 功能主治 | 活血祛瘀，利水消肿。用于跌打损伤，瘀血肿痛，骨折，水肿，小便不利。

五加科 Araliaceae 楤木属 *Aralia*

长刺楤木 *Aralia spinifolia* Merr.

| 药材名 | 长刺楤木。

| 形态特征 | 灌木。高 2 ~ 3 m。小枝灰白色，疏生多数或长或短的刺，并密生刺毛，刺扁，长 1 ~ 10 mm，基部膨大，刺毛细针状，长 2 ~ 4 mm。叶大，长 40 ~ 70 cm，二回羽状复叶，叶柄、叶轴和羽片轴密生或疏生刺和刺毛；托叶和叶柄基部合生，先端离生部分锥形，长约 5 mm，有纤毛；羽片长 20 ~ 30 cm，有小叶 5 ~ 9，基部有小叶 1 对；小叶片薄纸质或近膜质，长圆状卵形或卵状椭圆形，长 7 ~ 11 cm，宽 3 ~ 6 cm，先端渐尖或长渐尖，基部圆形，有时略歪斜，上面脉上疏生小刺和刺毛，下面更密，边缘有锯齿、不整齐锯齿或重锯齿，齿有小尖头，侧脉 5 ~ 7 对，在两面明显，网脉在上面不明显，在

下面明显；两侧的小叶几无柄，顶生者有长 1 ~ 3 cm 的柄。圆锥花序大，长达 35 cm，花序轴和总花梗均密生刺和刺毛；伞形花序直径约 2.5 cm，有花多数；花梗长 8 ~ 15 mm，密生刺毛；苞片长圆形，长 3 ~ 6 mm，无毛；萼无毛，长 1.5 mm，边缘有 5 三角形尖齿；花瓣 5，淡绿白色，卵状三角形，长约 1.5 mm；子房 5 室，花柱 5，离生。果实卵球形，黑褐色，有 5 棱，长 4 ~ 5 mm；宿存花柱长约 2 mm，合生至中部。花期 8 ~ 10 月，果期 10 ~ 12 月

| 生境分布 | 生于海拔 1 000 m 以下的山坡或林缘阳光充足处。分布于湖北兴山、崇阳，以及武汉。

| 资源情况 | 野生资源较少，亦有零星栽培。药材来源于野生和栽培。

| 采收加工 | **根皮、树皮：**栽种 2 ~ 3 年的植株秋、冬季剥取，野生的楤木全年均可剥取，切段，晒干。

| 功能主治 | 镇痛消炎，祛风行气，祛湿活血。用于胃炎，肾炎，风湿疼痛，刀伤。

五加科 Araliaceae 树参属 *Dendropanax*

树参 *Dendropanax dentiger* (Harms) Merr.

| 药 材 名 | 树参。

| 形态特征 | 乔木或灌木。高 4 ~ 10 m。小枝有不规则皱纹，一年生的枝棕紫色，无毛。叶片厚纸质或革质，叶形变异很大，全缘，椭圆形至线状披针形，先端渐尖，基部钝形或楔形，分裂叶倒三角形，掌状 2 ~ 3 深裂或浅裂，稀 5 裂。伞形花序顶生，单生或聚生成复伞形花序；总花梗粗壮，花瓣 5，三角形或卵状三角形；雄蕊 5，花柱 5，基部合生，先端离生。果实长圆状球形，稀近球形，花柱宿存。

| 生境分布 | 生于海拔 1 800 m 以下的常绿阔叶林、灌丛中、山谷溪边较阴湿的密林下或山坡路旁。湖北有分布。

| 采收加工 | 秋、冬季采挖根部，选取茎枝或剥取树皮，洗净，切片，鲜用或晒用。

| 功能主治 | 祛风除湿，活血消肿。用于风湿痹痛，偏瘫，头痛，月经不调，跌打损伤，疮肿。

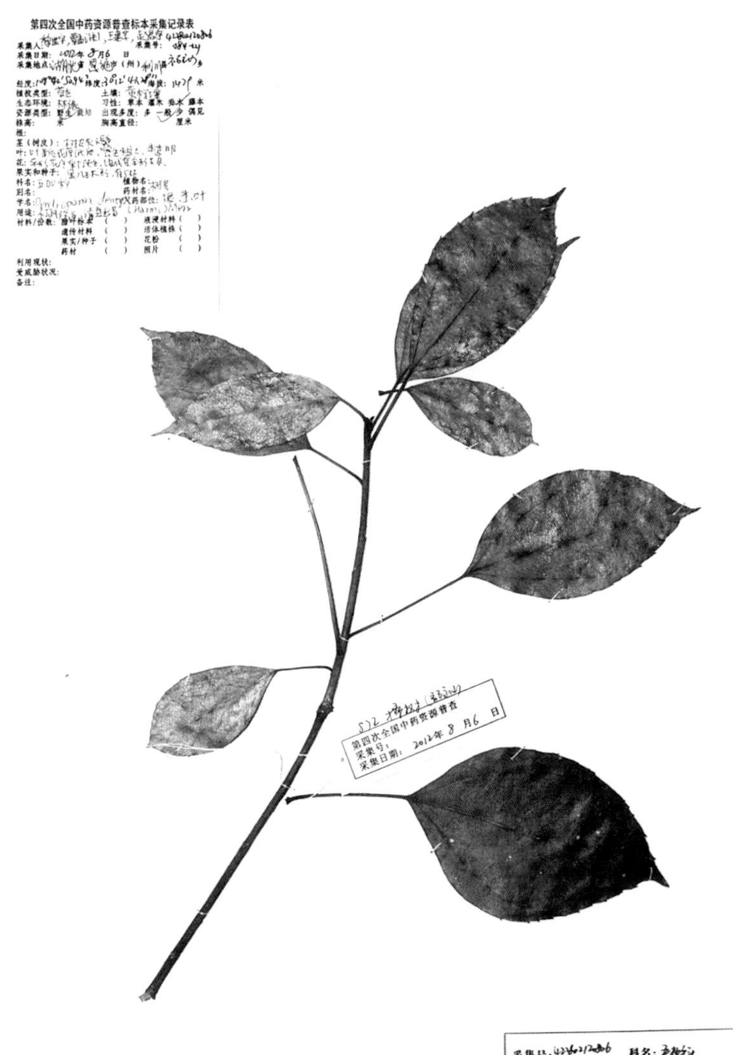

五加科 Araliaceae 八角金盘属 *Fatsia*

八角金盘 *Fatsia japonica* (Thunb.) Decne. et Planch

| 药 材 名 |

八角金盘。

| 形态特征 |

常绿灌木或小乔木。高可达 5 m。茎光滑无刺。叶柄长 10 ~ 30 cm；叶片大，革质，近圆形，直径 12 ~ 30 cm，掌状 7 ~ 9 深裂，裂片长椭圆状卵形，先端短渐尖，基部心形，边缘有疏离粗锯齿，上表面暗亮绿色，下面色较浅，有粒状突起，边缘有时呈金黄色；侧脉在两面隆起，网脉在下面稍显著。圆锥花序顶生，长 20 ~ 40 cm；伞形花序直径 3 ~ 5 cm，花序轴被褐色绒毛；花萼近全缘，无毛；花瓣 5，卵状三角形，长 2.5 ~ 3 mm，黄白色，无毛；雄蕊 5，花丝与花瓣等长；子房下位，5 室，每室有 1 胚珠，花柱 5，分离；花盘凸起半圆形。果实近球形，直径 5 mm，熟时黑色。花期 10 ~ 11 月，果熟期翌年 4 月。

| 生境分布 |

生于海拔 200 m 以下的地区。湖北有分布。

| 采收加工 |

叶：夏、秋季采叶，洗净，鲜用或晒干。

根皮：全年均可采收，洗净，鲜用或晒干。

| 功能主治 | 化痰止咳，散风除湿，化瘀止痛。用于咳嗽痰多，风湿痹痛，痛风，跌打损伤。

五加科 Araliaceae 常春藤属 *Hedera*

洋常春藤 *Hedera helix* L.

| 药 材 名 | 洋常春藤。

| 形态特征 | 多年生小型藤本。枝蔓细弱而柔软，具气生根，能攀附在其他物体上。叶小，密集，互生，革质，叶表深绿色，叶背淡绿色，有长柄；营养枝上的叶片三角状卵形，常3 ~ 5裂；花枝上的叶片卵形至菱形，一般全缘。总状花序或几花组成顶生短圆锥花序；小花球形，浅黄色。果实球形。红色或黄色等；种子卵圆形；胚乳嚼烂状。

| **生境分布** | 湖北有分布。

| **采收加工** | **茎、叶：**9 ~ 11 月采收，晒干。

| **功能主治** | 祛风，利湿，平肝，解毒。用于风湿性关节炎，肝炎，头晕，口眼歪斜，衄血，目翳，痈疽肿毒。

五加科 Araliaceae 常春藤属 *Hedera*

尼泊尔常春藤 *Hedera nepalensis* K. Koch

| 药 材 名 | 尼泊尔常春藤。

| 形态特征 | 常绿藤本，长 3 ~ 30 m。茎上有附生的气根；幼枝被锈色鳞片。气根纤细，以此攀缘他物。单叶互生，革质，通常二型，也有三型至四型者；不育枝上的叶三角状卵形或戟形，长 5 ~ 12 cm，宽 3 ~ 10 cm，全缘或 3 裂；花枝上的叶椭圆状披针形、长椭圆状卵形至披针形，稀卵形，全缘，先端渐尖至长渐尖，基部圆形、阔楔形、心形至截形，甚至呈箭形；叶柄细长，长 2.5 ~ 8.5 cm，有锈色鳞片。伞形花序有花 5 ~ 40，单生或 2 ~ 7 呈总状排列于枝顶；总花梗粗短；花淡黄色或淡绿白色，有香味；花萼有不明显的齿，外面被棕色鳞片；花瓣 5，三角状卵形，全开后稍反卷，外面疏被鳞片；雄

蕊 5，花丝较花瓣短；子房下位，5 室，花柱合生为 1 短柱状。果实球形，成熟时红色或黄色，直径约 1 cm，内有种子 5；种子白色，三角状卵形。花期 8 ~ 9 月，果期翌年春季。

| 生境分布 | 常攀缘于林缘树木、林下路旁、岩石和房屋墙壁上。湖北有分布。

| 资源情况 | 野生资源较少，栽培资源丰富。药材来源于栽培。

| 功能主治 | 祛风利湿，活血消肿，平肝，解毒。用于风湿痹痛，头晕，头痛，胁痛，咽喉肿痛，跌打损伤，痈肿，流注，蛇虫咬伤，风疹，湿疹，风湿性关节炎，腰背酸痛，病毒性肝炎，痈疖肿痛。

五加科 Araliaceae 常春藤属 *Hedera*

常春藤 *Hedera nepalensis* K. Koch var. *sinensis* (Tobler) Rehder

| 药 材 名 | 常春藤。

| 形态特征 | 多年生常绿攀缘灌木。长 3 ~ 20 cm。茎灰棕色或黑棕色，光滑，有气生根，幼枝被鳞片状柔毛，鳞片通常有 10 ~ 20 辐射肋。单叶互生；叶柄长 2 ~ 9 cm，有鳞片；无托叶；叶二型，不育枝上的叶为三角状卵形或戟形，长 5 ~ 12 cm，宽 3 ~ 10 cm。全缘或三裂；花枝上的叶椭圆状披针形、长椭圆状卵形或披针形，稀卵形或圆卵形，全缘；先端长尖或渐尖，基部楔形、宽圆形、心形；叶上表面深绿色，有光泽，下表面淡绿色或淡黄绿色，无毛或疏生鳞片；侧脉和网脉在两面均明显；伞形花序单个顶生或 2 ~ 7 总状排列或伞房状排列成圆锥花序，直径 1.5 ~ 2.5 cm，有花 5 ~ 40 朵；花萼密生棕色鳞片，

长约 2 mm，近全缘；花瓣 5，三角状卵形，长 3 ~ 3.5 mm，淡黄白色或淡绿白色，外面有鳞片；雄蕊 5，花丝长 2 ~ 3 mm，花药紫色；子房下位，5 室，花柱全部合生成柱状；花盘隆起，黄色。果实圆球形，直径 7 ~ 13 mm，红色或黄色，宿存花柱长 1 ~ 1.5 mm。花期 9 ~ 11 月，果期翌年 3 ~ 5 月。

| 生境分布 | 生于阔叶林中树干或沟谷阴湿的岩壁上，庭园也常有栽培。湖北有分布。

| 采收加工 | **茎叶：**干用时宜在生长茂盛季节采收，切段，晒干；鲜用时可随采随用。

| 功能主治 | 祛风，利湿，和血，解毒。用于风湿痹痛，瘫痪，口眼歪斜，衄血，月经不调，跌打损伤，咽喉肿痛，疔疖痈肿，肝炎，蛇虫咬伤。

五加科 Araliaceae 常春藤属 *Hedera*

菱叶常春藤 *Hedera rhombea* (Miq.) Bean

| 药 材 名 | 菱叶常春藤。

| 形态特征 | 花枝上的叶片披针形至卵状披针形或近菱形至卵形，歪斜，先端渐尖，基部楔形至阔楔形，上面亮绿色，下面淡绿色，侧脉两面均明显，网脉上面较明显；叶柄长 1 ~ 5.5 cm，几无毛。伞形花序近伞房状排列；总花梗细长，长 1 ~ 1.5 cm，有星状毛；花梗长 6 ~ 8 mm，有星状毛；萼筒短，倒圆锥形，密生星状毛，长约 1 mm；花瓣卵

形，长 2 ~ 2.5 mm，开花时略反卷，外面有星状毛，内面中部以上有隆起的脊；雄蕊 5，花丝长约 2 mm；子房 5 室，花盘短圆锥形，花柱合生成柱状，长约 1 mm，柱头有不明显的 5 裂。

| 生境分布 | 湖北有分布。

| 功能主治 | 发汗解毒。用于毒蛇咬伤，食物及药物中毒，丹毒，无名肿毒等。

五加科 Araliaceae 刺楸属 *Kalopanax*

刺楸 *Kalopanax septemlobus* (Thunb.) Koidz.

| 药 材 名 | 刺楸。

| 形态特征 | 落叶乔木。高约 10 m，最高可达 30 m，胸径达 70 cm 以上，树皮暗灰棕色。小枝淡黄棕色或灰棕色，散生粗刺，刺基部宽阔扁平，通常长 5 ~ 6 mm，基部宽 6 ~ 7 mm，在茁壮枝上的长达 1 cm 以上，宽 1.5 cm 以上。叶片纸质，在长枝上互生，在短枝上簇生，圆形或近圆形，直径 9 ~ 25 cm，稀达 35 cm，掌状 5 ~ 7 浅裂，裂片阔三角状卵形至长圆状卵形，长不及全叶片的 1/2，茁壮枝上的叶片分裂较深，裂片长超过全叶片的 1/2，先端渐尖，基部心形，上面深绿色，无毛或几无毛，下面淡绿色，幼时疏生短柔毛，边缘有细锯齿，放射状主脉 5 ~ 7，在两面均明显；叶柄细长，长 8 ~ 50 cm，无毛。

圆锥花序大，长 15 ～ 25 cm，直径 20 ～ 30 cm；伞形花序直径 1 ～ 2.5 cm，有花多数；总花梗细长，长 2 ～ 3.5 cm，无毛；花梗细长，无关节，无毛或稍有短柔毛，长 5 ～ 12 mm；花白色或淡绿黄色；萼无毛，长约 1 mm，边缘有 5 小齿；花瓣 5，三角状卵形，长约 1.5 mm；雄蕊 5，花丝长 3 ～ 4 mm；子房 2 室，花盘隆起；花柱合生成柱状，柱头离生。果实球形，直径约 5 mm，蓝黑色；宿存花柱长 2 mm。花期 7 ～ 10 月，果期 9 ～ 12 月；叶形多变化，有时浅裂，裂片阔三角状卵形，有时分裂较深，裂片长圆状卵形，稀倒卵状长圆形，长不及全叶片的 1/2；茁壮枝上的叶片，分裂更深，往往超过全叶片长的 1/2。

| 生境分布 | 生于山地疏林中。湖北有分布。

| 采收加工 | 全年均可采剥树皮，洗净，晒干。

| 功能主治 | 祛风，除湿，杀虫，活血。用于风湿痹痛，腰膝痛，痈疽，疮癣。

五加科 Araliaceae 刺楸属 *Kalopanax*

深裂刺楸变种 *Kalopanax septemlobus* (Thunb.) Koidz. var. *maximowiczii* (Van Houtte) Hand.-Mazz.

| 药 材 名 | 刺楸。

| 形态特征 | 落叶乔木。小枝红褐色，有粗刺。叶掌状分裂，裂片有锯齿；花两性，排成伞形花序，再复结成顶生、阔大的圆锥花序；萼 5 齿裂；花瓣 5，镊合状排列；子房下位，2 室，花柱合生成 1 柱；果为 1 核果，近球形，有种子 2。

| 生境分布 | 生于向阳森林、灌木林中、林缘、向阳山坡和岩质山地。湖北有分布和栽培。

| **采收加工** | 全年均可采剥树皮，洗净，晒干。

| **功能主治** | 祛风，除湿，杀虫，活血。用于风湿痹痛，腰膝痛，痈疽，疮癣，咯血，吐血，衄血，便血，崩漏，外伤出血，胸腹刺痛，跌扑肿痛。

五加科 Araliaceae 大参属 *Macropanax*

短梗大参 *Macropanax rosthornii* (Harms) C. Y. Wu ex Hoo

| 药 材 名 | 短梗大参。

| 形态特征 | 常绿灌木或小乔木。高 2 ~ 9 m，胸径 20 cm。枝暗棕色，小枝淡黄棕色，无毛。叶有小叶 3 ~ 5，稀 7；叶柄长 2 ~ 20 cm 或更长；小叶片纸质，倒卵状披针形，长 6 ~ 18 cm，宽 1.2 ~ 3.5 cm，先端短渐尖或长渐尖，尖头长 1 ~ 3 cm，基部楔形，上面深绿色，下面淡绿白色，两面均无毛，边缘疏生钝齿或锯齿，齿有小尖头，侧脉 8 ~ 10 对，在两面明显，网脉不明显；小叶柄长 0.3 ~ 1 cm，稀长至 1.5 cm。圆锥花序顶生，长 15 ~ 20 cm，主轴和分枝无毛；伞形花序直径约 1.5 cm，有花 5 ~ 10 朵；总花梗长 0.8 ~ 1.5 cm，无毛；花梗长 3 ~ 5 mm，稀长 7 ~ 8 mm，无毛；花白色；萼长约 1.5 mm，无毛，近全缘；

花瓣 5，三角状卵形，长 1.5 mm；雄蕊 5，花丝长 2 ~ 2.5 mm；子房 2 室；花盘隆起，半球形；花柱合生成柱状，先端 2 浅裂。果实卵球形，长约 5 mm；宿存花柱长 1.5 ~ 2 mm。花期 7 ~ 9 月，果期 10 ~ 12 月。

| 生境分布 | 生于海拔 500 ~ 1 300 m 的森林、灌丛和林缘路旁。湖北有分布。

| 采收加工 | **根：**秋、冬季采挖，洗净泥土，切片，鲜用或晒干。

叶：夏、秋季采，多鲜用。

| 功能主治 | 祛风除湿，化瘀通络，健脾。用于风湿痹痛，疳积，骨折，跌打损伤等。

五加科 Araliaceae 梁王茶属 *Nothopanax*

掌叶梁王茶 *Nothopanax delavayi* (Franch.) Harms ex Diels

| 药 材 名 | 掌叶梁王茶。

| 形态特征 | 灌木。高 1 ~ 5 m。叶为掌状复叶，稀单叶；叶柄长 4 ~ 12 cm；小叶片 3 ~ 5，稀 2 或 7，长圆状披针形至椭圆状披针形，长 6 ~ 12 cm，宽 1 ~ 2.5 cm，先端渐尖至长渐尖，基部楔形，上面绿色，下面淡绿色，两面均无毛，边缘疏生钝齿或近全缘，侧脉 6 ~ 8 对，在上面明显，在下面不明显，网脉不明显；小叶柄长 1 ~ 10 mm。圆锥花序顶生，长约 15 cm；伞形花序直径约 2 cm，有花 10 余；总花梗长 1 ~ 1.5 cm；苞片卵形，膜质，长约 2 mm，早落；小苞片长约 1 mm，三角形，早落；花梗有关节，长 8 ~ 10 mm；花白色；萼无毛，长约 1 mm，边缘有 5 三角形小齿；花瓣 5，三角状卵形，长约 1.5 mm；

雄蕊 5，花丝长 2.5 ~ 3 mm；子房 2 室，花柱 2，基部合生，先端离生；花盘稍隆起。果实球形，侧扁，直径约 5 mm，宿存花柱长 2.5 ~ 3 mm。花期 9 ~ 10 月，果期 12 月至翌年 1 月。

| 生境分布 | 生于海拔 1 600 ~ 2 500 m 的森林或灌丛中。湖北有分布。

| 采收加工 | 全年均可采，洗净，切片，晒干或鲜用。

| 功能主治 | **茎皮**：清热消炎，生津止泻。用于喉炎。

全株：清热解毒，活血舒筋。用于咽喉肿痛，目赤，消化不良，风湿腰腿痛；外用于骨折，跌打损伤。

五加科 Araliaceae 人参属 *Panax*

人参 *Panax ginseng* C. A. Meyer

| 药 材 名 | 人参。

| 形态特征 | 多年生草本。根茎（芦头）短，直立或斜上，不增厚成块状。主根肥大，纺锤形或圆柱形。地上茎单生，高 30 ~ 60 cm，有纵纹，无毛，基部有宿存鳞片。叶为掌状复叶，3 ~ 6 叶轮生茎顶，幼株的叶数较少；叶柄长 3 ~ 8 cm，有纵纹，无毛，基部无托叶；小叶片 3 ~ 5，幼株常为 3，薄膜质，中央小叶片椭圆形至长圆状椭圆形，长 8 ~ 12 cm，宽 3 ~ 5 cm，最外 1 对侧生小叶片卵形或菱状卵形，长 2 ~ 4 cm，宽 1.5 ~ 3 cm，先端长渐尖，基部阔楔形，下延，边缘有锯齿，齿有刺尖，上面散生少数刚毛，刚毛长约 1 mm，下面无毛，侧脉 5 ~ 6 对，在两面明显，网脉不明显；小叶柄长 0.5 ~ 2.5 cm，侧生者较短。

伞形花序单个顶生，直径约 1.5 cm，有花 30 ~ 50，稀 5 ~ 6；总花梗通常较叶长，长 15 ~ 30 cm，有纵纹；花梗丝状，长 0.8 ~ 1.5 cm；花淡黄绿色；萼无毛，边缘有 5 三角形小齿；花瓣 5，卵状三角形；雄蕊 5，花丝短；子房 2 室；花柱 2，离生。果实扁球形，鲜红色。

| 生境分布 | 一般生于海拔数百米的落叶阔叶林或针阔叶混交林下。湖北有分布。

| 资源情况 | 野生资源较少，栽培资源较丰富。药材主要来源于栽培。

| 功能主治 | 大补元气，复脉固脱，补脾益肺，生津养血，安神益智。用于体虚欲脱，肢冷脉微，脾虚食少，肺虚咳喘，津伤口渴，内热消渴，气血亏虚，久病虚羸，惊悸失眠，阳痿宫冷。

五加科 Araliaceae 人参属 *Panax*

竹节参 *Panax japonicus* (T. Nees) C. A. Meyer

| **药 材 名** | 竹节参。

| **形态特征** | 多年生草本。高 50 ~ 80 cm，或更高。根茎横卧，呈竹鞭状，肉质肥厚，白色，结节间具凹陷茎痕。叶为掌状复叶，轮生于茎顶；叶柄长 8 ~ 11 cm；小叶通常 5，叶片膜质，倒卵状椭圆形至长圆状椭圆形，长 5 ~ 18 cm，宽 2 ~ 6.5 cm，先端渐尖，稀长尖，基部楔形至近圆形，边缘具锯齿或重锯齿，上面叶脉无毛或疏生刚毛，下面无毛或疏生毛茸。伞形花序单生于茎顶，有花 50 ~ 80 或更多；总花梗长 12 ~ 20 cm，无毛或疏短柔毛；花小，淡绿色；小花梗长约 10 mm；花萼绿色，先端 5 齿，齿三角状卵形；花瓣 5，长卵形，覆瓦状排列；雄蕊 5，花丝较花瓣短；子房下位，2 ~ 5 室，花柱

2 ~ 5，中部以下连合，上部分离，果时外弯。核果状浆果，球形，未成熟时呈绿色，成熟后为半红半黑色，靠近果实基部为红色，先端为黑色，直径 5 ~ 7 cm；种子 2 ~ 5，白色，三角状长卵形，长约 4.5 mm。花期 5 ~ 6 月，果期 7 ~ 9 月。

| 生境分布 | 生于海拔 1 200 ~ 2 500 m 的密林及灌丛中或阴湿的沟边及山路旁。分布于湖北西部。湖北宣恩、鹤峰、五峰等有栽培。

| 采收加工 | **根茎：**移栽定植 4 年后，在 9 月下旬到 10 月上旬地上部分茎叶枯萎时采收，采挖后除去泥土，用清水清洗，烘干。烘干时先用文火，逐渐升温，最高温度控制在 50 ℃以内，并经常翻动，保证干燥均匀一致。

| 功能主治 | 散瘀止血，消肿止痛，祛痰止咳，补虚强壮。用于劳嗽咯血，跌扑损伤，咳嗽痰多，病后虚弱。

五加科 Araliaceae 人参属 *Panax*

珠子参 *Panax japonicus* C. A. Mey. var. *major* (Burk.) C. Y. Wu et K. M. Feng

| **药 材 名** | 珠子参。

| **形态特征** | 该种是竹节参的变种根茎串珠状，故名“珠子参”。小叶倒卵状椭圆形至椭圆形，长为宽的 2 ~ 3 倍，上面沿脉疏被刚毛，下面无毛或沿脉稍被刚毛，先端渐尖，稀长渐尖，基部楔形至圆形。

| **生境分布** | 生于海拔 1 720 ~ 3 650 m 的山坡密林中。湖北有分布。

| 采收加工 | **根**：秋季采挖，除去粗皮和须根，干燥或蒸（煮）透后干燥。

| 功能主治 | 用于气阴两虚，烦热口渴，虚劳咳嗽，跌扑损伤，关节痹痛，咯血，吐血，衄血，崩漏，外伤出血。

五加科 Araliaceae 人参属 *Panax*

三七 *Panax notoginseng* (Burk.) F. H. Chen

| 药 材 名 | 三七。

| 形态特征 | 主根呈类圆锥形或圆柱形。长 1 ~ 6 cm，直径 1 ~ 4 cm。表面灰褐色或灰黄色，有断续的纵皱纹和支根痕。先端有茎痕，周围有瘤状突起。体重，质坚实，断面灰绿色、黄绿色或灰白色，木部微呈放射状排列。筋条呈圆柱形或圆锥形，长 2 ~ 6 cm，上端直径约 0.8 cm，下端直径约 0.3 cm。剪口呈不规则的皱缩块状或条状，表面有数个明显的茎痕及环纹，断面中心灰绿色或白色，边缘深绿色或灰色。

| 生境分布 | 生于海拔 1 200 ~ 1 800 m 的地带。湖北有分布。

| 资源情况 | 野生资源较丰富。

| 采收加工 | 秋季花开前采挖，晒干。

| 功能主治 | 止血，散瘀，定痛。用于咯血，吐血，衄血，便血，崩漏，外伤出血，胸腹刺痛，跌扑肿痛。

五加科 Araliaceae 人参属 *Panax*

羽叶三七 *Panax pseudo-ginseng* Wall. var. *bipinnatifidus* (Seem.) Li

| 药 材 名 | 羽叶三七。

| 形态特征 | 多年生直立草本。高达 70 cm。根茎细长横卧；茎圆柱状，表面有较深的纵条纹，疏生刺毛，下部近光滑。掌状复叶 3 ~ 5 轮生茎端；叶柄扁压状，长 5 ~ 13 cm，上面呈纵浅槽，两侧及背面疏生刺毛；小叶 5 ~ 7 片，小叶柄亦有刺毛；小叶片呈羽状分裂，长 3 ~ 8 cm，宽 1 ~ 3 cm，两端裂片较中部者为小，先端裂片先端渐尖，裂片边缘有锯齿，叶片薄，上面深绿色，下面淡绿色；上面叶脉上及齿尖均有刺毛。伞形花序单一，顶生；总花梗远较叶柄为长，表面近光滑无毛，有纵条纹；花梗丝状；花两性，或单性与两性共存；花萼钟状，先端 5 裂；花瓣 5，卵状三角形；雄蕊 5，与花瓣互生，花丝

短；子房下位，2 室，花柱 2，基部合生。

| **生境分布** | 生于海拔 1 800 ～ 3 100 m 的山地混交林下阴湿处。分布于湖北巴东。

| **资源情况** | 野生资源较少，亦有零星栽培。药材来源于野生和栽培。

| **采收加工** | 一般于立秋前后采收生长 3 年以上植株，起挖前 10 天剪去地上部分，选择晴天起挖，洗净泥土，剪去芦头（羊肠头）、支根和须根，将剩下部分暴晒 1 天，进行多次揉搓，使其紧实，直到全干。

| **功能主治** | 滋补强壮，散瘀止痛，止血。用于病后虚弱，肺结核咯血，衄血，闭经，产后血瘀腹痛，寒湿痹痛，跌打损伤。

五加科 Araliaceae 人参属 *Panax*

秀丽假人参 *Panax pseudo-ginseng* Wall. var. *elegantior* (Burkill) Hoo et Tseng

| 药 材 名 | 秀丽假人参。

| 形态特征 | 多年生草本。根茎短，竹鞭状，横生，有 2 至多肉质根。肉质根圆柱形，长 2 ~ 4 cm，直径约 1 cm，干时有纵皱纹。地上茎单生，高约 40 cm，有纵纹，无毛，基部有宿存鳞片。叶为掌状复叶，4 叶轮生于茎顶；叶柄长 4 ~ 5 cm，有纵纹，无毛；托叶小，披针形，长 5 ~ 6 mm；小叶片 3 ~ 4，薄膜质，透明，倒卵状椭圆形至倒卵状长圆形，中央的长 9 ~ 10 cm，宽 3.5 ~ 4 cm，侧生的较小，先端长渐尖，基部渐狭，下延，边缘有重锯齿，齿有刺尖，上面脉上密生刚生，刚毛长 1.5 ~ 2 mm，下面无毛，侧脉 8 ~ 10 对，在两面明显，网脉明显；小叶柄长 2 ~ 10 mm，与叶柄先端连接处簇生刚

毛。伞形花序单个顶生，直径约 3.5 cm，有花 20 ~ 50；总花梗长约 12 cm，有纵纹，无毛；花梗纤细，无毛，长约 1 cm；苞片不明显；花黄绿色；萼杯状（雄花的萼为陀螺形），边缘有 5 三角形的齿；花瓣 5；雄蕊 5；子房 2 室，花柱 2（雄花中的退化雌蕊上为 1），离生，反曲。果实未见。

| 生境分布 | 生于海拔 2 000 ~ 2 800 m 的山坡林下或沟谷灌丛中。分布于湖北巴东等地。

| 采收加工 | **根茎：**夏、秋季采收，鲜用或晒干。

| 功能主治 | 止血散瘀，消肿止痛。用于跌打损伤，吐血，衄血，血痢，血崩，劳伤腰痛等。

五加科 Araliaceae 人参属 *Panax*

大叶三七变种 *Panax pseudo-ginseng* Wall. var. *japonicus* (C. A. Mey.) Hoo et Tseng

| 药 材 名 | 大叶三七。

| 形态特征 | 本变种根茎竹鞭状或串珠状，或兼有竹鞭状和串珠状，根通常不膨大，纤维状，稀侧根膨大成圆柱状肉质根，中央小叶片阔椭圆形、椭圆形、椭圆状卵形至倒卵状椭圆形，稀长圆形或椭圆状长圆形，最宽处常在中部，长为宽的 2 ~ 4 倍，先端渐尖或长渐尖，基部楔形、圆形或近心形，边缘有细锯齿、重锯齿或缺刻状锯齿，上面脉上无毛或疏生刚毛，下面无毛或脉上疏生刚毛或密生柔毛。

| 生境分布 | 生于海拔 1 200 ~ 3 100 m 的森林下或灌丛草坡中。分布于湖北兴山等地。

| 资源情况 | 野生资源较少，药材来源于野生和栽培。

| 功能主治 | 散瘀止血，消肿定痛，滋补壮阳。

五加科 Araliaceae 五叶参属 *Pentapanax*

锈毛五叶参 *Pentapanax henryi* Harms

| 药 材 名 | 锈毛羽叶参。

| 形态特征 | 高约 7 m。幼枝被锈色绒毛。羽状复叶，小叶 3 ~ 5，卵状长圆形或卵状披针形，顶生小叶椭圆形，长 5 ~ 14 cm，基部楔形，稀圆，具锐齿，下面脉腋具簇生毛，侧脉 8 ~ 12 对；叶柄长 8 ~ 12 cm，小叶柄长 0.5 ~ 3 cm。圆锥花序长 12 ~ 25 cm，被锈色或黄褐色柔毛，侧枝具 1 ~ 4 伞形花序，伞形花序直径 1 ~ 2 cm；花梗长 0.5 ~ 1 cm；子房 5 室，花柱连成柱状，先端不裂。果实球形，直径 5 ~ 6 mm；宿存花柱长 2 ~ 3 mm。花期 10 ~ 11 月，果期 11 ~ 12 月。

| 生境分布 | 生于海拔 1 600 m 的森林中。湖北有分布。

| 采收加工 | 夏、秋季采收，鲜用或晒干。

| 功能主治 | 祛风除湿，活血化瘀。用于风湿痹痛，跌打损伤等。

五加科 Araliaceae 南鹅掌柴属 *Schefflera*

短序鹅掌柴 *Schefflera bodinieri* (H. Lév.) Rehd.

| 药 材 名 | 短序鹅掌柴。

| 形态特征 | 灌木或小乔木。高 1 ～ 5 m。小枝棕紫色或红紫色，被很快脱净星状短柔毛。叶有小叶 6 ～ 9，稀 11；叶柄长 9 ～ 18 cm，无毛；小叶片膜质、薄纸质或坚纸质，长圆状椭圆形、披针状椭圆形、披针形至线状披针形，长 11 ～ 15 cm，宽 1 ～ 5 cm，先端长渐尖，尖头有时镰状，基部阔楔形至钝形，两面均无毛，或下面有极稀疏白色星状短柔毛，边缘疏生细锯齿或波状钝齿，稀全缘，中脉仅下面隆起，侧脉 5 ～ 16 对，在上面隐约可见，在下面较清晰，网脉不明显；小叶柄长 0.2 ～ 6 cm，中央的较长，两侧的较短，无毛。圆锥花序顶生，长不超过 15 cm（稀长 30 cm），主轴和分枝有灰白色星

状短柔毛，不久毛脱稀变几无毛；伞形花序单个顶生或数个总状排列在分枝上，有花约 20；苞片早落；总花梗长 1 ~ 2 cm，花梗长 4 ~ 5 mm，均疏生灰白色星状短柔毛；小苞片线状长圆形，长约 3 mm，外面有毛，宿存；花白色；萼长 2 ~ 2.5 mm，有灰白色星状短柔毛，边缘有 5 齿；花瓣 5，长约 3 mm，有羽状脉纹，外面有灰白色星状短柔毛，毛很快脱净；雄蕊 5，略露出于花瓣之外；子房 5 室；花柱合生成柱状，长约 1 mm，结实时长至 2 mm 以上；花盘略隆起。果实球形或近球形，几无毛，红色，直径 4 ~ 5 mm；种子的胚乳稍嚼烂状。花期 11 月，果期翌年 4 月。

| 生境分布 | 生于海拔 400 ~ 1 000 m 的密林中。分布于湖北来凤、利川等地。

| 资源情况 | 野生资源丰富，栽培资源丰富。

| 采收加工 | 夏、秋季采剥树皮，割破枝条和树干，晒干。

| 功能主治 | 祛风除湿，行气止痛。用于风湿痹痛，肾虚腰痛，胃痛，跌打肿痛。

五加科 Araliaceae 南鹅掌柴属 *Schefflera*

穗序鹅掌柴 *Schefflera delavayi* (Franch.) Harms ex Diels

| 药 材 名 | 穗序鹅掌柴。

| 形态特征 | 小乔木。小枝密被黄褐色星状毛。小叶 4 ~ 7，卵状长椭圆形或卵状披针形，长 8 ~ 24 cm，基部钝圆，全缘或疏生不规则缺齿，幼树之叶常羽状分裂，下面密被灰白或黄褐色星状毛，侧脉 8 ~ 12（~ 15）对；叶柄长 12 ~ 25 cm，小叶柄长 1 ~ 10 cm。穗状花序组成圆锥状，密被星状绒毛；花无梗；萼具 5 齿；花瓣三角状卵形，白色；雄蕊 5；子房 4 ~ 5 室，花柱柱状。果实球形，紫黑色，直径约 4 mm；果柄长约 1 mm。

| 生境分布 | 生于海拔 600 ~ 3 100 m 的山谷溪边的常绿阔叶林中、阴湿的林缘或疏林。湖北有分布。

| 功能主治 | **根皮：**用于跌打损伤。

叶：发汗解表。

五加科 Araliaceae 南鹅掌柴属 *Schefflera*

鹅掌柴 *Schefflera octophylla* (Lour.) Harms

| 药 材 名 | 鹅掌柴。

| 形态特征 | 乔木或灌木。高 2 ~ 15 m，胸径可达 30 cm 以上。小枝粗壮，干时有皱纹，幼时密生星状短柔毛，不久毛渐脱。叶有小叶 6 ~ 9 (~ 11)；叶柄长 15 ~ 30 cm，疏生星状短柔毛或无毛；小叶片纸质至革质，椭圆形、长圆状椭圆形或倒卵状椭圆形，稀椭圆状披针形，长 9 ~ 17 cm，宽 3 ~ 5 cm，幼时密生星状短柔毛，后毛渐脱落，除下面沿中脉和脉腋间外均无毛，或全部无毛，先端急尖或短渐尖，稀圆形，基部渐狭，楔形或钝形，全缘，但在幼树时常有锯齿或羽状分裂，侧脉 7 ~ 10 对，在下面微隆起，网脉不明显；小叶柄长 1.5 ~ 5 cm，中央的较长，两侧的较短，疏生星状短柔毛至无

毛。圆锥花序顶生，长 20 ～ 30 cm，主轴和分枝幼时密生星状短柔毛，后毛渐脱；分枝斜生，有总状排列的几至十几伞形花序，间或有单生花 1 ～ 2；伞形花序有花 10 ～ 15；总花梗纤细，长 1 ～ 2 cm，有星状短柔毛；花梗长 4 ～ 5 mm，有星状短柔毛；小苞片小，宿存；花白色；萼长约 2.5 mm，幼时有星状短柔毛，后变无毛，边缘近全缘或有 5 ～ 6 小齿；花瓣 5 ～ 6，开花时反曲，无毛；雄蕊 5 ～ 6，比花瓣略长；子房 5 ～ 7 室，稀 9 ～ 10 室；花柱合生成粗短的柱状；花盘平坦。果实球形，黑色，直径约 5 mm，有不明显的棱；宿存花柱很粗短，长 1 mm 或稍短；柱头头状。花期 11 ～ 12 月，果期 12 月。

| 生境分布 | 生于海拔 100 ～ 2 100 m 的常绿阔叶林或阳坡上。湖北有分布。

| 资源情况 | 野生资源丰富，栽培资源丰富。

| 采收加工 | **根或根皮、树皮：**全年均可采挖根或剥取根皮、树皮，洗净，切片，晒干。

叶：全年均可采，鲜用。

| 功能主治 | 清热解表，祛风除湿，舒筋活络。用于感冒发热，咽喉肿痛，烫伤，无名肿毒，风湿痹痛，跌打损伤，骨折。

五加科 Araliaceae 通脱木属 *Tetrapanax*

通脱木 *Tetrapanax papyrifer* (Hook.) K. Koch

| 药 材 名 | 通草。

| 形态特征 | 常绿灌木或小乔木。高 1 ~ 3.5 m，基部直径 6 ~ 9 cm。树皮深棕色，略有皱裂；新枝淡棕色或淡黄棕色，有明显的叶痕和大形皮孔，幼时密生黄色星状厚绒毛，后毛渐脱落。叶大，集生茎顶；叶片纸质或薄革质，长 50 ~ 75 cm，宽 50 ~ 70 cm，掌状 5 ~ 11 裂，裂片通常为叶片全长的 1/3 或 1/2，稀至 2/3，倒卵状长圆形或卵状长圆形，通常再分裂为 2 ~ 3 小裂片，先端渐尖，上面深绿色，无毛，下面密生白色厚绒毛，全缘或疏生粗齿，侧脉和网脉不明显；叶柄粗壮，长 30 ~ 50 cm，无毛；托叶和叶柄基部合生，锥形，长 7.5 cm，密生淡棕色或白色厚绒毛。圆锥花序长 50 cm 或更长；分枝多，长

15 ～ 25 cm；苞片披针形，长 1 ～ 3.5 cm，密生白色或淡棕色星状绒毛；伞形花序直径 1 ～ 1.5 cm，有花多数；总花梗长 1 ～ 1.5 cm，花梗长 3 ～ 5 mm，均密生白色星状绒毛；小苞片线形，长 2 ～ 6 mm；花淡黄白色；萼长 1 mm，全缘或近全缘，密生白色星状绒毛；花瓣 4，稀 5，三角状卵形，长 2 mm，外面密生星状厚绒毛；雄蕊和花瓣同数，花丝长约 3 mm；子房 2 室，花柱 2，离生，先端反曲。果实直径约 4 mm，球形，紫黑色。花期 10 ～ 12 月，果期翌年 1 ～ 2 月。

| 生境分布 | 生于向阳肥厚的土壤。湖北有分布。

| 采收加工 | 秋季选择生长 3 年以上的植株，割取地上茎，切断，捅出髓心，理直，晒干。

| 功能主治 | 清热利水，通乳。用于淋证涩痛，小便不利，水肿，黄疸，湿温，小便短赤，产后乳少，闭经，带下。